CEDU(쎄듀)는 A **C**omprehensive **E**nglish e**DU**cation(**종합적 영어교육)의 약자입니다.**

저자

김기훈 現 ㈜쎄듀 대표이사
現 메가스터디 영어영역 대표강사
前 서울특별시 교육청 외국어 교육정책자문위원회 위원
저서 천일문 / 천일문 Training Book / 천일문 GRAMMAR
어법끝 / 어휘끝 / 첫단추 / 쎈쓰업 / 파워업 / 빈칸백서 / 오답백서
쎄듀 본영어 / 문법의 골든룰 101 / ALL씀 서술형 / 수능실감
거침없이 Writing / Grammar Q / Reading Q / Listening Q 등

쎄듀 영어교육연구센터
쎄듀 영어교육센터는 영어 콘텐츠에 대한 전문지식과 경험을 바탕으로
최고의 교육 콘텐츠를 만들고자 최선의 노력을 다하는 전문가 집단입니다.
장혜승 선임연구원

감수
유원호 (서강대 영미어문과 교수)

마케팅	콘텐츠 마케팅 사업본부
영업	문병구
제작	정승호
인디자인 편집	올댓에디팅
디자인	윤혜영
내지 일러스트	그림숲
영문교열	Janna Christie

LISTENING Q

중학영어듣기

모의고사

유형편

PREVIEW

STEP 1 최신 기출 분석을 통한 유형 익히기

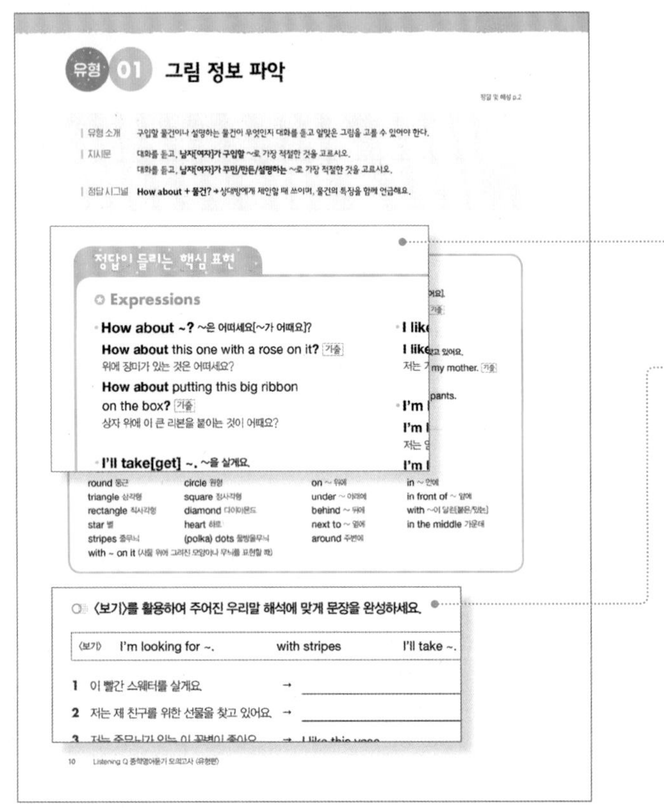

최신 기출을 완벽 분석한 유형별 공략

중학영어듣기 모의고사의 16개 대표 유형을 분석하고,
그에 따른 효과적인 공략법을 제시합니다.

정답이 들리는 핵심 표현

- 〈시·도교육청 영어듣기능력평가〉 최신 5개년 기출에서 유형별로 자주 등장하는 중요 표현 및 어휘를 정리하였습니다.
- 연습 문제를 통해 표현들을 연습해 볼 수 있습니다.

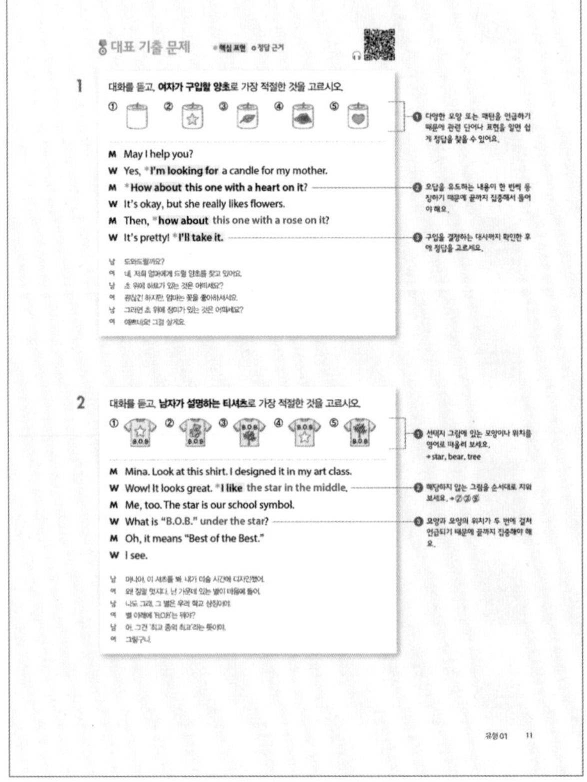

대표 기출 문제

- 최근 〈시·도교육청 영어듣기능력평가〉에 출제되는 모든 문제 유형을 철저히 분석하여, 유형별 문제 풀이 방법을 제시합니다.
- 오답 함정과 정답 근거를 확인해보며, 각 유형에 대한 이해도를 높일 수 있습니다.

STEP 2 유형별 집중 듣기 훈련하기

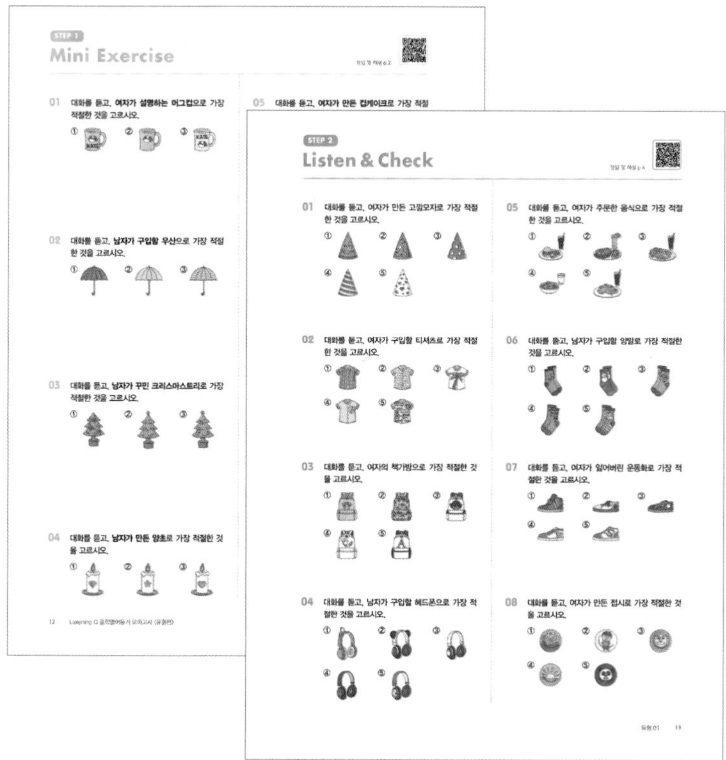

유형별 집중 듣기 훈련

Mini Exercise + Listen & Check

- 3단계의 듣기 훈련을 통해 본격적으로 모의고사를 접하기 전에 각 유형에 대한 이해도와 문제풀이능력을 높일 수 있습니다.
- Mini Exercise에서는 짧은 대화, Listen & Check에서는 좀 더 긴 대화로 구성하여, 점진적인 듣기 훈련을 할 수 있습니다.

STEP 3 받아쓰기 훈련으로 듣기 실력 Up!

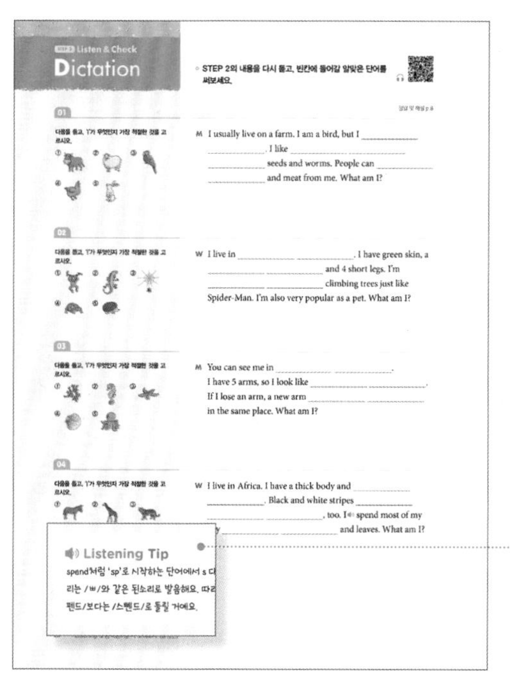

Listen & Check Dictation

받아쓰기를 통해, 문제 풀이에 중요한 단서가 되는 핵심 어휘 및 표현들을 연습할 수 있습니다.

Listening Tip

듣기의 기본기를 쌓을 수 있도록, 더 잘 들리는 발음 팁을 수록하였습니다.

STEP 4 실전 모의고사로 문제 풀이 감각 익히기

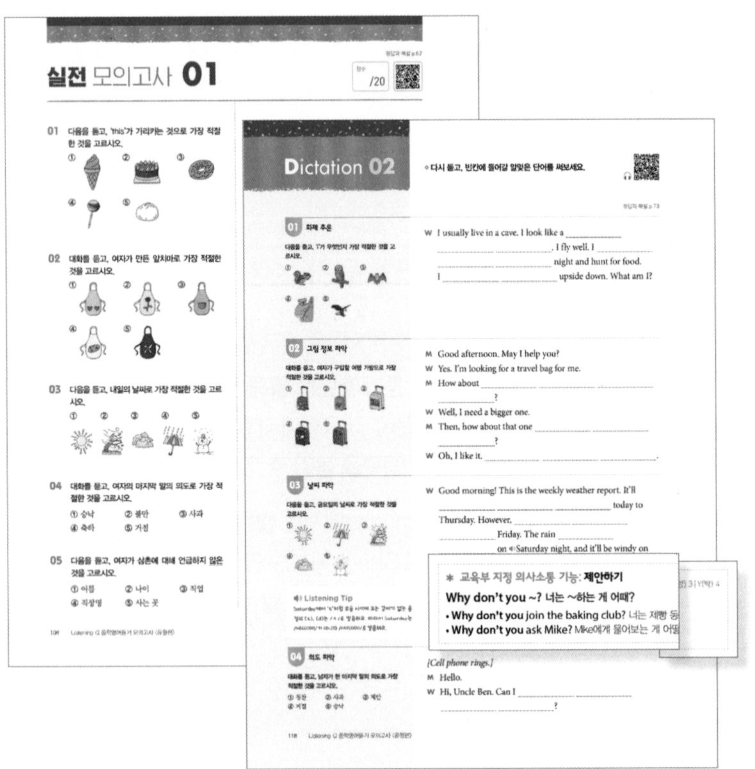

실전 모의고사 5회

- 전국 16개 〈시·도 교육청 영어듣기능력평가〉 최신 5개년 출제 경향이 완벽 반영된 실전 모의고사를 수록했습니다.
- 실전과 동일한 유형 배치 및 엄선된 문항을 통해 중학듣기평가를 대비하는 동시에 듣기의 기본기를 쌓을 수 있습니다.

매회 Dictation 수록

들은 내용을 다시 한번 확인하며, 중요 표현들과 놓치기 쉬운 연음 등의 집중적인 학습이 가능합니다.

교육부 지정 의사소통 기능

개정교과서에 수록된 의사소통 기능 표현을 정리하였습니다. 중요 표현들이 실제 대화에서 어떻게 쓰이는지 확인할 수 있으며, 다른 예시 문장을 제시하여 응용해 볼 수 있도록 구성했습니다.

STEP 5 자세한 해설로 완벽 복습

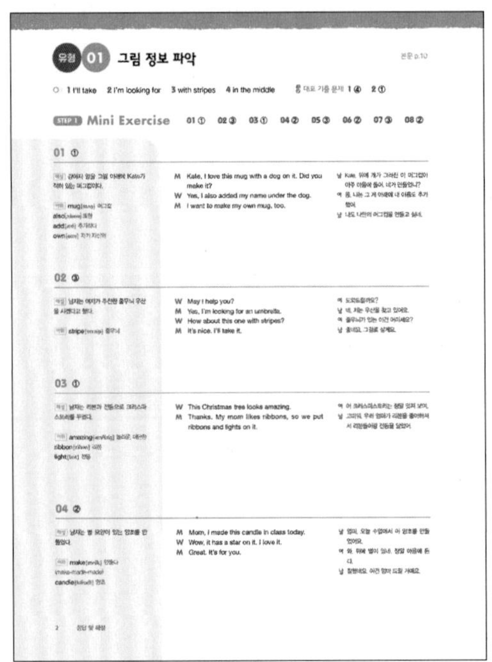

학습자 혼자서도 충분한 학습이 가능하도록 자세한 해설과 대본 및 해석을 제공합니다.

CEDU MP3 PLAYER

QR코드 하나로 배속 및 문항 선택 재생

- 〈Listening Q 중학영어듣기 모의고사〉 시리즈는 효율적인 듣기 학습을 위해 MP3 PLAYER 기능이 적용되어 있습니다.
- 교재 안에 있는 QR코드를 휴대전화로 인식하면, 기본 배속과 1.2배속, 1.4배속 세 가지 속도 중에 원하는 속도를 선택하여 음원 재생이 가능합니다.
- 각 문항별 파일도 선택하여 재생 가능하기 때문에 더욱 편리하게 받아쓰기를 연습할 수 있습니다.

무료 부가서비스

www.cedubook.com에서 무료 부가서비스 자료를 다운로드하세요.

- MP3 파일 • 어휘리스트 • 어휘테스트

CONTENTS

PART. 01

유형 익히기

PART. 02

실전 모의고사

기출 문제 유형 분석표

2015년 ~ 2020년

2020 ← 2015

1학년	2020년 1회	2019년 2회	2019년 1회	2018년 2회	2018년 1회	2017년 2회	2017년 1회	2016년 2회	2016년 1회	2015년 2회	2015년 1회
화제 추론	1	1	1	1	1	1	1	1	1	1	1
그림 정보 파악	1	1	1	1	1	1	1	1	1	1	1
날씨 파악	1	1	1	1	1	1	1	1	1	1	1
화자의 의도	1	1	1	1	1	1	1	1	1	1	1
언급하지 않은 내용 찾기	1	1	1	1	1	1	1	1	1	1	1
숫자 정보 파악 (시각)	1	1	1	1	1	1	1	1	1	1	1
장래 희망 파악	1	1	1	1	1	1	1	1	1	1	1
일치하지 않는 내용 찾기		1	1								
화자의 심정	1			1	1	1	1	1	1	1	1
할 일 파악	1	1	1	1	1	1	1	1	1	1	1
주제 추론	1	1	1	1	1	1	1	1	1	1	1
교통수단 찾기	1	1	1	1	1	1	1	1	1	1	1
이유 파악	1	1	1	1	1	1	1	1	1	1	1
관계 추론		1			1		1		1		1
대화 장소 추론	1		1	1		1		1		1	
위치 찾기 (길찾기)	1		1		1		1	1	1	1	1
위치 찾기 (물건 찾기)		1		1		1					
부탁 파악	1	1	1	1	1	1	1	1	1	1	1
제안 파악	1	1	1	1	1	1	1	1	1	1	1
어색한 대화 고르기										1	1
특정 정보 파악					1	1	1	1	1		
한 일 파악	1	1	1	1							
직업 추론	1	1	1	1	1	1	1	1	1	1	1
이어질 응답 찾기	2	2	2	2	2	2	2	2	2	2	2

Study Planner

영어듣기평가 전에 학습한 날짜와 획득한 점수를 적으면서
듣기 실력을 확인해보세요.

영어듣기평가 D-25일

1일차 유형 01 월 일	2일차 유형 02 월 일 점	3일차 유형 03 월 일 점	4일차 유형 04 월 일 점	5일차 유형 05 월 일 점
6일차 유형 06 월 일 점	7일차 유형 07 월 일 점	8일차 유형 08 월 일 점	9일차 유형 09 월 일 점	10일차 유형 10 월 일 점
11일차 유형 11 월 일 점	12일차 유형 12 월 일 점	13일차 유형 13 월 일 점	14일차 유형 14 월 일 점	15일차 유형 15 월 일 점
16일차 유형 16 월 일 점	17일차 유형 01 ~ 04 REVIEW 월 일	18일차 유형 05 ~ 08 REVIEW 월 일	19일차 유형 09~ 12 REVIEW 월 일	20일차 유형 13 ~ 16 REVIEW 월 일
21일차 실전 모의고사 1회 월 일 점	22일차 실전 모의고사 2회 월 일 점	23일차 실전 모의고사 3회 월 일 점	24일차 실전 모의고사 4회 월 일 점	25일차 실전 모의고사 5회 월 일 점

영어듣기평가 D-15일

1일차 유형 01, 02 월 일 점 / 점	2일차 유형 03, 04 월 일 점 / 점	3일차 유형 05, 06 월 일 점 / 점	4일차 유형 07, 08 월 일 점 / 점	5일차 유형 09, 10 월 일 점 / 점
6일차 유형 11, 12 월 일 점 / 점	7일차 유형 13, 14 월 일 점 / 점	8일차 유형 15, 16 월 일 점 / 점	9일차 유형 01 ~ 08 REVIEW 월 일	10일차 유형 09 ~ 16 REVIEW 월 일
11일차 실전 모의고사 1회 월 일 점	12일차 실전 모의고사 2회 월 일 점	13일차 실전 모의고사 3회 월 일 점	14일차 실전 모의고사 4회 월 일 점	15일차 실전 모의고사 5회 월 일 점

PART. 01

Listening Q

^^^

중학영어듣기 모의고사

유형 익히기

영어듣기능력 평가에 출제되는 대표 유형을 살펴보고,
연습문제를 통해 집중적으로 대비하자!

그림 정보 파악

정답 및 해설 p.2

| 유형 소개 구입할 물건이나 설명하는 물건이 무엇인지 대화를 듣고 알맞은 그림을 고를 수 있어야 한다.

| 지시문 대화를 듣고, **남자[여자]가 구입할** ~로 가장 적절한 것을 고르시오.
대화를 듣고, **남자[여자]가 꾸민/만든/설명하는** ~로 가장 적절한 것을 고르시오.

| 정답 시그널 **How about + 물건?** → 상대방에게 제안할 때 쓰이며, 물건의 특징을 함께 언급해요.

정답이 들리는 핵심 표현

Expressions

• **How about ~?** ~은 어떠세요[~가 어때요]?

How about this one with a rose on it? 기출
위에 장미가 있는 것은 어떠세요?

How about putting this big ribbon on the box? 기출
상자 위에 이 큰 리본을 붙이는 것이 어때요?

• **I'll take[get] ~.** ~을 살게요.

I'll take it. 기출 그걸 살게요.

• **I like ~.** 저는 ~이 좋아요[마음에 들어요].

I like the star in the middle. 기출
저는 가운데 있는 별이 마음에 들어요.

• **I'm looking for ~.** 저는 ~을 찾고 있어요.

I'm looking for a candle for my mother. 기출
저는 엄마에게 드릴 양초를 찾고 있어요.

I'm looking for some black pants.
저는 검은색 바지를 좀 찾고 있어요.

Words

• **모양/무늬**

round 둥근
circle 원형
triangle 삼각형
square 정사각형
rectangle 직사각형
diamond 다이아몬드
star 별
heart 하트
stripes 줄무늬
(polka) dots 물방울무늬
with ~ on it (사물 위에 그려진 모양이나 무늬를 표현할 때)

• **위치**

on ~ 위에
in ~ 안에
under ~ 아래에
in front of ~ 앞에
behind ~ 뒤에
with ~이 달린[붙은/있는]
next to ~ 옆에
in the middle 가운데
around 주변에

〈보기〉를 활용하여 주어진 우리말 해석에 맞게 문장을 완성하세요.

〈보기〉	I'm looking for ~.	with stripes	I'll take ~.	in the middle

1 이 빨간 스웨터를 살게요. → ______________ this red sweater.

2 저는 제 친구를 위한 선물을 찾고 있어요. → ______________ a gift for my friend.

3 저는 줄무늬가 있는 이 꽃병이 좋아요. → I like this vase ______________ on it.

4 이 담요는 가운데에 나뭇잎이 있어요. → This blanket has a leaf ______________.

대표 기출 문제

* 핵심 표현 ○ 정답 근거

1 대화를 듣고, **여자가 구입할 양초**로 가장 적절한 것을 고르시오.

① 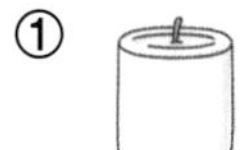 ②   ③  ④   ⑤  

M May I help you?
W Yes, * **I'm looking for** a candle for my mother.
M * **How about** this one with a heart on it?
W It's okay, but she really likes flowers.
M Then, * **how about** this one with a rose on it?
W It's pretty! * **I'll take it.**

남 도와드릴까요?
여 네, 저희 엄마에게 드릴 양초를 찾고 있어요.
남 초 위에 하트가 있는 것은 어떠세요?
여 괜찮긴 하지만, 엄마는 꽃을 좋아하셔서요.
남 그러면 초 위에 장미가 있는 것은 어떠세요?
여 예쁘네요! 그걸 살게요.

❶ 다양한 모양 또는 패턴을 언급하기 때문에 관련 단어나 표현을 알면 쉽게 정답을 찾을 수 있어요.

❷ 오답을 유도하는 내용이 한 번씩 등장하기 때문에 끝까지 집중해서 들어야 해요.

❸ 구입을 결정하는 대사까지 확인한 후에 정답을 고르세요.

2 대화를 듣고, **남자가 설명하는 티셔츠**로 가장 적절한 것을 고르시오.

① 

②  

③  

④  

⑤  

M Mina. Look at this shirt. I designed it in my art class.
W Wow! It looks great. * **I like** the star in the middle.
M Me, too. The star is our school symbol.
W What is "B.O.B." under the star?
M Oh, it means "Best of the Best."
W I see.

남 미나야. 이 셔츠를 봐. 내가 미술 시간에 디자인했어.
여 와! 정말 멋지다. 난 가운데 있는 별이 마음에 들어.
남 나도 그래. 그 별은 우리 학교 상징이야.
여 별 아래에 'B.O.B'는 뭐야?
남 아, 그건 '최고 중의 최고'라는 뜻이야.
여 그렇구나.

❶ 선택지 그림에 있는 모양이나 위치를 영어로 떠올려 보세요.
→ star, bear, tree

❷ 해당하지 않는 그림을 순서대로 지워 보세요. → ②③⑤

❸ 모양과 모양의 위치가 두 번에 걸쳐 언급되기 때문에 끝까지 집중해야 해요.

STEP 1

Mini Exercise

정답 및 해설 p.2

01 대화를 듣고, **여자가 설명하는 머그컵**으로 가장 적절한 것을 고르시오.

① 

② 
③ 

02 대화를 듣고, **남자가 구입할 우산**으로 가장 적절한 것을 고르시오.

 ①  
② 
③

03 대화를 듣고, **남자가 꾸민 크리스마스트리**로 가장 적절한 것을 고르시오.

 ① 
② 
③ 

04 대화를 듣고, **남자가 만든 양초**로 가장 적절한 것을 고르시오.

 ① 
② 
③ 

05 대화를 듣고, **여자가 만든 컵케이크**로 가장 적절한 것을 고르시오.

① 
② 
③ 

06 대화를 듣고, **남자가 구입할 반지**로 가장 적절한 것을 고르시오.

① 
② 
③ 

기출
07 대화를 듣고, **여자가 잃어버린 인형**으로 가장 적절한 것을 고르시오.

① 
② 
③ 

기출
08 대화를 듣고, **남자가 구입할 실내화**로 가장 적절한 것을 고르시오.

 ① 
 ② 
 ③ 

STEP 2

Listen & Check

정답 및 해설 p.4

01 대화를 듣고, 여자가 만든 고깔모자로 가장 적절한 것을 고르시오.

① 

② 
③ 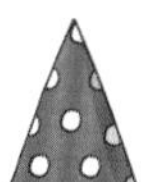
④ 
⑤ 

02 대화를 듣고, 여자가 구입할 티셔츠로 가장 적절한 것을 고르시오.

① 
② 
③ 
④ 
⑤ 

03 대화를 듣고, 여자의 책가방으로 가장 적절한 것을 고르시오.

① 
② 
③ 
④ 
⑤ 

04 대화를 듣고, 남자가 구입할 헤드폰으로 가장 적절한 것을 고르시오.

① 
② 
③ 
④ 
⑤ 

05 대화를 듣고, 여자가 주문한 음식으로 가장 적절한 것을 고르시오.

① 
② 
③ 
④ 
⑤ 

06 대화를 듣고, 남자가 구입할 양말로 가장 적절한 것을 고르시오.

① 
② 
③ 
④ 
⑤

07 대화를 듣고, 여자가 잃어버린 운동화로 가장 적절한 것을 고르시오.

① 
② 
③ 
④ 
⑤ 

08 대화를 듣고, 여자가 만든 접시로 가장 적절한 것을 고르시오.

① 
② 
③ 
④ 
⑤ 

STEP 3 Listen & Check

Dictation

◇ STEP 2의 내용을 다시 듣고, 빈칸에 들어갈 알맞은 단어를 써보세요.

정답 및 해설 p.4

01

대화를 듣고, 여자가 만든 고깔모자로 가장 적절한 것을 고르시오.

① ② ③ ④ ⑤

M Seri, are you making a cone hat?

W Yes. It's for Ted's birthday.

M Good. Why don't you ______ ______ or hearts on it?

W That's a good idea. ______ ______ stars. *[Pause]* What do you think?

M Wow, it looks much better ______ ______.

02

대화를 듣고, 여자가 구입할 티셔츠로 가장 적절한 것을 고르시오.

① ② ③ ④ ⑤

M May I help you?

W Yes, I'm looking for a T-shirt for myself.

M Okay. How about this one ______ ______?

W It looks good, but ______ ______ ______ one better.

M This one with a dog on it? It's really popular, too.

W Great. ______ ______ ______.

03

대화를 듣고, 여자의 책가방으로 가장 적절한 것을 고르시오.

① ② ③ ④ ⑤

M I really like your backpack.

W Thanks. It's new.

M I like the girl on it. She's wearing ______ ______.

W That's why I got it. I like your bag ______ ______ ______, too.

M Thank you.

04

대화를 듣고, 남자가 구입할 헤드폰으로 가장 적절한 것을 고르시오.

① ② ③ ④ ⑤

M Excuse me. I'm looking for headphones for my sister.

W ______ ______ these ones with panda ears?

M They look cute, but she doesn't like pandas.

W Then how about these ones ______ ______ on them?

M They're nice. ______ ______ ______.

05

대화를 듣고, 여자가 주문한 음식으로 가장 적절한 것을 고르시오.

① ② ③ ④ ⑤

Listening Tip

[t], [d], [s], [z] 소리로 끝나는 단어 뒤에 y로 시작하는 단어가 오면 두 소리가 합쳐져서 /츄/, /쥬/, /슈/, /쥬/로 발음되기 때문에 would you는 /우드 유/가 아니라 /우쥬/에 가깝게 발음해요.

M May I take your order?

W Yes. Can I have the chicken steak, please?

M Okay. It ____________ ____________ tomato salad or potato salad.

W I'll have the ____________ ____________.

M What would you like to drink?

W ____________ ____________ a coke, please.

06

대화를 듣고, 남자가 구입할 양말로 가장 적절한 것을 고르시오.

① ② ③ ④ ⑤

Listening Tip

Christmas에서 'stm'처럼 자음 소리 3개가 뭉쳐 있으므로 /크리스트마스/가 아니라 /크리스마스/로 발음해요.

W Hello. May I help you?

M I'm looking for socks for my brother.

W If they're Christmas presents, how about these ones with ____________ ____________ ____________?

M Well, I don't think he likes animals very much.

W Then how about these ____________ ____________ ____________?

M All right. I'll take them.

07

대화를 듣고, 여자가 잃어버린 운동화로 가장 적절한 것을 고르시오.

① ② ③ ④ ⑤

W Excuse me. I lost my sneakers.

M What do they ____________ ____________?

W My sneakers have ____________ ____________ them.

M Let me check. *[Pause]* I'm sorry, but we only have ____________ ____________ ____________.

W I see. Thank you for helping me.

08

대화를 듣고, 여자가 만든 접시로 가장 적절한 것을 고르시오.

① ② ③ ④ ⑤

W Dad, look at this. I made it in art class today.

M Oh, what a pretty plate! Hmm... Your mom likes flowers, but ____________ ____________ ____________ on the plate.

W That's right.

M Is it for your brother?

W Yes. I hope ____________ ____________ ____________.

화제 추론

정답 및 해설 p.6

| 유형 소개 | 주로 생김새나 특징, 사용 방법 등을 설명하는 내용을 듣고 종합하여 가장 적절한 그림을 골라야 한다.
| 지시문 | 다음을 듣고, **'I'가 무엇인지** 가장 적절한 것을 고르시오.
다음을 듣고, **'this'가 가리키는 것으로** 가장 적절한 것을 고르시오.
| 정답 시그널 | **I have ~.** → 생김새를 묘사할 때 자주 쓰이는 표현이에요.
You can ~. → 무엇을 할 수 있는지, 물건의 용도를 설명해요.

정답이 들리는 핵심 표현

Expressions

• **I have ~.** 나는 ~을 가지고 있어요[~가 있어요].

I have two eyes and eight legs. 기출
나는 두 눈과 여덟 개의 다리가 있어요.

I have a round head. 기출
나는 둥근 머리를 가지고 있어요.

I have black lines on my body. 기출
나는 내 몸에 검은색 선들이 있어요.

I have four legs and a long tail. 기출
나는 네 개의 다리와 긴 꼬리를 가지고 있어요.

• **You can ~.** 당신은 ~할 수 있어요.

You can use this when you feel cold in winter. 기출
당신은 겨울에 춥다고 느낄 때 이것을 사용할 수 있어요.

You can wear it on rainy days.
당신은 그것을 비 오는 날에 착용할 수 있어요.

Words

• **생김새를 표현하는 단어**

long 긴 / short 짧은 / small 작은
large 큰 / big 큰 / soft 부드러운
hard 딱딱한 / thin 얇은 / thick 두꺼운
sharp 날카로운 / slippery 미끄러운

• **용도를 설명하는 단어**

use 사용하다 / wear 입다; 착용하다 / put 놓다
wash (물로) 씻다 / clean 청소하다 / watch 보다
keep 유지하다 / ride 타다 / hit 치다
hold 잡다 / carry 가지고 다니다
take a picture 사진을 찍다
turn on[off] (전원 · 수도꼭지 등을) 켜다[끄다]
come in many colors[shapes] (상품 등이) 여러 색[모양]으로 나오다

설명하는 대상으로 가장 적절한 것을 고르세요.

1	I have four long legs and a long neck.	① 문어	② 토끼	③ 기린
2	In a baseball game, you wear this to catch a ball.	① 야구 방망이	② 야구 글러브	③ 야구 헬멧
3	I live on a farm. I give you milk.	① 돼지	② 호랑이	③ 젖소
4	You can kick this and score a goal.	① 축구공	② 탁구공	③ 농구공
5	You can turn this on to wash things.	① 숟가락	② 수도꼭지	③ 전자레인지

대표 기출 문제

* 핵심 표현 ∘ 정답 근거

1 다음을 듣고, **'I'가 무엇인지** 가장 적절한 것을 고르시오.

①   ②  ③  ④   ⑤ 

W I live in the sea. I am **very soft and slippery.** * **I have** a **round head.** * **I also have** **two eyes and eight legs.** I sometimes **shoot dark ink.** What am I?

여 나는 바다에 살아요. 난 아주 부드럽고 미끄러워요. 나는 둥근 머리를 가지고 있어요. 두 눈과 여덟 개의 다리도 가지고 있답니다. 나는 가끔 먹물을 쏘기도 해요. 나는 누구일까요?

❶ 생김새나 특징을 묘사하므로 주어진 그림을 보면서 관련 단어들을 먼저 떠올려 보세요.

❷ 해당하지 않는 그림을 순서대로 지워 보세요. → ④ ⑤ → ③ → ②

2 다음을 듣고, **'this'가 가리키는 것**으로 가장 적절한 것을 고르시오.

① 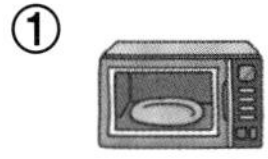  ②   ③   ④   ⑤ 

M Many people use this every day. * **You can** do many things with this. * **You can** **watch video clips, take pictures, and play games on this.** We can talk on this. Some people use this too much. We need to use this wisely.

남 많은 사람들이 이것을 매일 사용해요. 이것을 가지고 많은 것들을 할 수 있어요. 동영상을 볼 수 있고, 사진을 찍을 수 있고, 이것으로 게임을 할 수 있어요. 우리는 이것으로 이야기도 할 수 있어요. 어떤 사람들은 이것을 너무 많이 사용해요. 우리는 이것을 현명하게 사용해야 해요.

❶ 주어진 물건들의 용도나 사용 방법에 대해 생각해 보면서 들으세요.

❷ 언급되는 특징을 종합하여 오답 선택지를 하나씩 제거하면서 정답을 좁혀 가세요.

STEP 1

Mini Exercise

정답 및 해설 p.6

01 다음을 듣고, **'this'가 가리키는 것**으로 가장 적절한 것을 고르시오.

①  ②  ③ 

02 다음을 듣고, **'I'가 무엇인지** 가장 적절한 것으로 고르시오.

①  ②  ③ 

03 다음을 듣고, **'this'가 가리키는 것**으로 가장 적절한 것을 고르시오.

①  ②  ③ 

04 다음을 듣고, **'I'가 무엇인지** 가장 적절한 것으로 고르시오.

①  ②  ③ 

05 다음을 듣고, **'this'가 가리키는 것**으로 가장 적절한 것을 고르시오.

①  ②  ③ 

06 다음을 듣고, **'I'가 무엇인지** 가장 적절한 것으로 고르시오.

①  ②   ③  

기출

07 다음을 듣고, **'this'가 가리키는 것**으로 가장 적절한 것을 고르시오.

①   ②  ③ 

기출

08 다음을 듣고, **'I'가 무엇인지** 가장 적절한 것으로 고르시오.

①  ②  ③ 

STEP 2

Listen & Check

정답 및 해설 p.8

01 다음을 듣고, 'I'가 무엇인지 가장 적절한 것을 고르시오.

①  ②   ③ 

④  ⑤ 

02 다음을 듣고, 'I'가 무엇인지 가장 적절한 것을 고르시오.

①  ②  ③ 

④  ⑤

03 다음을 듣고, 'I'가 무엇인지 가장 적절한 것을 고르시오.

①  ②  ③ 

④ 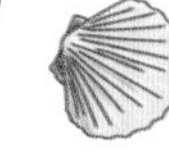 ⑤

04 다음을 듣고, 'I'가 무엇인지 가장 적절한 것을 고르시오.

①  ②   ③ 

④   ⑤

05 다음을 듣고, 'this'가 가리키는 것으로 가장 적절한 것을 고르시오.

①   ②  ③ 

④  ⑤  

06 다음을 듣고, 'these'가 가리키는 것으로 가장 적절한 것을 고르시오.

①   ②  ③ 

④ ⑤  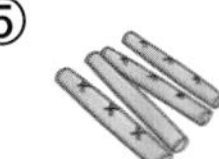

07 다음을 듣고, 'this'가 가리키는 것으로 가장 적절한 것을 고르시오.

①   ②  ③ 

④  ⑤ 

08 다음을 듣고, 'this'가 가리키는 것으로 가장 적절한 것을 고르시오.

①  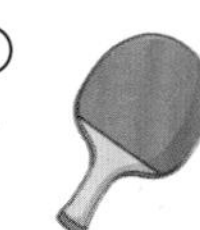 ②  ③ 

④   ⑤  

STEP 3 Listen & Check

Dictation

◇ STEP 2의 내용을 다시 듣고, 빈칸에 들어갈 알맞은 단어를 써보세요.

정답 및 해설 p.8

01

다음을 듣고, 'I'가 무엇인지 가장 적절한 것을 고르시오.

① ② ③ ④ ⑤

M I usually live on a farm. I am a bird, but I ____________ ____________. I like ____________ ____________ ____________ seeds and worms. People can ____________ ____________ and meat from me. What am I?

02

다음을 듣고, 'I'가 무엇인지 가장 적절한 것을 고르시오.

① ② ③ ④ ⑤

W I live in ____________ ____________. I have green skin, a ____________ ____________ and 4 short legs. I'm ____________ ____________ climbing trees just like Spider-Man. I'm also very popular as a pet. What am I?

03

다음을 듣고, 'I'가 무엇인지 가장 적절한 것을 고르시오.

① ② ③ ④ ⑤

M You can see me in ____________ ____________.
I have 5 arms, so I look like ____________ ____________.
If I lose an arm, a new arm ____________ ____________ in the same place. What am I?

04

다음을 듣고, 'I'가 무엇인지 가장 적절한 것을 고르시오.

① ② ③ ④ ⑤

W I live in Africa. I have a thick body and ____________ ____________. Black and white stripes ____________ ____________ ____________, too. I spend most of my day ____________ ____________ and leaves. What am I?

Listening Tip

spend처럼 'sp'로 시작하는 단어에서 s 다음에 오는 [p] 소리는 /ㅃ/와 같은 된소리로 발음해요. 따라서 spend는 /스펜드/보다는 /스뻰드/로 들릴 거예요.

05

다음을 듣고, 'this'가 가리키는 것으로 가장 적절한 것을 고르시오.

① ② ③ ④ ⑤

M You can see this in ____________ ____________. This ____________ ____________ a deep bowl. You can boil water in this. You can also ____________ ____________ ____________ in this. What is this?

06

다음을 듣고, 'these'가 가리키는 것으로 가장 적절한 것을 고르시오.

① ② ③ ④ ⑤

Listening Tip

centimeter에는 't'가 두 번 나오는데, 'n' 뒤에 오는 't'는 [n] 소리에 동화되어 거의 발음이 되지 않고, 모음 사이에 오는 't'는 /ㄹ/로 발음되므로 /센티미터/보다는 /세니미럴/에 가깝게 발음해요.

W These are ____________ ____________ ____________ wooden sticks. These are about 15 centimeters long. Koreans enjoy playing a board game ____________ ____________ on New Year's Day. You ____________ ____________ on the floor, and ____________ ____________ your move on the board. What are these?

07

다음을 듣고, 'this'가 가리키는 것으로 가장 적절한 것을 고르시오.

① ② ③ ④ ⑤

M This is a ____________ ____________ ____________. You ____________ ____________ in this. You can put some sand, plants and shells inside. That way, fish feel like they're ____________ ____________ ____________. What is this?

08

다음을 듣고, 'this'가 가리키는 것으로 가장 적절한 것을 고르시오.

① ② ③ ④ ⑤

W This is a long stick. People usually ____________ ____________ ____________ wood or metal. You use this in a ____________ ____________. You can ____________ ____________ ____________ with this. What is this?

유형 03 날씨 파악

정답 및 해설 p.10

| 유형 소개 특정한 시간 때의 요일 또는 도시의 날씨 정보를 듣고 가장 적절한 그림을 골라야 한다.

| 지시문 다음을 듣고, **(언제)의 오후 날씨**로 가장 적절한 것을 고르시오.
다음을 듣고, **(어디)의 오늘 날씨**로 가장 적절한 것을 고르시오.

| 정답 시그널 **It will[It'll] (be) ~./We will[We'll] have ~./There will be ~.** ➜ 날씨를 표현할 때 쓰이는 표현이에요.
on+요일/in+도시 ➜ 특정 요일이나 도시의 날씨를 말할 때 등장해요.

정답이 들리는 핵심 표현

Expressions

• **It will[It'll] (be) ~. We will[We'll] have ~. There will be ~.** ~일 것이다[될 것이다].

On Sunday, **it will be** sunny. 기출
일요일은 화창하겠습니다.

It'll become colder in the morning. 기출
아침에는 더 추워지겠습니다.

We'll have clear skies. 기출
맑은 하늘을 보게 될 것입니다.

We'll have sunny weather from now on.
지금부터는 화창한 날씨가 될 것입니다.

In Tokyo, **there will be** rain all day long. 기출
도쿄는 하루 종일 비가 내릴 것입니다.

There will be foggy weather tomorrow.
내일은 안개가 낄 것입니다.

Words

• **날씨 어휘**

sunny 화창한
warm 따뜻한
cool 시원한
windy 바람 부는
rain 비; 비가 내리다
heavy rain 많은 비, 폭우
snowy 눈이 오는
cloudy 구름이 낀
foggy 안개가 낀
dry 건조한
clear 맑은
hot 더운
cold 추운
strong wind 강한 바람, 강풍
rainy 비가 오는
snow 눈; 눈이 내리다
cloud 구름
fog 안개
shower 소나기
humid 습한

• **관련 어휘**

weather forecast[report] 일기 예보
temperature 온도, 기온
sky 하늘
today 오늘
tonight 오늘 밤
tomorrow 내일
tomorrow afternoon 내일 오후
Saturday afternoon 토요일 오후
in the morning 아침에
in the afternoon 오후에

〈보기〉를 활용하여 주어진 우리말 해석에 맞게 문장을 완성하세요.

〈보기〉	strong winds	clear skies	cloudy and rainy

1 부산은 구름이 끼고 비가 올 것입니다. → In Busan, it'll be ____________________.

2 시드니의 하늘은 맑을 것입니다. → There will be ____________________ in Sydney.

3 내일은 강풍이 있을 것입니다. → We'll have ____________________ tomorrow.

대표 기출 문제

* 핵심 표현 ○ 정답 근거

1 다음을 듣고, **일요일의 날씨**로 가장 적절한 것을 고르시오.

①  ②  ③  ④  ⑤ 

M Good morning, everyone! This is the weekly weather forecast. This week, * **we'll have** nice autumn weather with mostly sunny skies. However, **on Sunday**, * **it'll rain across the whole country**. Thank you.

남 여러분, 안녕하세요! 주간 일기 예보를 알려드리겠습니다. 이번 주는 맑은 하늘과 함께 좋은 가을 날씨가 될 것입니다. 그러나 일요일에는 전국적으로 비가 올 것입니다. 감사합니다.

❶ 지시문에서 언급되는 때인 'on Sunday'가 나오는 부분에 집중해서 들으세요.

❷ 주어진 그림을 보면서 날씨 관련 단어들을 먼저 떠올려 보세요.
→ rainy, windy, snowy, cloudy, sunny

❸ 시간 순서대로 등장하기 때문에, 지시문에 맞는 시점(일요일)이 언제 등장할지를 예상할 수 있어요.

2 다음을 듣고, **방콕의 오늘 날씨**로 가장 적절한 것을 고르시오.

① 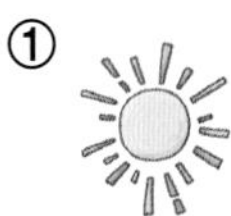 ②  ③  ④   ⑤ 

M Good morning! Here is today's world weather forecast. In Tokyo, * **there will be** rain all day long. **In Bangkok**, * **it'll be sunny**. Paris will be windy and very cold. London will be very cloudy.

남 안녕하세요! 오늘 세계 일기 예보 알려드리겠습니다. 도쿄는 하루 종일 비가 내릴 것입니다. 방콕은 화창할 것입니다. 파리는 바람이 불고 매우 추울 것으로 예상됩니다. 런던은 구름이 많이 끼겠습니다.

❶ 지시문에서 언급되는 장소인 'In Bangkok'이 나오는 부분에 집중해서 들으세요.

❷ 주어진 그림을 보면서 날씨 관련 단어들을 먼저 떠올려 보세요.
→ sunny, rainy, snowy, stormy, windy

❸ 여러 지역에 정보가 연이어 등장하기 때문에, 해당 지역이 나올 때까지 집중해야 해요.

STEP 1

Mini Exercise

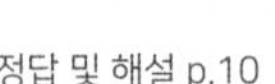
정답 및 해설 p.10

01 다음을 듣고, **내일 오후의 날씨**로 가장 적절한 것을 고르시오.

①  ②  ③ 

02 다음을 듣고, **수요일의 날씨**로 가장 적절한 것을 고르시오.

①  ②  ③ 

03 다음을 듣고, **런던의 날씨**로 가장 적절한 것을 고르시오.

①  ②  ③ 

04 다음을 듣고, **대구의 내일 날씨**로 가장 적절한 것을 고르시오.

①  ②  ③ 

05 다음을 듣고, **금요일 오후의 날씨**로 가장 적절한 것을 고르시오.

①  ②  ③ 

06 다음을 듣고, **오늘 저녁의 날씨**로 가장 적절한 것을 고르시오.

① 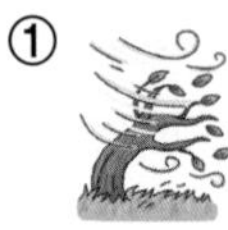 ②  ③ 

기출

07 다음을 듣고, **오늘의 날씨**로 가장 적절한 것을 고르시오.

①  ②  ③ 

기출

08 다음을 듣고, **내일의 날씨**로 가장 적절한 것을 고르시오.

①  ②  ③ 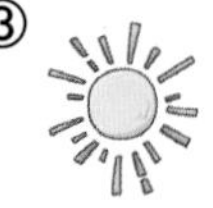

STEP 2

Listen & Check

정답 및 해설 p.12

01 다음을 듣고, 일요일의 날씨로 가장 적절한 것을 고르시오.

①  ②  ③ 

④  ⑤ 

02 다음을 듣고, 오늘 저녁 날씨로 가장 적절한 것을 고르시오.

①  ②  ③ 

④  ⑤ 

03 다음을 듣고, 하노이의 날씨로 가장 적절한 것을 고르시오.

①  ②  ③ 

④  ⑤ 

04 다음을 듣고, 금요일의 날씨로 가장 적절한 것을 고르시오.

① 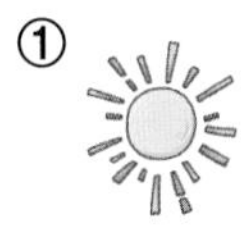 ②  ③ 

④  ⑤ 

05 다음을 듣고, 내일 오후의 날씨로 가장 적절한 것을 고르시오.

①  ②  ③ 

④  ⑤ 

06 다음을 듣고, 광주의 내일 날씨로 가장 적절한 것을 고르시오.

①  ②  ③ 

④  ⑤ 

07 다음을 듣고, 목요일의 날씨로 가장 적절한 것을 고르시오.

①  ②  ③ 

④  ⑤ 

08 다음을 듣고, 모스크바의 오늘 날씨로 가장 적절한 것을 고르시오.

①   ②  ③ 

④  ⑤ 

STEP 3 Listen & Check

Dictation

◇ STEP 2의 내용을 다시 듣고, 빈칸에 들어갈 알맞은 단어를 써보세요.

정답 및 해설 p.12

01

다음을 듣고, 일요일의 날씨로 가장 적절한 것을 고르시오.

① ② ③ ④ ⑤

M Good morning. This is the weather report for this weekend. It will rain ____________ ____________ to Saturday morning. However, the rain ____________ ____________ on Saturday afternoon. On Sunday, we'll see ____________ ____________ ____________ all day.

Listening Tip

it will은 /잇 윌/이라고 하나씩 발음하기보다, 줄임말인 it'll을 발음할 때처럼 /이를/로 들리는 경우가 많아요.

02

다음을 듣고, 오늘 저녁 날씨로 가장 적절한 것을 고르시오.

① ② ③ ④ ⑤

W Hello, I'm Sally Jones. Here is the weather report for today. It's very cloudy and windy now. But ____________ ____________ will start this evening and it won't stop until ____________ ____________. Tomorrow afternoon, we'll have ____________ ____________.

03

다음을 듣고, 하노이의 날씨로 가장 적절한 것을 고르시오.

① ② ③ ④ ⑤

M Good morning! Here is today's world weather forecast. In Seoul, it's going to rain ____________ ____________ long. In Beijing, it'll be cloudy. But Hanoi and Manila will be ____________ ____________. You can enjoy beautiful skies ____________ ____________ ____________ in these areas.

04

다음을 듣고, 금요일의 날씨로 가장 적절한 것을 고르시오.

① ② ③ ④ ⑤

W This is the weather report for this week. It'll ____________ ____________ from Monday to Wednesday. On Thursday, it'll be cloudy. On Friday, we'll ____________ ____________ ____________, and it'll be very cold. Please be careful not to ____________ ____________ ____________.

05

다음을 듣고, 내일 오후의 날씨로 가장 적절한 것을 고르시오.

① ② ③ ④ ⑤

M Good evening. This is the weather report for tomorrow. It's ____________ ____________, but the snow will stop tomorrow morning. ____________ ____________, it will be sunny but a little cold. ____________ ____________ a thick coat. Thank you.

06

다음을 듣고, 광주의 내일 날씨로 가장 적절한 것을 고르시오.

① ② ③ ④ ⑤

W Good evening. Here is the local weather forecast ____________ ____________. In Seoul, it's going to be cloudy all day. It will be ____________ ____________ ____________ in Daejeon. In Gwangju, it ____________ ____________ ____________ tomorrow morning.

07

다음을 듣고, 목요일의 날씨로 가장 적절한 것을 고르시오.

① ② ③ ④ ⑤

M Good evening. This is Andrew Parker from Weather News. ____________ ____________ ____________ very sunny from Monday to Tuesday. However, it will be cloudy on Wednesday, and ____________ ____________ ____________ Thursday. On Friday, it will ____________ ____________.

08

다음을 듣고, 모스크바의 오늘 날씨로 가장 적절한 것을 고르시오.

① ② ③ ④ ⑤

W Good morning. Welcome to the World's Weather Report. In Paris, it's ____________ ____________ and cold. In London, it's ____________ ____________ ____________. In Rome and Moscow, it's ____________ ____________ ____________ clear skies.

의도 파악

정답 및 해설 p.14

| 유형 소개 대화를 듣고 주어진 상황과 마지막 말의 의미를 파악하여 말한 사람의 의도를 파악해야 한다.

| 지시문 대화를 듣고, **남자[여자]가 한 마지막 말의 의도**로 가장 적절한 것을 고르시오.

| 정답 시그널 기출에서 자주 출제되는 상황별 표현을 익히고 응용하면 정답을 쉽게 찾을 수 있어요.

정답이 들리는 핵심 표현

Expressions

• **부탁**

Can you close the door for me? 기출
문 좀 닫아주시겠어요?

• **승낙/허락**

Sure. Go ahead. 기출 물론이지. 한번 해봐.

Okay. I'll call her tomorrow.
알겠어. 내일 그녀에게 전화할게.

No problem. Let's meet at five.
그래. 다섯 시에 만나자.

• **거절**

I'm sorry, but I can't. 미안하지만, 안될 것 같아.

I'd love to, but I can't. 기출 그러고 싶지만, 그럴 수 없어.

No, thanks. I'm full. 괜찮아요. 배가 부르거든요.

• **칭찬**

You did a great job. 정말 잘했어.

• **감사**

Thanks for trying to cheer me up. 기출
절 격려해주셔서 감사해요.

• **사과**

I'm sorry. I'll stop it. 미안해요. 그만할게요.

• **제안**

Why don't you try it again?
다시 한번 시도하는 것이 어때요?

Why don't we order pizza tonight?
오늘 밤에 피자 주문하는 건 어때?

How about going to see a movie?
영화 보러 가는 건 어때?

You should read it, too. 기출
너도 이걸 읽어보는 게 좋겠어.

• **충고**

You should wash your hands first.
너는 손을 먼저 씻어야 해.

You'd better hurry up. 너는 서둘러야 해.

• **당부**

Don't forget to turn off the lights. 기출
불 끄는 것을 잊지 마세요.

• **축하**

Congratulations! 축하해!

• **위로/격려**

I'm sorry to hear that. 기출 유감이네요.

You'll do better next time. Cheer up! 기출
다음번에 더 잘할 거야. 힘내!

주어진 문장의 의도로 가장 적절한 것을 고르세요.

1 No, thanks. I already had lunch. → ① 감사 ② 부탁 ③ 거절

2 Okay. I'll buy it for you this weekend. → ① 승낙 ② 감사 ③ 충고

3 Don't forget to turn off the computer. → ① 위로 ② 칭찬 ③ 당부

4 Why don't we take a walk in the park? → ① 축하 ② 제안 ③ 격려

대표 기출 문제

* 핵심 표현 o 정답 근거

1 대화를 듣고, **남자가 한 마지막 말의 의도**로 가장 적절한 것을 고르시오.

① 위로 ② 부탁 ③ 거절 ④ 칭찬 ⑤ 허락

W Hojin, you look happy. Do you have good news?
M My mom bought me a new smartphone.
W That's great. Can I see it?
M Here it is. It takes great pictures.
W **Oh, can I try taking a picture with it?**
M * **Sure. Go ahead.**

여 호진아, 너 기분이 좋아 보인다. 좋은 소식이라도 있어?
남 우리 엄마가 새 스마트폰을 사 주셨거든.
여 잘됐다. 그것 좀 봐도 될까?
남 여기 있어. 그걸로 사진을 잘 찍을 수 있어.
여 아, 그걸로 사진 한번 찍어 봐도 돼?
남 물론이지. 한번 해봐.

❶ 단서는 대화 마지막 부분에 주로 등장해요.
→ 남자가 한 마지막 말 바로 전에 여자가 허락을 구하는 상황이에요.

❷ 다양한 상황별 표현을 익혀두는 것이 중요해요.
→ Sure. Go ahead.(물론이지. 한번 해봐.) ⇒ 허락

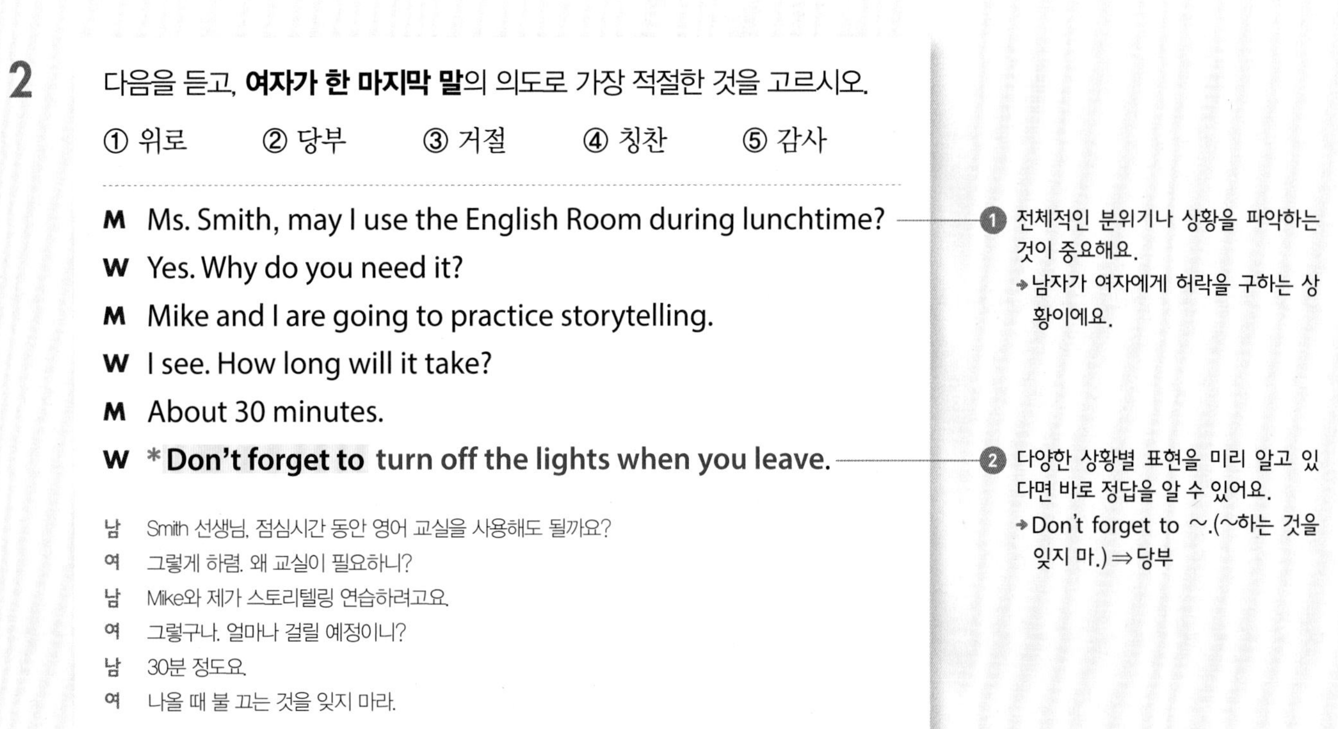

2 다음을 듣고, **여자가 한 마지막 말**의 의도로 가장 적절한 것을 고르시오.

① 위로 ② 당부 ③ 거절 ④ 칭찬 ⑤ 감사

M Ms. Smith, may I use the English Room during lunchtime?
W Yes. Why do you need it?
M Mike and I are going to practice storytelling.
W I see. How long will it take?
M About 30 minutes.
W * **Don't forget to** **turn off the lights when you leave.**

남 Smith 선생님, 점심시간 동안 영어 교실을 사용해도 될까요?
여 그렇게 하렴. 왜 교실이 필요하니?
남 Mike와 제가 스토리텔링 연습하려고요.
여 그렇구나. 얼마나 걸릴 예정이니?
남 30분 정도요.
여 나올 때 불 끄는 것을 잊지 마라.

❶ 전체적인 분위기나 상황을 파악하는 것이 중요해요.
→ 남자가 여자에게 허락을 구하는 상황이에요.

❷ 다양한 상황별 표현을 미리 알고 있다면 바로 정답을 알 수 있어요.
→ Don't forget to ~.(~하는 것을 잊지 마.) ⇒ 당부

STEP 1

Mini Exercise

정답 및 해설 p.14

01 대화를 듣고, **여자의 마지막 말의 의도**로 가장 적절한 것을 고르시오.

① 축하 ② 위로 ③ 불평

02 대화를 듣고, **여자의 마지막 말의 의도**로 가장 적절한 것을 고르시오.

① 사과 ② 위로 ③ 칭찬

03 대화를 듣고, **남자의 마지막 말의 의도**로 가장 적절한 것을 고르시오.

① 축하 ② 허락 ③ 사과

04 대화를 듣고, **남자의 마지막 말의 의도**로 가장 적절한 것을 고르시오.

① 승낙 ② 감사 ③ 거절

05 대화를 듣고, **여자의 마지막 말의 의도**로 가장 적절한 것을 고르시오.

① 거절 ② 축하 ③ 제안

06 대화를 듣고, **남자의 마지막 말의 의도**로 가장 적절한 것을 고르시오.

① 칭찬 ② 감사 ③ 부탁

기출
07 대화를 듣고, **남자의 마지막 말의 의도**로 가장 적절한 것을 고르시오.

① 부정 ② 허락 ③ 제안

기출
08 대화를 듣고, **여자가 한 마지막 말의 의도**로 가장 적절한 것을 고르시오.

① 칭찬 ② 거절 ③ 위로

STEP 2

Listen & Check

정답 및 해설 p.16

01 대화를 듣고, 여자가 한 마지막 말의 의도로 가장 적절한 것을 고르시오.

① 승낙 ② 충고 ③ 사과
④ 거절 ⑤ 부탁

02 대화를 듣고, 여자가 한 마지막 말의 의도로 가장 적절한 것을 고르시오.

① 감사 ② 칭찬 ③ 축하
④ 충고 ⑤ 부탁

03 대화를 듣고, 여자가 한 마지막 말의 의도로 가장 적절한 것을 고르시오.

① 격려 ② 승낙 ③ 당부
④ 축하 ⑤ 감사

04 대화를 듣고, 남자가 한 마지막 말의 의도로 가장 적절한 것을 고르시오.

① 축하 ② 거절 ③ 사과
④ 격려 ⑤ 칭찬

05 대화를 듣고, 남자가 한 마지막 말의 의도로 가장 적절한 것을 고르시오.

① 승낙 ② 격려 ③ 당부
④ 제안 ⑤ 거절

06 대화를 듣고, 여자가 한 마지막 말의 의도로 가장 적절한 것을 고르시오.

① 허락 ② 칭찬 ③ 충고
④ 거절 ⑤ 사과

07 대화를 듣고, 여자가 한 마지막 말의 의도로 가장 적절한 것을 고르시오.

① 불평 ② 부탁 ③ 금지
④ 거절 ⑤ 의심

08 대화를 듣고, 남자가 한 마지막 말의 의도로 가장 적절한 것을 고르시오.

① 동의 ② 반대 ③ 사과
④ 위로 ⑤ 불평

STEP 3 Listen & Check

Dictation

◇ STEP 2의 내용을 다시 듣고, 빈칸에 들어갈 알맞은 단어를 써보세요.

정답 및 해설 p.16

01

대화를 듣고, 여자가 한 마지막 말의 의도로 가장 적절한 것을 고르시오.

① 승낙 ② 충고 ③ 사과
④ 거절 ⑤ 부탁

M Those flowers are so beautiful. Who are they for?

W They're for Sujin. Today is ______________ ______________. We're going to have a surprise party for her.

M ______________ ______________ ______________ you?

W ______________! Come to Tom's Pizza at 6.

02

대화를 듣고, 여자가 한 마지막 말의 의도로 가장 적절한 것을 고르시오.

① 감사 ② 칭찬 ③ 축하
④ 충고 ⑤ 부탁

W Ben, what is the tallest mountain in the world?

M ______________ ______________. It's Mount Everest.

W Okay. What is the longest river ______________ ______________ ______________?

M It's the Nile.

W Wow, you ______________ ______________ ______________. You know everything.

03

대화를 듣고, 여자가 한 마지막 말의 의도로 가장 적절한 것을 고르시오.

① 격려 ② 승낙 ③ 당부
④ 축하 ⑤ 감사

Listening Tip

모음 사이에 오는 강세가 없는 음절의 [t], [d]는 /ㄹ/로 발음해요. 그래서 better는 /베터/가 아니라 /베럴/로 발음하지요.

W I'm sorry. I dropped the ball many times.

M It's okay. ______________ ______________ mistakes.

W But I'm already worried about the next game.

M ______________ ______________. ______________ ______________ better next time.

W ______________ ______________. I feel better now.

04

대화를 듣고, 남자가 한 마지막 말의 의도로 가장 적절한 것을 고르시오.

① 축하 ② 거절 ③ 사과
④ 격려 ⑤ 칭찬

M Lisa, you look worried. What's wrong?

W I'm nervous. I'm going to ______________ ______________ the school play this Friday.

M What are you going to play?

W I'll play a police officer. ______________ ______________ ______________ I can do it.

M ______________ ______________. I think you'll do well.

05

대화를 듣고, 남자가 한 마지막 말의 의도로 가장 적절한 것을 고르시오.

① 승낙 ② 격려 ③ 당부
④ 제안 ⑤ 거절

M Anna, Mom looks very tired these days.

W She ______ ______ ______ yesterday, too.

M I think she has a lot of work.

W I'm worried about her. What can we ______ ______ ______?

M You're good at baking. So, ______ ______ ______ a special cake for her?

06

대화를 듣고, 여자가 한 마지막 말의 의도로 가장 적절한 것을 고르시오.

① 허락 ② 칭찬 ③ 충고
④ 거절 ⑤ 사과

Listening Tip

'n' 뒤에 오는 't'는 거의 발음이 되지 않아요. 따라서 didn't는 /디든트/가 아니라 /디든/으로 들리고, won't도 /우오운트/가 아니라 /우오운/으로 들려요.

W There are so many shopping bags here. What did you get?

M I ______ ______ fruits and vegetables.

W We have ______ ______ ______. Why did you buy them?

M Really? I didn't know that.

W ______ ______ ______ a shopping list. That way, you won't waste money.

07

대화를 듣고, 여자가 한 마지막 말의 의도로 가장 적절한 것을 고르시오.

① 불평 ② 부탁 ③ 금지
④ 거절 ⑤ 의심

W How can I help you?

M I'm ______ ______ ______ the Vincent van Gogh show. Where should I go?

W It's on the second floor. Take the elevator over there.

M Thank you. ______ ______ ______ my backpack with me?

W I'm afraid not. ______ ______ ______ large bags into the gallery.

08

대화를 듣고, 남자가 한 마지막 말의 의도로 가장 적절한 것을 고르시오.

① 동의 ② 반대 ③ 사과
④ 위로 ⑤ 불평

W Why don't we have hamburgers for lunch?

M Again? You eat them ______ ______.

W Well, they're really delicious.

M I know. But hamburgers are not good for your health.

W They ______ ______ ______, too. There are some vegetables inside.

M I ______ ______ ______. Hamburgers have too much fat.

유형 05 언급하지 않거나 일치하지 않는 내용 찾기

정답 및 해설 p.18

| 유형 소개 [언급하지 않은 것] 주제나 한 대상에 관한 설명을 듣고, 언급하지 않은 정보를 찾아야 한다.
[일치하지 않는 것] 주제나 한 대상에 관한 대화를 듣고, 일치하지 않는 내용을 찾아야 한다.

| 지시문 [언급하지 않은 것] 다음을 듣고, **남자[여자]가 ~에 대해 언급하지 않은 것**을 고르시오.
[일치하지 않는 것] 대화를 듣고, **~에 대한 내용으로 일치하지 않는 것**을 고르시오.

정답이 들리는 핵심 표현

Expressions

• **겉모습**

She has long curly hair. 기출
그녀는 긴 곱슬머리이다.

The building is 100 meters high. 기출
그 건물은 100미터 높이에요.

The new building has 30 floors.
신축 건물은 30층이에요.

• **출신, 사는 곳, 위치**

My hometown is Incheon, Korea. I live in Hong Kong now. 기출
제 고향은 한국의 인천이에요. 지금은 홍콩에 살고 있어요.

The flower shop is on Main Street.
그 꽃집은 Main 가에 있어요.

You can find this painting in a museum in Paris. 이 그림은 파리에 있는 박물관에서 찾을 수 있어요.

• **취미**

Her hobby is making things with paper. 기출
그녀의 취미는 종이로 뭔가를 만드는 거야.

Lisa loves to read books in her free time.
Lisa는 여가 시간에 책 읽는 것을 좋아해요.

• **날짜, 시간**

The basketball game will be on May 4th. 기출
그 농구 경기는 5월 4일에 있을 거야.

The magic show will be from 6 p.m. to 8 p.m.
그 마술쇼는 오후 6시부터 8시까지 있을 예정입니다.

• **장소**

The parade will start at the public library.
퍼레이드는 공공 도서관에서 시작할 거야.

We'll have the club meeting in classroom 101.
우리 동아리 회의를 교실 101호에서 할 예정이야.

• **활동**

There are many shows and fun games at the festival.
축제에는 다양한 공연과 재밌는 게임이 있습니다.

You can enjoy different kinds of food, too.
다양한 음식을 맛볼 수도 있어요.

Q 주어진 문장이 각각 무엇에 대해 언급하고 있는지 〈보기〉에서 골라 그 번호를 쓰세요.

〈보기〉 ① 외모	② 색상	③ 시작 시간	④ 취미

1 I like playing soccer in my free time. ________

2 The lesson starts at 4, every Monday. ________

3 He has straight hair and wears glasses. ________

4 The bags come in blue and white. ________

대표 기출 문제

* 핵심 표현 ○ 정답 근거

1 다음을 듣고, **남자가 동아리 활동에 대해 언급하지 않은 것**을 고르시오.

① 다양한 책 읽기 ② 책 포스터 만들기 ③ 작가에게 편지 쓰기
④ 독서 캠페인 하기 ⑤ 책 읽어 주기

M Let me tell you about our club activities. We **read many kinds of books** and talk about them. We **make book posters**, too. Once a month, our club has **a street campaign for reading**. We also **read books to sick children** in hospitals twice a year.

남 우리 동아리 활동에 대해 말해 줄게요. 우리는 많은 종류의 책을 읽고 그것에 대해 이야기를 나눠요. 책 포스터도 만들기도 하고요. 우리 동아리는 한 달에 한 번 거리에서 독서 캠페인을 해요. 일 년에 두 번은 병원에서 아픈 아이들에게 책을 읽어 주기도 해요.

① 지시문에서 언급될 주제 또는 대상이 무엇인지 확인하세요.
→ 동아리 활동
언급하지 않았다는 건, 듣고 알 수 없는 정보를 의미하기도 해요.

인물에 대해 주로 등장하지만, 점차 행사, 활동, 사물, 동물 등 다양한 내용으로 출제되고 있어요.

② 주어진 선택지를 보고 어떤 정보가 나올지 예측하면 쉽게 정답을 찾을 수 있어요. 들려주는 내용과 선택지 순서가 대부분 동일해요.

③ 내용을 들으면서, 언급되는 선택지를 하나씩 제거해보세요.
→ ① → ② → ④ → ⑤

2 대화를 듣고, **남자의 고양이에 대한 내용으로 일치하지 않는 것**을 고르시오.

① 삼촌이 주셨다. ② 흰색 털을 가지고 있다.
③ 작년에 태어났다. ④ 이름이 Prince이다.
⑤ 눈이 갈색이다.

W Tom, is this your cat?
M Yes, **my uncle gave him to me.**
W Oh, **his white hair** is so soft. How old is he?
M Um... **He was born last year.**
W What's his name?
M **His name is Prince.**
W I love his **blue eyes.**

여 Tom, 이게 네 고양이야?
남 맞아. 우리 삼촌이 나한테 주셨어.
여 아. 흰색 털이 정말 부드럽다. 몇 살이야?
남 음… 작년에 태어났어.
여 고양이 이름이 뭐야?
남 이름은 Prince야.
여 파란 눈이 정말 마음에 든다.

① 듣기 전에, 주어진 선택지를 보고 어떤 내용에 집중해야 하는지 미리 확인하세요.

② 어떤 대상을 묘사할 때 사용할 수 있는 다양한 어휘를 미리 알고 있는 것이 중요해요.

③ 들려주는 내용과 선택지 순서가 대부분 동일하기 때문에, 일치하는 내용을 하나씩 제거해보세요.
→ ① → ② → ③ → ④

④ 일치하지 않는 것은 주로 반대되는 내용이나 다른 정보가 등장해요.
blue eyes(파란 눈)
≠ ⑤ 눈이 갈색이다.

STEP 1

Mini Exercise

정답 및 해설 p.18

01 대화를 듣고, **남자의 강아지에 대한 내용으로 일치하지 않는** 것을 고르시오.

① 이름이 Max이다.
② 하얀 털을 가지고 있다.
③ 2살이다.

02 다음을 듣고, **남자가 친구에 대해 언급하지 않은** 것을 고르시오.

① 가족 ② 외모 ③ 취미

03 대화를 듣고, **여자의 자전거에 대한 내용으로 일치하지 않는** 것을 고르시오.

① 아버지가 사주셨다.
② 파란색이다.
③ 바구니가 있다.

04 다음을 듣고, **여자가 물건에 대해 언급하지 않은** 것을 고르시오.

① 색깔 ② 단추 개수 ③ 가격

05 다음을 듣고, **여자가 동아리에 대해 언급하지 않은** 것을 고르시오.

① 연습 시간
② 공연 횟수
③ 지도 교사

06 대화를 듣고, **여자의 학교에 대한 내용으로 일치하지 않는** 것을 고르시오.

① 큰 체육관이 있다.
② 수영장이 있다.
③ 학생이 15명이다.

기출

07 다음을 듣고, **남자가 엄마에 대해 언급하지 않은** 것을 고르시오.

① 외모 ② 고향 ③ 취미

08 대화를 듣고, **여자가 다녀온 여행에 대한 내용으로 일치하지 않는** 것을 고르시오.

① 런던에 다녀왔다.
② 다른 가족을 만나지 못했다.
③ Big Ben을 보러 갔다.

STEP 2

Listen & Check

정답 및 해설 p.20

01 대화를 듣고, 여자가 영어 선생님에 대해 언급하지 않은 것을 고르시오.

① 이름 ② 나이 ③ 고향
④ 외모 ⑤ 취미

02 대화를 듣고, 영화에 대한 내용으로 일치하지 않는 것을 고르시오.

① 애니메이션이다.
② 댄서가 꿈인 남자아이의 이야기다.
③ Dream 극장에서 상영 중이다.
④ 감독이 상을 탔다.
⑤ 상영 시간은 약 1시간 40분이다.

03 대화를 듣고, 남자가 건물에 대해 언급하지 않은 것을 고르시오.

① 이름 ② 개장 연도 ③ 생김새
④ 건축가 ⑤ 편의 시설

04 대화를 듣고, 남자의 여동생에 대한 내용으로 일치하지 않는 것을 고르시오.

① 이름은 Hannah이다.
② 지금은 5살이다.
③ 피아노 대회에서 1등을 했다.
④ 피아노 연주가 취미이다.
⑤ 장래 희망은 의사이다.

05 대화를 듣고, 여자가 신발에 대해 언급하지 않은 것을 고르시오.

① 용도 ② 색깔 ③ 무게
④ 재질 ⑤ 가격

06 대화를 듣고, Nature Land에 대한 내용으로 일치하지 않는 것을 고르시오.

① 장미 축제를 하고 있다.
② 오전 9시부터 밤 10시까지 연다.
③ 월요일은 문을 닫는다.
④ 입장권은 20달러이다.
⑤ 이번 주말까지 입장권을 할인해준다.

07 대화를 듣고, 남자가 수학여행에 대해 언급하지 않은 것을 고르시오.

① 장소 ② 날짜 ③ 교통수단
④ 숙소 ⑤ 준비물

08 대화를 듣고, 여자의 가방에 대한 내용으로 일치하지 않는 것을 고르시오.

① 공원에서 잃어버렸다.
② 갈색이다.
③ 곰이 그려져 있다.
④ 주머니가 두 개 있다.
⑤ 카메라가 들어 있다.

STEP 3 Listen & Check

Dictation

◇ STEP 2의 내용을 다시 듣고, 빈칸에 들어갈 알맞은 단어를 써보세요.

정답 및 해설 p.20

01

대화를 듣고, 여자가 영어 선생님에 대해 언급하지 않은 것을 고르시오.

① 이름 ② 나이 ③ 고향
④ 외모 ⑤ 취미

W Let me introduce my new English teacher. ____________ ____________ is Henry Jackson. He ____________ ____________ Seattle, Washington, in the United States. He ____________ ____________ and has blue eyes. He ____________ ____________ the guitar and cooking.

02

대화를 듣고, 영화에 대한 내용으로 일치하지 않는 것을 고르시오.

① 애니메이션이다.
② 댄서가 꿈인 남자아이의 이야기다.
③ Dream 극장에서 상영 중이다.
④ 감독이 상을 탔다.
⑤ 상영 시간은 약 1시간 40분이다.

W Do you want to watch an animation movie tomorrow?
M Which one?
W It's called *Coco*. The movie is about a boy. He wants to ____________ ____________ ____________.
M That sounds interesting.
W Yes. The director won an award for it. It is ____________ ____________ Dream Cinema.
M ____________ ____________ is the movie?
W About an hour and 40 minutes.

03

대화를 듣고, 남자가 건물에 대해 언급하지 않은 것을 고르시오.

① 이름 ② 개장 연도 ③ 생김새
④ 건축가 ⑤ 편의 시설

M Let me introduce 3 buildings on the Han River. ____________ ____________ of these buildings is Sevitseom. The buildings ____________ ____________ 2014 and ____________ ____________ 3 islands. ____________ ____________ restaurants, coffee shops and even a wedding hall. We can also enjoy the beautiful river view there, too.

04

대화를 듣고, 남자의 여동생에 대한 내용으로 일치하지 않는 것을 고르시오.

① 이름은 Hannah이다.
② 지금은 5살이다.
③ 피아노 대회에서 1등을 했다.
④ 피아노 연주가 취미이다.
⑤ 장래 희망은 의사이다.

W How cute! Is this ____________ ____________ Hannah?
M Yes. In this photo, she is 5, but ____________ ____________ 10.
W She is playing the piano in the picture.
M She was in a piano contest. She won ____________ ____________.
W Does she still like to play the piano?
M Yes, but she wants to become ____________ ____________.

05

대화를 듣고, 여자가 신발에 대해 언급하지 않은 것을 고르시오.

① 용도 ② 색깔 ③ 무게
④ 재질 ⑤ 가격

W Hello. I'll show you our new shoes. These are ____________ ____________ ____________ climbing. These shoes have 3 different colors. They're ____________, ____________, and black. These are very strong because we ____________ ____________ ____________ leather. If you buy them now, you can get 20% off and ____________ ____________ ____________ $80.

06

대화를 듣고, Nature Land에 대한 내용으로 일치하지 않는 것을 고르시오.

① 장미 축제를 하고 있다.
② 오전 9시부터 밤 10시까지 연다.
③ 월요일은 문을 닫는다.
④ 입장권은 20달러이다.
⑤ 이번 주말까지 입장권을 할인해준다.

W How about going to Nature Land this Saturday? There's a ____________ ____________.

M Okay. What are the ____________ ____________?

W From 9 a.m to 10 p.m. And it's also open ____________ ____________.

M How much is a ticket?

W It's $20.

M That's too expensive.

W We can get a 10% discount ____________ ____________ ____________.

07

대화를 듣고, 남자가 수학여행에 대해 언급하지 않은 것을 고르시오.

① 장소 ② 날짜 ③ 교통수단
④ 숙소 ⑤ 준비물

M I'll tell you about the school trip to Gyeongju this fall. We're going to ____________ ____________ September 10th to 13th. We'll ____________ ____________ Gyeongju by bus at 9 a.m., so don't be late. ____________ ____________ clothes, a hat, and a ____________ ____________.

08

대화를 듣고, 여자의 가방에 대한 내용으로 일치하지 않는 것을 고르시오.

① 공원에서 잃어버렸다.
② 갈색이다.
③ 곰이 그려져 있다.
④ 주머니가 두 개 있다.
⑤ 카메라가 들어 있다.

Listening Tip

lost it은 /로스릿/이 아니라 /로스팃/으로 발음하는데, put it(푸릿)처럼 [t]가 모음 사이에 있지 않기 때문에 [r]로 소리 나지 않는 것이에요.

W Excuse me. I'm looking for my bag. I lost it ____________ ____________ ____________.

M Okay. Is it black?

W No, ____________ ____________.

M There are 3 brown bags here.

W My bag ____________ ____________ on it and there are 2 pockets.

M Wait a minute. *[Pause]* Is this yours? There is ____________ ____________ in it.

W Yes, that's mine. Thank you.

숫자 정보 파악 (시각)

정답 및 해설 p.22

| 유형 소개 대화를 듣고 알아내야 하는 시각을 정확하게 파악해야 한다.

| 지시문 대화를 듣고, **두 사람이 만날 시각**을 고르시오.
대화를 듣고, **남자[여자]가 ~한 시각**을 고르시오.

| 정답 시그널 **at + 시각** ➜ 특정 시각을 표현할 때, 앞에 전치사 at을 사용해요.
How[What] about ~?/Let's ~./Can we meet at ~? ➜ 제안을 나타내는 표현 뒤에 시각이 등장해요.

정답이 들리는 핵심 표현

Expressions

• **Let's ~.** ~하자.
Let's meet tomorrow morning at 10. 기출
내일 아침 10시에 만나자.

• **How[What] about ~?** (~하는 게) 어때?
How about 6:00? 기출 6시 어때?
How about meeting at 12:30? 기출
12시 반에 만나는 게 어때?

• **Can we meet at ~?** 우리 ~에 만날 수 있을까?
Can we meet at five in the afternoon? 기출
우리 오후 다섯 시에 만날 수 있을까?

• **Why don't we meet ~?** 우리 ~ 만나는 게 어때?
Why don't we meet at 2? 기출
우리 2시에 만나는 게 어때?

• **시각을 나타내는 표현**
2:00 = 2 o'clock = 2 a.m.[p.m.]
= 2 in the morning[afternoon]
4:10 = four ten = ten past[after] four
6:15 = six fifteen = a quarter past[after] six
8:30 = eight thirty = half past[after] eight
11:45 = eleven forty-five
= a quarter to twelve(12시 15분 전)

Words

• **시간 앞에 오는 전치사**

at ~에 until ~ 까지
after ~후에 before ~ 전에
past ~ 지나서 around ~쯤에
in ~후에 (*시각 앞에는 사용할 수 없어요.)
e.g. ~~in 4 o'clock~~ → in 4 hours 4시간 후에

• **시간 관련 주요 어휘**

noon 정오, 낮 12시 midnight 자정, 밤 12시
hour 한 시간 minute (시간 단위의) 분
half 30분 quarter 15분
early 이른; 빨리, 일찍 late 늦은; 늦게
on time 시간을 어기지 않고, 정각에
make it (어떤 곳에 간신히) 시간 맞춰 가다

〈보기〉를 활용하여 주어진 우리말 해석에 맞게 문장을 완성하세요.

〈보기〉	before	until	around	at

1 5시**에** 보자. (5 o'clock) → I'll see you ______________________.

2 우리는 10시 30분**까지** 공부했어. (10:30) → We studied ______________________.

3 너는 자정 **전**에는 돌아와야 해. (midnight) → You have to be back ______________________.

4 그는 오후 7시**쯤** 집에 왔어. (7 p.m.) → He came home ______________________

대표 기출 문제

* 핵심 표현 ○ 정답 근거

1 대화를 듣고, **두 사람이 만날 시각**을 고르시오.

① 1:00 p.m. ② 1:30 p.m. ③ 2:00 p.m.
④ 2:30 p.m. ⑤ 3:00 p.m.

M Sora, are you going to the flower festival this Sunday?
W Yes, I am. What about you?
M Me, too. Let's go together in the afternoon.
W Sure. ***Why don't we meet** at 2?
M **I want to get there early. How about 1:30?**
W **Okay. See you then.**

남 소라야, 이번 일요일에 꽃 축제 갈 거야?
여 응, 갈 거야. 너는?
남 나도. 오후에 같이 가자.
여 그래. 2시에 만나는 게 어때?
남 나는 그곳에 일찍 가고 싶어. 1시 30분은 어때?
여 알겠어. 그때 보자.

❶ 지시문에서 요구하는 숫자 정보가 무엇인지 먼저 확인하세요.

❷ 두 개 이상 다른 숫자 정보가 언급되므로 메모하는 게 중요해요.
→at 2 vs. 1:30

❸ 제안한 시각에 상대방이 동의하는지 끝까지 집중해서 들어야 해요.

2 대화를 듣고, **남자가 극장에 도착한 시각**을 고르시오.

① 6:30 p.m. ② 7:00 p.m. ③ 7:30 p.m.
④ 8:00 p.m. ⑤ 8:30 p.m.

W John, how was the musical yesterday?
M It was good, but I couldn't see the beginning.
W Why not?
M **It started at 7 in the evening, but I was late.**
W **Really? When did you get there?**
M **I got to the theater at 7:30 p.m.** So I missed the first part.

여 John, 어제 뮤지컬은 어땠어?
남 좋았는데, 시작 부분을 못 봤어.
여 왜 보지 못했어?
남 저녁 7시에 시작했는데, 내가 늦었거든.
여 정말? 언제 그곳에 도착했는데?
남 극장에 오후 7시 30분에 도착했어. 그래서 첫 번째 부분을 놓쳤지.

❶ 언급되는 시각 외에 '일찍', '늦게'라는 표현에 유의하세요.

❷ 지시문이 묻는 내용은 남자가 '도착한' 시각이에요. 뮤지컬이 '시작한' 시각을 언급 후, 늦었다고 했으므로 7시 이후에 도착했다는 걸 알 수 있어요.

❸ 마지막 문장에서 지시문이 요구한 숫자 정보가 등장하기 때문에 끝까지 집중해서 들어야 해요.

STEP 1

Mini Exercise

정답 및 해설 p.22

01 대화를 듣고, **두 사람이 만날 시각**을 고르시오.

① 7:00 p.m.
② 8:00 p.m.
③ 9:00 p.m.

02 대화를 듣고, **두 사람이 만날 시각**을 고르시오.

① 4:00 p.m.
② 4:30 p.m.
③ 5:00 p.m.

03 대화를 듣고, **콘서트가 시작하는 시각**을 고르시오.

① 6:00 p.m.
② 7:00 p.m.
③ 8:00 p.m.

04 대화를 듣고, **두 사람이 집에서 출발할 시각**을 고르시오.

① 12:00 p.m.
② 12:15 p.m.
③ 12:30 p.m.

05 대화를 듣고, **영화가 시작하는 시각**을 고르시오.

① 3:00 p.m.
② 4:00 p.m.
③ 5:00 p.m.

06 대화를 듣고, **학교 버스가 오는 시각**을 고르시오.

① 7:50 a.m.
② 8:00 a.m.
③ 8:10 a.m.

기출

07 대화를 듣고, **두 사람이 만날 시각**을 고르시오.

① 10:00 a.m.
② 10:30 a.m.
③ 11:00 a.m.

기출

08 대화를 듣고, **요가 수업이 시작되는 시각**을 고르시오.

① 3:30 p.m.
② 4:00 p.m.
③ 4:30 p.m.

STEP 2

Listen & Check

정답 및 해설 p.24

01 대화를 듣고, 두 사람이 만날 시각으로 가장 적절한 것을 고르시오.

① 3:00 p.m. ② 3:30 p.m. ③ 4:00 p.m. ④ 4:30 p.m. ⑤ 5:00 p.m.

02 대화를 듣고, 여자가 병원에 갈 시각으로 가장 적절한 것을 고르시오.

① 11:00 a.m. ② 12:00 p.m. ③ 1:00 p.m. ④ 2:00 p.m. ⑤ 3:00 p.m.

03 대화를 듣고, 두 사람이 만날 시각으로 가장 적절한 것을 고르시오.

① 11:00 a.m. ② 12:00 p.m. ③ 1:00 p.m. ④ 2:00 p.m. ⑤ 3:00 p.m.

04 대화를 듣고, 비행기가 출발하는 시각으로 가장 적절한 것을 고르시오.

① 6:00 a.m. ② 7:00 a.m. ③ 8:00 a.m. ④ 9:00 a.m. ⑤ 10:00 a.m.

05 대화를 듣고, 두 사람이 만날 시각으로 가장 적절한 것을 고르시오.

① 5:50 a.m. ② 6:00 a.m. ③ 6:10 a.m. ④ 6:20 a.m. ⑤ 6:30 a.m.

06 대화를 듣고, 요리 수업이 시작하는 시각으로 가장 적절한 것을 고르시오.

① 3:00 p.m. ② 4:00 p.m. ③ 5:00 p.m. ④ 6:00 p.m. ⑤ 7:00 p.m.

07 대화를 듣고, 두 사람이 만날 시각으로 가장 적절한 것을 고르시오.

① 6:00 a.m. ② 6:30 a.m. ③ 7:00 a.m. ④ 7:30 a.m. ⑤ 8:00 a.m.

08 대화를 듣고, 두 사람이 만날 시각으로 가장 적절한 것을 고르시오.

① 11:30 a.m. ② 11:40 a.m. ③ 11:50 a.m. ④ 12:00 p.m. ⑤ 12:10 p.m.

STEP 3 Listen & Check

Dictation

◇ STEP 2의 내용을 다시 듣고, 빈칸에 들어갈 알맞은 단어를 써보세요.

정답 및 해설 p.24

01

대화를 듣고, 두 사람이 만날 시각으로 가장 적절한 것을 고르시오.

① 3:00 p.m. ② 3:30 p.m.
③ 4:00 p.m. ④ 4:30 p.m.
⑤ 5:00 p.m.

M Finally, the final exams are over.
W Then, would you like to play basketball in the afternoon?
M Great. When ____________ ____________ ____________?
W How about 4:30? My piano lesson ____________ ____________ 4.
M Okay. ____________ ____________ ____________.

02

대화를 듣고, 여자가 병원에 갈 시각으로 가장 적절한 것을 고르시오.

① 11:00 a.m. ② 12:00 p.m.
③ 1:00 p.m. ④ 2:00 p.m.
⑤ 3:00 p.m.

Listening Tip
전치사 for는 약하게 /퍼/로 발음되는데, /포/로 강조하여 발음하면 four로 오해하기 쉬우므로 유의해야 합니다.

[Telephone rings.]
M Happy Clinic. How can I help you?
W I want to make an appointment for tomorrow.
M Would you like to ____________ ____________ the morning or in the afternoon?
W In the afternoon.
M You can ____________ ____________ 1 or 3 o'clock.
W ____________ ____________ ____________ 1 o'clock.

03

대화를 듣고, 두 사람이 만날 시각으로 가장 적절한 것을 고르시오.

① 11:00 a.m. ② 12:00 p.m.
③ 1:00 p.m. ④ 2:00 p.m.
⑤ 3:00 p.m.

W Daniel, I'm going to go to Gyeongbokgung tomorrow. Do you want to come?
M Of course. What time shall we meet?
W How about ____________ ____________ 3?
M That's a little late. How about meeting ____________ ____________? Let's have lunch before we go there.
W ____________ ____________ ____________.

04

대화를 듣고, 비행기가 출발하는 시각으로 가장 적절한 것을 고르시오.

① 6:00 a.m. ② 7:00 a.m.
③ 8:00 a.m. ④ 9:00 a.m.
⑤ 10:00 a.m.

W Tony, are you excited about going to Hawaii tomorrow?
M Of course, Mom. I ____________ ____________ ____________ see the beautiful beach.
W We have to get up early tomorrow. The plane ____________ ____________ 10 a.m.
M What time should we ____________ ____________ the airport?
W Maybe 7 a.m.

05

대화를 듣고, 두 사람이 만날 시각으로 가장 적절한 것을 고르시오.

① 5:50 a.m. ② 6:00 a.m.
③ 6:10 a.m. ④ 6:20 a.m.
⑤ 6:30 a.m.

M What are you planning to do this weekend?
W I'm going to go fishing with Sarah and her father.
M That sounds fun.
W We'll leave on ____________ ____________ ____________ 6 a.m. Do you want to join us?
M Yes, I'd like to.
W We'll go to ____________ ____________ ____________ 6:10.
M Okay. I'll see you then.

06

대화를 듣고, 요리 수업이 시작하는 시각으로 가장 적절한 것을 고르시오.

① 3:00 p.m. ② 4:00 p.m.
③ 5:00 p.m. ④ 6:00 p.m.
⑤ 7:00 p.m.

W I made this in my cooking class yesterday. Try it.
M Wow, it's really good.
W Thanks. I learn many easy recipes in class. It's really fun.
M I want to learn cooking, too. What time does ____________ ____________ ____________?
W It ____________ ____________ 5 o'clock on Mondays.
M Oh, I can't go. I have ____________ ____________ from 4 to 6.

07

대화를 듣고, 두 사람이 만날 시각으로 가장 적절한 것을 고르시오.

① 6:00 a.m. ② 6:30 a.m.
③ 7:00 a.m. ④ 7:30 a.m.
⑤ 8:00 a.m.

Listening Tip
길고 강세를 받는 -teen으로 끝나는 숫자들과 짧고 강세를 받지 않는 -ty로 끝나는 숫자들의 발음에 주의하세요.

M I heard you exercise in the morning these days.
W Yes. I ____________ ____________ ____________ 6 and jog for an hour.
M Can I join you?
W Sure. ____________ ____________ in front of the park at 6:30.
M Okay. ____________ ____________ ____________.

08

대화를 듣고, 두 사람이 만날 시각으로 가장 적절한 것을 고르시오.

① 11:30 a.m. ② 11:40 a.m.
③ 11:50 a.m. ④ 12:00 p.m.
⑤ 12:10 p.m.

M Today's meeting was too long. Why don't we have lunch together?
W Sure. What time ____________ ____________ ____________?
M It's 11:40.
W Let me get my bag first. Can ____________ ____________ ____________ 10 minutes?
M Okay. I'll wait for you by the door.
W All right. ____________ ____________ ____________.

장래 희망 · 직업 파악

정답 및 해설 p.26

| 유형 소개 | [장래 희망] 다양한 직업을 나타내는 어휘와 장래 희망을 표현하는 다양한 방법을 알아야 한다.
[화자의 직업] 직업명이 등장하지 않기 때문에, 대화 속 상황을 이해하고 전체 내용을 종합해야 한다.

| 지시문 | [장래 희망] 대화를 듣고, **남자[여자]의 장래 희망**으로 가장 적절한 것을 고르시오.
[화자의 직업] 대화를 듣고, **남자[여자]의 직업**으로 가장 적절한 것을 고르시오.

| 정답 시그널 | **I want to be + 직업. / My dream is to be + 직업.** → 패턴에 집중해보면 정답을 쉽게 찾을 수 있어요.

정답이 들리는 핵심 표현

Expressions

- **I want to be[become] ~.** 나는 ~가 되고 싶어.

I want to be a good pianist. 기출
나는 훌륭한 피아니스트가 되고 싶어.

I actually **want to become** a famous tennis player. 기출
나는 사실 유명한 테니스 선수가 되고 싶어.

- **My dream is to be ~.** 내 꿈은 ~이 되는 거야.

My dream is to be a robot engineer. 기출
내 꿈은 로봇 엔지니어가 되는 거야.

My dream is to be an actress.
제 꿈은 여배우가 되는 것입니다.

Words

- **직업**

voice actor 성우
engineer 엔지니어
pilot 비행기 조종사
fashion model 패션모델
hairdresser 미용사
photographer 사진작가
architect 건축가
computer programmer 컴퓨터 프로그래머
movie director 영화감독
lawyer 변호사
designer 디자이너
farmer 농부
writer 작가
painter 화가
pianist 피아니스트
baker 제빵사
cartoonist 만화가
journalist 기자
dentist 치과 의사
librarian 도서관 사서
firefighter 소방관
magician 마술사
guitarist 기타리스트
cook[chef] 요리사, 셰프
server 식당 점원
tennis player 테니스 선수
vet[animal doctor] 수의사
animal trainer 동물 조련사
police officer 경찰관

주어진 문장과 관련된 직업을 고르세요.

1 You have to return the book by June 15th. → ① 도서관 사서 ② 방송 작가 ③ 소방관
2 I just finished writing a book. → ① 우체부 ② 작가 ③ 의사
3 My students don't want homework on weekends. → ① 경찰관 ② 의사 ③ 선생님
4 Today's special is steak with potato salad. → ① 식당 점원 ② 기자 ③ 수의사

대표 기출 문제

* 핵심 표현 ○ 정답 근거

1 대화를 듣고, **여자의 장래 희망**으로 가장 적절한 것을 고르시오.

① 교사 ② 의사 ③ 변호사 ④ 공무원 ⑤ 사진작가

M Miranda, what are those pictures?
W I took these pictures of trees for my homework.
M Wow, they're so good! You did a great job!
W Thanks. * **I want to be** **a photographer someday.**
M **Cool! I'm sure you will be a great photographer.**
W I hope so, too.

남 Miranda, 저 사진들은 무슨 사진이야?
여 숙제 때문에 내가 이 나무 사진들을 찍었어.
남 와, 진짜 멋있다! 정말 잘 찍었어!
여 고마워. 나는 언젠가 사진작가가 되고 싶어.
남 멋지다! 나는 네가 훌륭한 사진작가가 될 거라고 확신해.
여 나도 그러길 바라.

❶ 지시문에서 누구의 장래 희망을 묻는지 꼭 확인하세요.
여자의 장래 희망에 관해 묻고 있으므로, 여자의 말에 집중해야 해요.

❷ 직업명을 직접 언급하기 때문에 직업명과 다양한 장래 희망 표현을 외워 두세요.

주의 상대방이 대신 장래 희망을 직접 언급하는 경우가 있어요.

A: You are really good. You should be a cook.
B: That's my dream job! 기출

2 대화를 듣고, **남자의 직업**으로 가장 적절한 것을 고르시오.

① 화가 ② 식당 점원 ③ 방송 작가
④ 버스 기사 ⑤ 안과 의사

M Good evening, ma'am. **How did you like your steak?**
W It was delicious, thank you.
M Great. **Would you like some dessert?**
W Yes. **Could you show me the menu?**
M Certainly. **Here you are.**
W Um... I'll have the chocolate cake, please.
M Sure. I'll bring it now.

남 안녕하세요, 손님. 스테이크는 마음에 드셨나요?
여 맛있었어요. 감사합니다.
남 다행이네요. 디저트를 좀 드시겠습니까?
여 네. 메뉴를 보여 주시겠어요?
남 물론이죠. 여기 있습니다.
여 음… 초콜릿케이크로 할게요.
남 네. 바로 가져다드리겠습니다.

❶ 지시문에서 누구의 직업을 묻는지 꼭 확인하세요.
남자의 직업에 관해 묻고 있으므로, 남자의 말에 집중해야 해요.

❷ 직업을 직접적으로 이야기하지 않고, 직업을 추측할 수 있는 여러 대화 상황이나 장소가 나와요.
→ 디저트를 주문받고 메뉴를 보여주는 상황을 통해 남자의 직업을 알 수 있어요.

STEP 1

Mini Exercise

정답 및 해설 p.26

01 대화를 듣고, **남자의 장래 희망**으로 가장 적절한 것을 고르시오.

① 건축가
② 경찰관
③ 수학 교사

02 대화를 듣고, **남자의 직업**으로 가장 적절한 것을 고르시오.

① 영화감독
② 영화관 직원
③ 간호사

03 대화를 듣고, **여자의 장래 희망**으로 가장 적절한 것을 고르시오.

① 화가
② 도서관 사서
③ 여행 가이드

04 대화를 듣고, **여자의 엄마의 직업**으로 가장 적절한 것을 고르시오.

① 제빵사
② 프로듀서
③ 교수

05 대화를 듣고, **남자의 장래 희망**으로 가장 적절한 것을 고르시오.

① 기자
② 수의사
③ 운동선수

06 대화를 듣고, **남자의 직업**으로 가장 적절한 것을 고르시오.

① 기자
② 치과 의사
③ 미용사

기출

07 대화를 듣고, **남자의 직업**으로 가장 적절한 것을 고르시오.

① 교통경찰
② 배구 선수
③ 아나운서

기출

08 대화를 듣고, **남자의 장래 희망**으로 가장 적절한 것을 고르시오.

① 제빵사
② 작가
③ 교사

STEP 2

Listen & Check

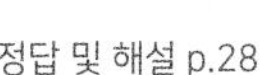
정답 및 해설 p.28

01 대화를 듣고, 남자의 장래 희망으로 가장 적절한 것을 고르시오.

① 화가 ② 음악가
③ 잡지 기자 ④ 정원사
⑤ 의상 디자이너

02 대화를 듣고, 남자의 직업으로 가장 적절한 것을 고르시오.

① 배우 ② 교사
③ 의사 ④ 동물 사육사
⑤ 공연 기획자

03 대화를 듣고, 여자의 장래 희망으로 가장 적절한 것을 고르시오.

① 교수 ② 건축가
③ 영화감독 ④ 수영 선수
⑤ 컴퓨터 프로그래머

04 대화를 듣고, 남자의 직업으로 가장 적절한 것을 고르시오.

① 의사 ② 가수
③ 농부 ④ 요리사
⑤ 쇼 진행자

05 대화를 듣고, 남자의 장래 희망으로 가장 적절한 것을 고르시오.

① 화가 ② 경찰관
③ 요리사 ④ 제빵사
⑤ 사진작가

06 대화를 듣고, 여자의 직업으로 가장 적절한 것을 고르시오.

① 의사 ② 엔지니어
③ 운동선수 ④ 구조대원
⑤ 호텔 직원

07 대화를 듣고, 남자의 장래 희망으로 가장 적절한 것을 고르시오.

① 성우 ② 작곡가
③ 음악 교사 ④ 방송 작가
⑤ 뮤지컬 배우

08 대화를 듣고, 남자의 직업으로 가장 적절한 것을 고르시오.

① 약사 ② 성악가
③ 경찰관 ④ 변호사
⑤ 치과 의사

STEP 3 Listen & Check

Dictation

◇ STEP 2의 내용을 다시 듣고, 빈칸에 들어갈 알맞은 단어를 써보세요.

정답 및 해설 p.28

01

대화를 듣고, 남자의 장래 희망으로 가장 적절한 것을 고르시오.

① 화가 ② 음악가
③ 잡지 기자 ④ 정원사
⑤ 의상 디자이너

W The flowers are so beautiful!
M Thanks. I planted them.
W You are good at gardening.
M I ____________ ____________, so I spend much time in my garden.
W Do you want to ____________ ____________ ____________?
M Yes. I hope ____________ ____________ comes true.

02

대화를 듣고, 남자의 직업으로 가장 적절한 것을 고르시오.

① 배우 ② 교사
③ 의사 ④ 동물 사육사
⑤ 공연 기획자

Listening Tip
두 개의 유사한 자음이 겹치면 앞의 한 자음은 생략해요. don't touch에서 [t]가 하나 생략되어 '돈터치'로 소리 나게 되는 것이죠.

M Good morning, children! These are ____________ ____________.
W They're very cute. Can I touch them?
M Yes, but don't touch their faces.
W I want to take care of ____________ ____________ ____________. What should I do?
M You should love animals and ____________ ____________ about them.

03

대화를 듣고, 여자의 장래 희망으로 가장 적절한 것을 고르시오.

① 교수 ② 건축가
③ 영화감독 ④ 수영 선수
⑤ 컴퓨터 프로그래머

M Vicky, what are you doing?
W I'm ____________ ____________ ____________.
M Wow! It's wonderful. There is a pool on the roof.
W This is my future house. I want to be an architect and ____________ ____________ ____________.
M I'm sure ____________ ____________ a great architect someday.

04

대화를 듣고, 남자의 직업으로 가장 적절한 것을 고르시오.

① 의사 ② 가수
③ 농부 ④ 요리사
⑤ 쇼 진행자

W Tommy, thanks for coming to our show.
M I'm happy to be here.
W Can you tell me about ____________ ____________?
M I have farms and ____________ ____________ there.
W What is your favorite part of the job?
M I feel proud when people become healthy ____________ ____________ ____________.

05

대화를 듣고, 남자의 장래 희망으로 가장 적절한 것을 고르시오.

① 화가 ② 경찰관
③ 요리사 ④ 제빵사
⑤ 사진작가

M Are you hungry?

W Yes. Do you have something to eat?

M I made a cheese pizza. Do you want some?

W Sure, thanks. *[Pause]* It's so delicious. You're ____________ ____________ ____________.

M Thanks. I love cooking. So I want to ____________ ____________ ____________.

W I think ____________ ____________ a good chef.

06

대화를 듣고, 여자의 직업으로 가장 적절한 것을 고르시오.

① 의사 ② 엔지니어
③ 운동선수 ④ 구조대원
⑤ 호텔 직원

Listening Tip

sit in의 sit의 [t]가 [r]로 소리 나고, in과 연음되어서 우리말의 /씨린/으로 들려요.

W ____________ ____________ ____________ an ambulance?

M Yes. My sister fell down the stairs.

W I think her leg is broken. I'm going to put her on a bed here and ____________ ____________ to the hospital.

M ____________ ____________ ____________, too?

W Yes. You may sit in the back with her.

07

대화를 듣고, 남자의 장래 희망으로 가장 적절한 것을 고르시오.

① 성우 ② 작곡가
③ 음악 교사 ④ 방송 작가
⑤ 뮤지컬 배우

M Hi, Tiffany. Did you enjoy the play?

W Yes. I loved it.

M I'm happy to hear that. I'll perform in the musical in the school festival this weekend.

W You look happy when you are on the stage. I think you will be a ____________ ____________ ____________.

M That's ____________ ____________!

08

대화를 듣고, 남자의 직업으로 가장 적절한 것을 고르시오.

① 약사 ② 성악가
③ 경찰관 ④ 변호사
⑤ 치과 의사

M What's wrong?

W I can't sleep well because my teeth hurt.

M Let's see. *[Pause]* Oh, you have a ____________ ____________ ____________.

W I see. How many ____________ ____________ do I have?

M At least 2. But I ____________ ____________ ____________ an X-ray to check first.

유형 08 화자의 심정

정답 및 해설 p.30

| 유형 소개　대화를 듣고, 주어진 상황 속에서 말하는 사람의 심정을 추론해야 한다.

| 지시문　대화를 듣고, **남자[여자]의 심정**으로 가장 적절한 것을 고르시오.

정답이 들리는 핵심 표현

Expressions

대부분 직접적으로 감정을 말하지 않기 때문에 아래와 같은 표현들로 심정을 유추할 수 있다.

- **긍정**

설렘/부러움/기쁨/자랑스러움/신남

I'm really looking forward to the trip! 기출
난 그 여행을 정말 기대하고 있어!

Wow, I can't wait! 기출
와, 기대된다!

I can't believe I have a dog now. 기출
내가 이제 개를 키운다니 믿기지 않아.

My dad bought me a new cell phone.
우리 아빠가 새 휴대전화를 사 주셨어.

- **부정**

화남/수줍음/지루함/걱정스러움/부끄러움/무관심함/긴장함

No, I couldn't find my dog anywhere. What shall I do? 기출
아니, 우리 개를 어디에서도 찾을 수 없었어. 나 어떻게 하지?

I didn't get any sleep last night.
난 어젯밤에 한숨도 못 잤어.

He broke my computer again!
걔가 또 내 컴퓨터를 망가뜨렸어!

I will try my best, but this contest makes me uncomfortable.
최선을 다하겠지만, 이 대회는 내 마음을 불편하게 하네.

That movie was really scary. I don't want to go to bed now.
그 영화는 정말 무서웠어. 지금 잠들고 싶지 않아.

Words

심정을 나타내는 어휘

- **긍정**

excited 신이 난
pleased 기쁜
hopeful 기대하는, 희망에 찬
satisfied 만족스러운
relieved 안도하는
happy 행복한
proud 자랑스러운
thankful 감사한
relaxed 느긋한, 여유 있는

- **부정**

sad 슬픈
upset 속상한, 마음이 상한
lonely 외로운
tired 피곤한
bored 지루해하는
disappointed 실망한
angry 화가 난
shy 부끄러운
nervous 긴장된, 초조한
worried 걱정하는
scared 겁먹은
embarrassed 당황한

주어진 문장에 알맞은 심정을 고르세요.

1 I got an A on the math test. → ① 걱정스러움 ② 자랑스러움 ③ 실망함

2 That sounds great! Tomorrow will be fun. → ① nervous ② proud ③ excited

3 I can't wait to go skiing this winter. → ① excited ② scared ③ nervous

대표 기출 문제

* 핵심 표현 ○ 정답 근거

1 대화를 듣고, **남자의 심정**으로 가장 적절한 것을 고르시오.

① 기쁨 ② 지루함 ③ 부러움
④ 걱정스러움 ⑤ 자랑스러움

W What's wrong, Mike?
M **My mom told me to walk the dog yesterday.**
W Then, what happened?
M **When I talked with my friend, my dog ran away.**
W Oh no! Did you find your dog?
M No, **I couldn't find it anywhere. What shall I do?**

여 Mike, 무슨 일이야?
남 어제 엄마가 나한테 개를 산책시키라고 말씀하셨거든.
여 그러고 나서, 무슨 일이 생겼어?
남 내가 친구랑 얘기할 때, 우리 개가 도망가 버렸어.
여 이런! 네 개를 찾았니?
남 아니, 아무 데서도 찾을 수 없었어. 나 어떻게 하지?

❶ 지시문에서 누구의 감정을 파악해야 하는지 확인하세요. 남자의 심정이므로, 남자가 처한 상황을 이해해야 해요.

❷ 남자가 처한 상황이 긍정적인지, 부정적인지 판단해야 남자의 심정을 추측할 수 있어요.
→ 개를 잃어버린 남자의 상황 ⇒ 부정적
→ ① 기쁨 ③ 부러움 ⑤ 자랑스러움

❸ 직접적으로 감정에 대해 말하지 않는 경우가 있기 때문에, 전체적인 상황 파악이 중요해요.

2 대화를 듣고, **남자의 심정**으로 가장 적절한 것을 고르시오.

① shy ② upset ③ proud
④ happy ⑤ thankful

W Jason, what happened?
M **I hurt my shoulder yesterday.**
W Really? Did you see a doctor?
M Yes. **He said I shouldn't play any sports for a month.**
W Sorry to hear that. You have a baseball game tomorrow.
M Yeah. I want to play, but I can't. **I feel so bad about it.**

여 Jason, 무슨 일 있었어?
남 어제 어깨를 좀 다쳤어.
여 진짜? 병원에는 갔어?
남 응. 의사 선생님이 한 달 동안 운동하지 말아야 한다고 하셨어.
여 정말 안됐다. 너는 내일 야구 시합이 있잖아.
남 맞아. 참여하고 싶지만 할 수 없어. 너무 아쉬워.

❶ 주어진 선택지가 영어로 등장하기도 해요. 감정을 나타내는 단어들을 익혀두는 것이 중요해요.

❷ I feel so bad about it.이라고 남자가 직접적으로 말한 내용을 토대로 적절한 감정을 골라야 해요.

STEP 1

Mini Exercise

정답 및 해설 p.30

01 대화를 듣고, **남자의 심정**으로 가장 적절한 것을 고르시오.

① 신남 ② 슬픔 ③ 화남

02 대화를 듣고, **여자의 심정**으로 가장 적절한 것을 고르시오.

① happy ② worried ③ sad

03 대화를 듣고, **여자의 심정**으로 가장 적절한 것을 고르시오.

① 슬픔 ② 자랑스러움 ③ 신남

04 대화를 듣고, **여자의 심정**으로 가장 적절한 것을 고르시오.

① bored ② upset ③ proud

05 대화를 듣고, **남자의 심정**으로 가장 적절한 것을 고르시오.

① 부러움 ② 기쁨 ③ 지루함

06 대화를 듣고, **남자의 심정**으로 가장 적절한 것을 고르시오.

① sad ② upset ③ shy

기출
07 대화를 듣고, **남자의 심정**으로 가장 적절한 것을 고르시오.

① 설렘 ② 부러움 ③ 지루함

기출
08 대화를 듣고, **여자의 심정**으로 가장 적절한 것을 고르시오.

① 신나는 ② 부끄러운 ③ 걱정스러운

STEP 2

Listen & Check

정답 및 해설 p.32

01 대화를 듣고, 여자의 심정으로 가장 적절한 것을 고르시오.

① 지루함 ② 부러움 ③ 걱정스러움
④ 신남 ⑤ 감사함

02 대화를 듣고, 남자의 심정으로 가장 적절한 것을 고르시오.

① happy ② angry ③ excited
④ proud ⑤ shy

03 대화를 듣고, 남자의 심정으로 가장 적절한 것을 고르시오.

① 기쁨 ② 지루함 ③ 우울함
④ 감사함 ⑤ 걱정스러움

04 대화를 듣고, 여자의 심정으로 가장 적절한 것을 고르시오.

① bored ② excited ③ pleased
④ worried ⑤ hopeful

05 대화를 듣고, 남자의 심정으로 가장 적절한 것을 고르시오.

① 부러움 ② 지루함 ③ 감사함
④ 설렘 ⑤ 화남

06 대화를 듣고, 여자의 심정으로 가장 적절한 것을 고르시오.

① tired ② thankful ③ proud
④ shy ⑤ upset

07 대화를 듣고, 여자의 심정으로 가장 적절한 것을 고르시오.

① 지루함 ② 즐거움 ③ 자랑스러움
④ 화남 ⑤ 창피함

08 대화를 듣고, 남자의 심정으로 가장 적절한 것을 고르시오.

① 지루함 ② 걱정스러움 ③ 자랑스러움
④ 실망스러움 ⑤ 무서움

STEP 3 Listen & Check

Dictation

◇ STEP 2의 내용을 다시 듣고, 빈칸에 들어갈 알맞은 단어를 써보세요.

정답 및 해설 p.32

01

대화를 듣고, 여자의 심정으로 가장 적절한 것을 고르시오.

① 지루함 ② 부러움
③ 걱정스러움 ④ 신남
⑤ 감사함

W ____________ ____________ ____________ New York!
M There are so ____________ ____________ ____________ for tourists here.
W Great! Where are we going to ____________ ____________?
M Let's go to the Empire State Building to see a view of the city.
W Wow, ____________ ____________ ____________!

02

대화를 듣고, 남자의 심정으로 가장 적절한 것을 고르시오.

① happy ② angry
③ excited ④ proud
⑤ shy

Listening Tip
's'가 모음 앞에 올 때는 /ㅆ/로 발음하고 나머지 경우는 /ㅅ/로 발음해요. 그래서 sorry는 /쏘뤼/라고 발음하고 some은 /썸/이라고 발음하지요.

W What's wrong, Liam?
M My dog Max played with ____________ ____________ ____________ again.
W Well, every puppy does that.
M ____________ ____________ ____________. He often steals my socks.
W I'm sorry to hear that.
M He must ____________ ____________ it. He needs some training.

03

대화를 듣고, 남자의 심정으로 가장 적절한 것을 고르시오.

① 기쁨 ② 지루함
③ 우울함 ④ 감사함
⑤ 걱정스러움

W Mike, ____________ ____________ ____________.
M I'm fine. I just need to be alone for now, Mom.
W Is something wrong?
M I got a bad grade on my math test. I ____________ ____________ ____________ about it.
W ____________ ____________. You'll do better next time.
M I hope so.

04

대화를 듣고, 여자의 심정으로 가장 적절한 것을 고르시오.

① bored ② excited
③ pleased ④ worried
⑤ hopeful

M Julie, what's wrong?
W Well, I broke my brother's camera.
M Oh no. How did it happen?
W I dropped it by mistake. ____________ ____________ ____________ ____________?
M Tell him the truth. ____________ ____________.
W I hope you're right.

05

대화를 듣고, 남자의 심정으로 가장 적절한 것을 고르시오.

① 부러움 ② 지루함
③ 감사함 ④ 설렘
⑤ 화남

W These paintings by Picasso are amazing.
M How many more do we ______ ______ ______?
W Aren't you excited to see his paintings?
M Not really. We're just here to do homework.
W Yes. But at the same time you can ______ ______.
M Not for me. I'm not ______ ______ art.

06

대화를 듣고, 여자의 심정으로 가장 적절한 것을 고르시오.

① tired ② thankful
③ proud ④ shy
⑤ upset

W Eric, what is that?
M It's a Valentine's Day card. I made it.
W Wow! The hearts on it are ______ ______.
M Yes, and there is ______ ______ in the card.
W That's cool. Who is it for?
M ______ ______ ______, Sora.
W ______. I love it! You're so sweet.

07

대화를 듣고, 여자의 심정으로 가장 적절한 것을 고르시오.

① 지루함 ② 즐거움
③ 자랑스러움 ④ 화남
⑤ 창피함

W Dad, I don't want to go to school tomorrow.
M Why? Did something happen?
W Well, my class had a race in the gym, and I ______ ______ ______.
M That's okay. You did your best.
W But everyone in the class ______ ______.
M ______ ______. No one will remember it.

08

대화를 듣고, 남자의 심정으로 가장 적절한 것을 고르시오.

① 지루함 ② 걱정스러움
③ 자랑스러움 ④ 실망스러움
⑤ 무서움

Listening Tip

can이 부정문에서 can't로 쓰일 때는 조동사이더라도 문장 강세가 있어서 /캔/에 가깝게 발음해요. 이때 't'는 'n' 뒤에 와서 거의 발음하지 않아요.

W Did you ______ ______ the World Food Fair?
M Yes. I'm going to go there ______ ______.
W The fair stopped yesterday because something happened on the first day.
M I didn't know that. What happened?
W One of the guests ______ ______ ______ he ate the food there.
M I can't believe it. I was ______ ______ to it.

할 일 · 한 일 파악

정답 및 해설 p.34

| 유형 소개 대화를 듣고, 말하는 사람이 할 일 또는 한 일을 파악해야 한다.

| 지시문 대화를 듣고, **남자[여자]가 대화 직후에 할 일**로 가장 적절한 것을 고르시오.
대화를 듣고, **남자[여자]가 ~에 한 일**로 가장 적절한 것을 고르시오.

| 정답 시그널 **I will[I'll] ~ (right) now.** ➜ I will 뒤에는 앞으로 할 일이 나와요.

정답이 들리는 핵심 표현

Expressions

• **I will[I'll] ~ (right) now.** 내가 ~ 지금 (당장) 할게.

I'll do that **right now.** 기출
지금 당장 그걸[그렇게] 할게요.

I'll go back to the restaurant **right now.** 기출
지금 당장 그 레스토랑에 다시 갈게.

I'll bring your shirt **now.**
지금 당신의 셔츠를 가져올게요.

• **Let's ~ (right now).** (지금 당장) ~하자.

Let's go **right now.** 기출
지금 당장 가자.

Let's buy some food for the rabbit. 기출
토끼 먹이를 조금 사자.

Words

• **자주 등장하는 활동**

ask for directions 길을 물어보다
wear a seat belt 안전벨트를 매다
take pictures 사진을 찍다
pay the bill 계산하다
send a text message 문자를 보내다
call to congratulate 축하 전화하다
do face painting 페이스 페인팅하다
return for a refund 환불하다
send homework by e-mail 이메일로 숙제를 보내다

• **자주 등장하는 불규칙 과거형 동사**

go - went	가다 – 갔다
see - saw	보다 – 보았다
make - made	만들다 – 만들었다
do - did	하다 – 했다
pay - paid	지불하다 – 지불했다
take - took	가져가다; 사다 – 가져갔다; 샀다
eat - ate	먹다 – 먹었다
have - had	가지다; 먹다 – 가졌다; 먹었다

주어진 우리말 해석에 맞게 문장을 완성하세요.

1 지금 숙제를 끝낼게요. → __________ __________ finish my homework now.

2 나는 어제 피자를 먹었어. → __________ __________ pizza yesterday.

3 저쪽에서 점심 먹자. → __________ have lunch over there.

4 내가 그 애한테 얘기할게. → __________ __________ talk to her.

5 나는 지난 일요일에 동물원에 갔었어. → __________ __________ to the zoo last Sunday.

대표 기출 문제

*핵심 표현 ○정답 근거

1 대화를 듣고, **여자가 대화 직후에 할 일**로 가장 적절한 것을 고르시오.

① 길 안내하기 ② 방 청소하기 ③ 먹이 구입하기
④ 동물 사진 찍기 ⑤ 체험 보고서 쓰기

M Mom, I like **this zoo**!
W Me, too. Tom, look at those little rabbits.
M Oh, they're so cute. Can I give them some food?
W Let me see. *[Pause]* Oh, look! There's a sign.
M It says we can feed them.
W Great! * **I'll buy some food for the rabbits now**.

남 엄마, 저 이 동물원이 좋아요!
여 나도 그렇단다. Tom, 저 작은 토끼들 좀 보렴.
남 아, 정말 귀여워요. 제가 먹이를 좀 줘도 되나요?
여 한번 보자. *[잠시 후]* 아, 봐봐! 표지판이 있네.
남 우리가 먹이를 줘도 된다고 되어 있어요.
여 잘됐구나! 내가 지금 토끼에게 줄 먹이를 좀 사올게.

① 지시문에서 누가 할 일인지 확인하세요. 여자가 할 일이므로 여자의 말에 집중하면 정답을 쉽게 찾을 수 있어요.

② 선택지의 일부 내용이 대화에 등장하여, 오답을 유도하기도 해요.

주의 상대방이 대신 할 일을 언급하는 경우도 있으니, 전체 대화의 흐름을 놓치지 마세요.

> A: Everyone has to wear their seat belts these days.
> B: Okay, I will. 기출

2 대화를 듣고, **여자가 휴일에 한 일**로 가장 적절한 것을 고르시오.

① 공연 관람하기 ② 과학 숙제하기 ③ 밴드 연습하기
④ 가족 농장 가기 ⑤ 과일 가게 가기

W Chris, did you have a good holiday?
M Yes, **I practiced with my band** for a concert. **What about you?**
W **I went to the family farm** with my parents.
M That sounds fun! What vegetables do you grow?
W We grow tomatoes and carrots.

여 Chris, 좋은 휴일을 보냈니?
남 응, 콘서트를 준비하느라 밴드랑 같이 연습했어. 너는 어때?
여 부모님이랑 같이 가족 농장에 갔었어.
남 재미있었겠다! 어떤 채소를 기르니?
여 우린 토마토랑 당근을 기르고 있어.

① 대화에 등장하는 두 사람이 서로에게 한 일에 관해 묻는 상황이 자주 등장하므로 누가 한 일을 묻는지 꼭 확인해야 해요.

② 오답을 유도하는 내용이 등장할 때도 있으니 상대방이 한 일과 관련된 오답 함정에 주의하세요.

③ 과거에 한 일에 관해 묻는 것이니 과거형 동사, 특히 불규칙 과거형 동사를 미리 알아 두는 것이 좋아요.

STEP 1

Mini Exercise

정답 및 해설 p.34

01 대화를 듣고, **여자가 대화 직후에 할 일**로 가장 적절한 것을 고르시오.

① 책 읽기
② 안과에 전화하기
③ 표지판 내용 읽어주기

02 대화를 듣고, **남자가 주말에 한 일**로 가장 적절한 것을 고르시오.

① 소풍 가기
② 시험공부하기
③ 콘서트 가기

03 대화를 듣고, **남자가 대화 직후에 할 일**로 가장 적절한 것을 고르시오.

① 방 청소하기
② 숙제하기
③ 친구 만나러 가기

04 대화를 듣고, **여자가 대화 직후에 할 일**로 가장 적절한 것을 고르시오.

① 물 마시기
② 물병 챙기기
③ 친구에게 전화하기

05 대화를 듣고, **여자가 어제 한 일**로 가장 적절한 것을 고르시오.

① 여행 가기
② 병원 가기
③ 과학 경시대회 참가하기

06 대화를 듣고, **여자가 휴일에 한 일**로 가장 적절한 것을 고르시오.

① 영화 보기
② 낚시하기
③ 수영하기

기출
07 대화를 듣고, **남자가 휴일에 한 일**로 가장 적절한 것을 고르시오.

① 동생 돌보기
② 가족사진 찍기
③ 거실 청소하기

기출
08 대화를 듣고, **남자가 대화 직후에 할 일**로 가장 적절한 것을 고르시오.

① 피자 만들기
② 친구에게 전화하기
③ 전화번호 검색하기

STEP 2

Listen & Check

정답 및 해설 p.36

01 대화를 듣고, 여자가 대화 직후에 할 일로 가장 적절한 것을 고르시오.

① 수업 등록하기
② 유명인 사인받기
③ 시간표 확인하기
④ 직업 종류 검색하기
⑤ 건축 잡지 구입하기

02 대화를 듣고, 여자가 휴일에 한 일로 가장 적절한 것을 고르시오.

① 캠핑 가기
② 수영 배우기
③ 콘서트 가기
④ 파티 참석하기
⑤ 역사 과제하기

03 대화를 듣고, 두 사람이 대화 직후에 할 일로 가장 적절한 것을 고르시오.

① 쇼핑하러 가기
② 컴퓨터 게임하기
③ 공원 산책하기
④ 영화 보러 가기
⑤ 콘서트 예매하기

04 대화를 듣고, 남자가 어제 한 일로 가장 적절한 것을 고르시오.

① 서점 가기
② 경찰서 가기
③ 보고서 쓰기
④ 개 산책시키기
⑤ 새 휴대전화 사기

05 대화를 듣고, 남자가 대화 직후에 할 일로 가장 적절한 것을 고르시오.

① 차 마시기
② 설거지하기
③ 유리창 닦기
④ 접시 사러 가기
⑤ 신문지 가져오기

06 대화를 듣고, 남자가 지난 월요일에 한 일로 가장 적절한 것을 고르시오.

① 등산하기
② 숙소 예약하기
③ 현지 시장 가기
④ 길거리 음식 먹기
⑤ 여행 프로그램 예약하기

07 대화를 듣고, 여자가 대화 직후에 할 일로 가장 적절한 것을 고르시오.

① 책 읽기
② 서점에 가기
③ 작가 사인 받기
④ 행사 참가 신청하기
⑤ 도서관에서 책 빌리기

08 대화를 듣고, 여자가 주말에 한 일로 가장 적절한 것을 고르시오.

① 소설 책 읽기
② 머리 자르기
③ 바닷가 가기
④ 도서관 가기
⑤ 엄마 일 돕기

STEP 3 Listen & Check

Dictation

◇ STEP 2의 내용을 다시 듣고, 빈칸에 들어갈 알맞은 단어를 써보세요.

정답 및 해설 p.36

01

대화를 듣고, 여자가 대화 직후에 할 일로 가장 적절한 것을 고르시오.

① 수업 등록하기
② 유명인 사인받기
③ 시간표 확인하기
④ 직업 종류 검색하기
⑤ 건축 잡지 구입하기

W Did ______ ______ a class for the summer camp?

M Yes. I chose the art and design class. I'm interested in designing cars. What about you?

W I'm interested in designing buildings.

M Then you should take ______ ______ ______ with me.

W Okay. I'll ______ ______ ______ it now.

02

대화를 듣고, 여자가 휴일에 한 일로 가장 적절한 것을 고르시오.

① 캠핑 가기
② 수영 배우기
③ 콘서트 가기
④ 파티 참석하기
⑤ 역사 과제하기

W Eric, did you have a good holiday?

M Yes, I went to a concert with my sister. ______ ______ ______?

W I went ______ ______ my family.

M That sounds fun! What did you do there?

W We ______ ______ and took a boat ride.

03

대화를 듣고, 두 사람이 대화 직후에 할 일로 가장 적절한 것을 고르시오.

① 쇼핑하러 가기
② 컴퓨터 게임하기
③ 공원 산책하기
④ 영화 보러 가기
⑤ 콘서트 예매하기

W Let's do something fun today.

M Do you want to go shopping?

W I went shopping yesterday. ______ ______ playing computer games?

M I don't enjoy computer games much.

W Why don't we go to ______ ______ then?

M That's a ______ ______. Let's go now.

04

대화를 듣고, 남자가 어제 한 일로 가장 적절한 것을 고르시오.

① 서점 가기
② 경찰서 가기
③ 보고서 쓰기
④ 개 산책시키기
⑤ 새 휴대전화 사기

M I lost my cell phone ______ ______ ______ yesterday afternoon.

W So what did you do?

M I went to ______ ______ ______ and found my cell phone there.

W Good. I called you because I wanted to go to the bookstore with you.

M Then we can ______ ______ ______.

05

대화를 듣고, 남자가 대화 직후에 할 일로 가장 적절한 것을 고르시오.

① 차 마시기
② 설거지하기
③ 유리창 닦기
④ 접시 사러 가기
⑤ 신문지 가져오기

M Oh no! I dropped a plate and it broke!
W Be careful!
M How do I clean the pieces up?
W Don't worry. You can do it ____________ ____________.
M With newspaper? How?
W Do you ____________ ____________ ____________? I'll show you.
M Great! I'll ____________ ____________ ____________ right now.

06

대화를 듣고, 남자가 지난 월요일에 한 일로 가장 적절한 것을 고르시오.

① 등산하기
② 숙소 예약하기
③ 현지 시장 가기
④ 길거리 음식 먹기
⑤ 여행 프로그램 예약하기

W James! It's so good to see you here in Bangkok. When did you arrive?
M I got ____________ ____________ morning.
W So what did you do on your first day?
M I went to try ____________ ____________. It was really good.
W All right. Today I'll ____________ ____________ ____________. Let's go to a market.

07

대화를 듣고, 여자가 대화 직후에 할 일로 가장 적절한 것을 고르시오.

① 책 읽기
② 서점에 가기
③ 작가 사인 받기
④ 행사 참가 신청하기
⑤ 도서관에서 책 빌리기

[Cell phone rings.]
M Hello.
W Hi, Jim. You like Adam Hall's book, right?
M Yes. I'm reading his book now.
W He's going to ____________ ____________ Seoul Bookstore this weekend. Are you interested?
M Sure. Let's go ____________ ____________.
W Okay. I'll sign up ____________ ____________.

08

대화를 듣고, 여자가 주말에 한 일로 가장 적절한 것을 고르시오.

① 소설 책 읽기
② 머리 자르기
③ 바닷가 가기
④ 도서관 가기
⑤ 엄마 일 돕기

M Anna, your hat is so nice. When did you get it?
W I got ____________ ____________ last weekend, but it is too short. So I bought ____________ ____________ because I don't like my haircut.
M Take your hat off and let me see.
W No. My hair still ____________ ____________.

유형 10 주제 추론

정답 및 해설 p.38

| 유형 소개 두 사람의 대화를 듣고, 어떤 대상이나 주제에 대한 내용인지 골라야 한다.

| 지시문 대화를 듣고, **무엇에 관한 내용인지** 가장 적절한 것을 고르시오.

정답이 들리는 핵심 표현

Expressions

일상 주제

- **주말, 휴가**

  I'm going to visit my grandparents with my family. 기출
  나는 가족과 같이 조부모님을 방문할 거야.

  I'm going to make traditional Korean food. 기출
  저는 한국 전통 음식을 만들 거예요.

  I'm planning to go hiking this weekend.
  저는 이번 주말에 등산하러 갈 계획이에요.

- **학교 활동**

  I sing songs for the elderly people at a hospital. 기출
  저는 병원에 있는 노인분들께 노래를 불러드려요.

  Today my class will visit the Bike Museum. 기출
  오늘 우리 반은 자전거 박물관에 방문할 것이다.

- **취미, 좋아하는 것**

  I like to play the guitar in my free time.
  나는 여가 시간에 기타를 연주하는 걸 좋아해.

  I like English the most. 기출
  저는 영어가 제일 좋아요.

  My favorite subject is P.E. 기출
  내가 가장 좋아하는 과목은 체육이야.

특정 주제

- **공연 관람 규칙**

  We shouldn't take any food inside. 기출
  우리는 어떤 음식도 안으로 가지고 갈 수 없어.

- **수영장 안전 수칙**

  Please do not run around the pool because the floor is very wet. 기출
  바닥이 많이 젖어 있으니 수영장 주변에서 뛰지 마세요.

- **화재 대피 훈련**

  You'll learn how to be safe in a real fire. 기출
  여러분은 실제 화재에서 어떻게 안전할 수 있는지를 배울 것입니다.

- **온라인 쇼핑**

  Sometimes online shopping is cheaper.
  가끔 온라인 쇼핑이 더 저렴해.

- **환경 보호, 에너지 절약**

  We should save energy to protect the environment.
  우리는 환경을 보호하기 위해 에너지를 절약해야 해요.

- **식사 예절**

  Don't speak with your mouth full.
  입에 음식이 가득한 채로 말하지 마세요.

주어진 문장이 각각 무엇에 대한 내용인지 〈보기〉에서 골라 그 번호를 쓰세요.

〈보기〉 ① 좋아하는 책 ② 가족 ③ 장래 희망 ④ 여름 계획

1 I want to be an actor. I want to be in movies. ________

2 *Flower Wall* is my favorite book. What about you? ________

3 I'll watch movies, read books and exercise this summer. ________

4 There are 5 people in my family. I have 2 sisters. ________

대표 기출 문제

* 핵심 표현 ○ 정답 근거

1 대화를 듣고, **무엇에 관한 내용인지** 가장 적절한 것을 고르시오.

① 응원가 부르기 ② 미래 집 그리기 ③ 새 학기 계획하기
④ 요리 영상 만들기 ⑤ 전통 시장 방문하기

W Jamie, what are you doing?
M I'm drawing my future house, Mom.
W Tell me more about it.
M I want a big house with many rooms.
W Oh, that's nice. Is this a swimming pool?
M Yes! I want to have a big pool in the future.
W Cool!

여 Jamie, 뭐 하고 있니?
남 엄마, 저는 미래의 집을 그리고 있어요.
여 그것에 대해 좀 더 말해주렴.
남 전 많은 방이 있는 큰 집을 원해요.
여 아, 그거 좋구나. 이건 수영장이니?
남 네! 저는 미래에 큰 수영장을 갖고 싶어요.
여 멋지구나!

① 듣기 전에 선택지의 핵심 주제들을 빠르게 훑어보세요. 일부라도 가능한 단어들은 영어로도 한번 떠올려 보세요.
→ sing, draw, plan, cooking, market

② 대부분 대화 앞부분부터 주제에 대한 내용이 바로 나와요.
→ drawing my future house
→ ② 미래 집 그리기

③ 앞부분에서 주제를 놓쳤더라도, 관련 단어들이 여러 번 등장하니 종합해서 답을 찾아낼 수 있어요.

2 대화를 듣고, **무엇에 관한 내용인지** 가장 적절한 것을 고르시오.

① 권장 도서 안내 ② 공연 관람 규칙 ③ 자원 절약 방법
④ 식품 안전 교육 ⑤ 지진 대피 훈련

W Scott, what are you looking at?
M I'm looking at the rules to follow while watching the show.
W Let's see. *[Pause]* Oh, we should turn off our phones before the show.
M I already turned mine off.
W What else?
M We shouldn't take any food inside.

여 Scott, 뭘 보고 있어?
남 공연을 보는 동안 따라야 하는 규칙들을 보고 있어.
여 어디 한번 보자. *[잠시 후]* 아, 공연 전에 우리 전화기를 꺼야 해.
남 나는 이미 내 것을 껐어.
여 그 외에 다른 건?
남 우리는 어떤 음식도 안으로 가지고 갈 수 없어.

① 듣기 전에 선택지의 핵심 주제들을 빠르게 훑어보세요. 일부라도 가능한 단어들은 영어로도 한번 떠올려 보세요.
주로 일상생활 소재로 한 대화 내용이지만, 간혹 특정 주제에 관한 내용도 등장해요.

② 대화 초반에 주제가 언급되고, 이어서 주제에 대한 자세한 내용들이 등장해요.
→ turn off our phones before the show (공연 전 전화 끄기)
→ not take any food inside (음식물 안으로 가지고 가지 않기)

STEP 1

Mini Exercise

정답 및 해설 p.38

01 대화를 듣고, **무엇에 관한 내용인지** 가장 적절한 것을 고르시오.

① 학교 축제
② 방학 계획
③ 취미 생활

02 대화를 듣고, **무엇에 관한 내용인지** 가장 적절한 것을 고르시오.

① 저녁 식사
② 친구 관계
③ 좋아하는 영화

03 대화를 듣고, **무엇에 관한 내용인지** 가장 적절한 것을 고르시오.

① 학교 수업
② 영화 관람
③ 학교 소풍

04 대화를 듣고, **무엇에 관한 내용인지** 가장 적절한 것을 고르시오.

① 봉사 활동
② 과학 캠프
③ 그리기 대회

05 대화를 듣고, **무엇에 관한 내용인지** 가장 적절한 것을 고르시오.

① 취미 생활
② 체육 대회
③ 운동 경기 관람

06 대화를 듣고, **무엇에 관한 내용인지** 가장 적절한 것을 고르시오.

① 숙제
② 장래 희망
③ 봉사 활동

기출
07 대화를 듣고, **무엇에 관한 내용인지** 가장 적절한 것을 고르시오.

① 입학식
② 바자회
③ 수업 공개

기출
08 대화를 듣고, **무엇에 관한 내용인지** 가장 적절한 것을 고르시오.

① 음악실 청소하기
② 학용품 구입하기
③ 음악 숙제하기

STEP 2

Listen & Check

정답 및 해설 p.40

01 대화를 듣고, 무엇에 관한 내용인지 가장 적절한 것을 고르시오.

① 장래 희망
② 신체검사
③ 교내 청소
④ 여름 방학
⑤ 학급 회의

02 대화를 듣고, 무엇에 관한 내용인지 가장 적절한 것을 고르시오.

① 포스터 주제
② 진로 캠프 신청
③ 방학 일정 안내
④ 동아리 모임 시간
⑤ 사진 동아리 가입

03 대화를 듣고, 무엇에 관한 내용인지 가장 적절한 것을 고르시오.

① 졸업식 준비
② 노래 부르기
③ 사생 대회 참가
④ 회장 선거 홍보
⑤ 교내 운동회 준비

04 대화를 듣고, 무엇에 관한 내용인지 가장 적절한 것을 고르시오.

① 손 씻는 방법
② 식사 예절 소개
③ 식품 안전 교육
④ 화재 대비 훈련
⑤ 교통안전 중요성

05 대화를 듣고, 무엇에 관한 내용인지 가장 적절한 것을 고르시오.

① 개 돌보기
② 운동 소개하기
③ 미술관 방문하기
④ 봄맞이 청소하기
⑤ 전통 음식 만들기

06 대화를 듣고, 무엇에 관한 내용인지 가장 적절한 것을 고르시오.

① 새해 소망
② 용돈 절약
③ 학용품 구입
④ 세뱃돈 지출 계획
⑤ 은행 운영시간 안내

07 대화를 듣고, 무엇에 관한 내용인지 가장 적절한 것을 고르시오.

① 영화 관람하기
② 연습실 신청하기
③ 유행하는 노래 부르기
④ 도서관 대출 신청하기
⑤ 댄스 동아리 가입하기

08 대화를 듣고, 무엇에 관한 내용인지 가장 적절한 것을 고르시오.

① 가족 소개
② 주말 계획
③ 생일 파티 초대
④ 축제 장소 안내
⑤ 어버이날 선물

STEP 3 Listen & Check

Dictation

◇ STEP 2의 내용을 다시 듣고, 빈칸에 들어갈 알맞은 단어를 써보세요.

정답 및 해설 p.40

01

대화를 듣고, 무엇에 관한 내용인지 가장 적절한 것을 고르시오.

① 장래 희망
② 신체검사
③ 교내 청소
④ 여름 방학
⑤ 학급 회의

M Wow, I am ____________ ____________ last year. I am now 160 centimeters tall. ____________ ____________ ____________?

W I grew a little, too. Maybe 2 centimeters.

M Good for you. Did you take ____________ ____________ ____________?

W No. There is still a long line. So, I'm waiting.

02

대화를 듣고, 무엇에 관한 내용인지 가장 적절한 것을 고르시오.

① 포스터 주제
② 진로 캠프 신청
③ 방학 일정 안내
④ 동아리 모임 시간
⑤ 사진 동아리 가입

M I'll draw animals in danger for the poster contest.

W I don't know ____________ ____________ ____________.

M How about 2 different pictures of the earth?

W 2 different pictures?

M Add ____________ ____________ ____________ to the first one. On the second one, draw cars and smoke.

W ____________ ____________ ____________. Thanks.

03

대화를 듣고, 무엇에 관한 내용인지 가장 적절한 것을 고르시오.

① 졸업식 준비
② 노래 부르기
③ 사생 대회 참가
④ 회장 선거 홍보
⑤ 교내 운동회 준비

M I can't believe tomorrow is Sports Day.

W Me, too. Let's ____________ ____________ ____________. Is the microphone ready?

M Yes. I put it outside.

W Good. Where are the gifts for ____________ ____________?

M They are here. We should keep them inside.

W ____________ ____________. What about the balls?

M Oh, I forgot. They are still ____________ ____________ ____________. I'll get them.

04

대화를 듣고, 무엇에 관한 내용인지 가장 적절한 것을 고르시오.

① 손 씻는 방법
② 식사 예절 소개
③ 식품 안전 교육
④ 화재 대비 훈련
⑤ 교통안전 중요성

W Did you ____________ ____________ ____________?

M Yes. Look. They're clean.

W They are not clean enough. Follow me. Wet ____________ ____________ with clean water.

M Okay. What's next?

W ____________ ____________ ____________ and cover your hands. Rub your hands for 30 seconds. Then rinse your hands with water.

05

대화를 듣고, 무엇에 관한 내용인지 가장 적절한 것을 고르시오.

① 개 돌보기
② 운동 소개하기
③ 미술관 방문하기
④ 봄맞이 청소하기
⑤ 전통 음식 만들기

M So what should I do ____________ ____________ ____________?

W First, take him out ____________ ____________ ____________. Give him some water, too.

M Okay. Should I give him a bath after?

W No, but you should feed him after the walk.

M Where is ____________ ____________?

W It's in the kitchen.

06

대화를 듣고, 무엇에 관한 내용인지 가장 적절한 것을 고르시오.

① 새해 소망
② 용돈 절약
③ 학용품 구입
④ 세뱃돈 지출 계획
⑤ 은행 운영시간 안내

M Mina, how was your New Year's holiday?

W I had a great time with my family. The best part ____________ ____________ ____________ for the new year.

W I got some, too. What are you going to do with it?

M I'm going to ____________ ____________ all in the bank. What about you?

W I'm going to ____________ ____________ ____________ backpack and save the rest.

07

대화를 듣고, 무엇에 관한 내용인지 가장 적절한 것을 고르시오.

① 영화 관람하기
② 연습실 신청하기
③ 유행하는 노래 부르기
④ 도서관 대출 신청하기
⑤ 댄스 동아리 가입하기

W John, the school dance club is looking for more members.

M Really? I'll ____________ ____________ ____________ it.

W But you ____________ ____________ ____________ the audition this Thursday first.

M ____________ ____________ the audition?

W It's in Classroom 201.

08

대화를 듣고, 무엇에 관한 내용인지 가장 적절한 것을 고르시오.

① 가족 소개
② 주말 계획
③ 생일 파티 초대
④ 축제 장소 안내
⑤ 어버이날 선물

W What are you going to do ____________ ____________?

M I'll have a ____________ ____________ for my mom.

W When is her birthday?

M This Sunday. So I'll go shopping the day before. What about you?

W I'm going to go to ____________ ____________ with my cousins. They are excited about it.

교통수단 찾기

정답 및 해설 p.42

| 유형 소개 누가 어떠한 교통 목적지에 도착했는지, 도착할 건지 파악하는 유형이다.

| 지시문 대화를 듣고, **남자[여자]가 이용할[이용한] 교통수단**으로 가장 적절한 것을 고르시오.

| 정답 시그널 **by + 교통수단, on foot** → '~으로'라는 의미이며, '걸어서'는 on foot으로 표현해요.
take[took] + 교통수단 → '~을 이용하다, 타다'라는 의미로 동사 take를 사용해요.

정답이 들리는 핵심 표현

Expressions

• **by + 교통수단** ~으로

Why don't you go **by taxi**? 기출
택시로 가는 게 어때요?

I'll take you **by car.** 기출
내가 차로 데려다줄게.

• **How do[will, are] you ~?** 너는 어떻게 ~하니?

How did you look around? 기출
너는 어떻게 주변을 둘러봤어?

How do[will] you get home? 기출
너는 집에 어떻게 가니[갈 거니]?

How are you getting there? 기출
너는 거기에 어떻게 갈 거니?

• **take + 교통수단** ~을 타다[이용하다]

I'll **take a taxi.** 기출
저는 택시를 탈게요.

I **took the city tour bus.** 기출
난 시티투어버스를 이용했어.

Shall we **take a bus**? 기출
우리 버스 탈까?

Let's **take the subway**. 기출
지하철을 타자.

Words

• **교통수단**

bus 버스
city tour bus 시티투어버스
the number 511 bus 511번 버스(= bus number 511)
train 기차
railroad 철도
subway 지하철
car 자동차
school bus 스쿨버스
shuttle bus 셔틀버스
boat (작은)배
ship 배
airplane 비행기
bicycle[bike] 자전거
motorcycle 오토바이
on foot 걸어서

〈보기〉를 활용하여 주어진 우리말 해석에 맞게 문장을 완성하세요.

〈보기〉	by train	on foot	took a taxi

1 우리는 공항까지 택시를 탔다. → We ____________________ to the airport.

2 그는 기차로 여행하고 싶어 한다. → He wants to travel ____________________.

3 그곳에 걸어가는 게 어때? → Why don't you go there ____________________?

대표 기출 문제

* 핵심 표현 o 정답 근거

1 대화를 듣고, **여자가 이용할 교통수단**으로 가장 적절한 것을 고르시오.

① 배 ② 택시 ③ 버스 ④ 지하철 ⑤ 자전거

W Excuse me, which **bus** goes to City Hall?
M Number 61. It comes every 30 minutes.
W 30 minutes?
M Yes, why don't you go **by taxi**? It only takes 10 minutes from here.
W That's good. I'll * **take a taxi**. Thank you.

여 실례합니다만, 어떤 버스가 시청으로 가나요?
남 61번이요. 30분마다 와요.
여 30분이요?
남 네. 택시를 타는 건 어떠세요? 여기서 10분밖에 안 걸려요.
여 그게 좋겠네요. 택시를 타야겠어요. 감사합니다.

❶ 대화 안에서 두 가지 이상의 교통수단이 등장해요. → bus, taxi
제일 먼저 등장하는 교통수단이 오답일 가능성이 높기 때문에 끝까지 집중해서 들어야 해요.

❷ 제안 표현은 또 다른 교통수단이 등장한다는 신호예요. 상대방이 제안을 받아들여 긍정적인 대답이 이어지는지 꼭 확인하세요.

2 대화를 듣고, **남자가 부산에서 이용한 교통수단**을 고르시오.

① 버스 ② 택시 ③ 기차 ④ 자전거 ⑤ 오토바이

W Seho, how was your trip to Busan?
M It was great!
W I heard you can take **bicycle** tours there.
M Right, but I couldn't because too many people were waiting for the bicycles.
W Really? Then, how did you look around?
M **I took the city tour bus.**

여 세호야, 부산 여행은 어땠니?
남 정말 좋았어!
여 그곳에서 자전거를 탈 수 있다고 들었어.
남 맞아, 근데 자전거를 기다리는 사람이 너무 많아서 탈 수 없었어.
여 정말? 그러면 어떻게 주변을 둘러봤어?
남 시티투어버스를 탔어.

❶ 대화 안에서 두 가지 이상의 교통수단이 등장해요. → bicycle, bus

❷ 어떤 교통수단을 사용했는지를 물어보는 다양한 표현을 익혀두세요.

주로 수단이나 방법을 물을 때 사용되는 의문문 표현은 의문사 how를 사용해요.

STEP 1

Mini Exercise

정답 및 해설 p.42

01 대화를 듣고, **남자가 이용할 교통수단**으로 가장 적절한 것을 고르시오.

① 자전거 ② 지하철 ③ 버스

02 대화를 듣고, **두 사람이 함께 이용할 교통수단**으로 가장 적절한 것을 고르시오.

① 자동차 ② 택시 ③ 도보

03 대화를 듣고, **여자가 이용할 교통수단**으로 가장 적절한 것을 고르시오.

① 도보 ② 버스 ③ 자전거

04 대화를 듣고, **두 사람이 함께 이용할 교통수단**으로 가장 적절한 것을 고르시오.

① 도보 ② 자동차 ③ 지하철

05 대화를 듣고, **두 사람이 함께 이용할 교통수단**으로 가장 적절한 것을 고르시오.

① 자전거 ② 지하철 ③ 비행기

06 대화를 듣고, **여자가 이용할 교통수단**으로 가장 적절한 것을 고르시오.

① 버스 ②자동차 ③ 기차

기출

07 대화를 듣고, **남자가 이용할 교통수단**으로 가장 적절한 것을 고르시오.

① 배 ② 비행기 ③ 자동차

기출

08 대화를 듣고, **남자가 이용할 교통수단**으로 가장 적절한 것을 고르시오.

① 버스 ② 자전거 ③ 걷기

STEP 2

Listen & Check

정답 및 해설 p.44

01 대화를 듣고, 남자가 이용할 교통수단으로 가장 적절한 것을 고르시오.

① 택시 ② 버스 ③ 자동차
④ 자전거 ⑤ 지하철

02 대화를 듣고, 두 사람이 함께 이용할 교통수단으로 가장 적절한 것을 고르시오.

① 버스 ② 자전거 ③ 지하철
④ 자동차 ⑤ 오토바이

03 대화를 듣고, 여자가 이용할 교통수단으로 가장 적절한 것을 고르시오.

① 배 ② 기차 ③ 버스
④ 지하철 ⑤ 비행기

04 대화를 듣고, 두 사람이 함께 이용할 교통수단으로 가장 적절한 것을 고르시오.

① 도보 ② 버스 ③ 택시
④ 지하철 ⑤ 자동차

05 대화를 듣고, 남자가 이용할 교통수단으로 가장 적절한 것을 고르시오.

① 버스 ② 택시 ③ 기차
④ 자전거 ⑤ 지하철

06 대화를 듣고, 두 사람이 함께 이용할 교통수단으로 가장 적절한 것을 고르시오.

① 버스 ② 기차 ③ 택시
④ 자동차 ⑤ 비행기

07 대화를 듣고, 여자가 이용할 교통수단으로 가장 적절한 것을 고르시오.

① 택시 ② 버스 ③ 자전거
④ 지하철 ⑤ 자동차

08 대화를 듣고, 두 사람이 함께 이용할 교통수단으로 가장 적절한 것을 고르시오.

① 배 ② 버스 ③ 기차
④ 자동차 ⑤ 비행기

STEP 3 Listen & Check

Dictation

◇ STEP 2의 내용을 다시 듣고, 빈칸에 들어갈 알맞은 단어를 써보세요.

정답 및 해설 p.44

01

대화를 듣고, 남자가 이용할 교통수단으로 가장 적절한 것을 고르시오.

① 택시 ② 버스 ③ 자동차
④ 자전거 ⑤ 지하철

W John, are you going to go out? Today is Sunday.
M I'll go to the library.
W How are you ____________ ____________?
M Sam will ____________ ____________ ____________.
His mother will ____________ ____________ to the library.
W That's good.

02

대화를 듣고, 두 사람이 함께 이용할 교통수단으로 가장 적절한 것을 고르시오.

① 버스 ② 자전거 ③ 지하철
④ 자동차 ⑤ 오토바이

Listening Tip
around의 [d]와 the의 [ð] 발음이 유사하므로 'd' 소리가 묵음이 되어 /어라운더/로 발음하게 돼요.

W I ____________ ____________ any more. I feel tired.
M We only walked for about 20 minutes.
W Yes, but my legs hurt.
M Then, why don't we ____________ ____________ around the lake?
W That's a good idea.
M We can ____________ ____________ over there. Let's go.

03

대화를 듣고, 여자가 이용할 교통수단으로 가장 적절한 것을 고르시오.

① 배 ② 기차 ③ 버스
④ 지하철 ⑤ 비행기

M What are you going to do this weekend?
W I'm going to visit the City Museum.
M Nice. How are you getting there?
W I'll ____________ ____________ ____________.
M Why don't you take the subway? There is a subway station near the museum. So you can ____________ ____________ ____________.
W Okay. Then I'll ____________ ____________ ____________.

04

대화를 듣고, 두 사람이 함께 이용할 교통수단으로 가장 적절한 것을 고르시오.

① 도보 ② 버스 ③ 택시
④ 지하철 ⑤ 자동차

W How can we get to the mall from here?
M We can ____________ ____________ ____________ or walk. The bus comes every 15 minutes.
W The bus just left. Do you want to ____________ ____________ 15 minutes?
M Well, the weather today is really nice. ____________ ____________.
W Good idea.

05

대화를 듣고, 남자가 이용할 교통수단으로 가장 적절한 것을 고르시오.

① 버스 ② 택시 ③ 기차
④ 자전거 ⑤ 지하철

W Jack, what happened?
M I ______ ______ ______ while playing baseball yesterday.
W I'm sorry to hear that. Are you going to the hospital now?
M Yes. I'm waiting for ______ ______.
W Taking the bus is not a good idea. How about ______ ______ ______? I'll catch one for you.
M Thanks.

06

대화를 듣고, 두 사람이 함께 이용할 교통수단으로 가장 적절한 것을 고르시오.

① 버스 ② 기차 ③ 택시
④ 자동차 ⑤ 비행기

W Honey, we are going to go to Busan this weekend, right?
M Of course. Did you get the ______ ______?
W Not yet. *[Pause]* Oh no! All the tickets are sold out.
M What should we do?
W Then, shall we ______ ______ Busan? We can still buy ______ ______.
M Okay.

07

대화를 듣고, 여자가 이용할 교통수단으로 가장 적절한 것을 고르시오.

① 택시 ② 버스 ③ 자전거
④ 지하철 ⑤ 자동차

W Dad, I'm going out for a movie now.
M Are you going to take the bus?
W No. It's not ______ ______ here, so ______ ______.
M But it's raining a lot. Your clothes will get wet, so ______ ______ ______ instead.
W Okay, I will.

08

대화를 듣고, 두 사람이 함께 이용할 교통수단으로 가장 적절한 것을 고르시오.

① 배 ② 버스 ③ 기차
④ 자동차 ⑤ 비행기

Listening Tip
planning처럼 같은 자음이 두 개 연속되는 경우에는 두 번 발음하지 않고 /플래닝/처럼 한 번만 발음해요. summer, grammar도 같은 경우에 해당합니다.

M I'm planning to go to the Boryeong Mud Festival this year.
W That sounds exciting. How will you ______ ______?
M ______ ______. I already bought a ticket.
W Can I join you?
M Okay. I will ______ ______ ______, too.

유형 12 이유 파악

정답 및 해설 p.46

| 유형 소개 대화를 듣고, 주어진 상황 속에서 말하는 사람의 부탁 또는 제안하는 내용을 골라야 한다.

| 지시문 대화를 듣고, **남자[여자]가 ~한 이유**로 가장 적절한 것을 고르시오.
대화를 듣고, **남자[여자]가 ~할 수 없는 이유**로 가장 적절한 것을 고르시오.

| 정답 시그널 **Why did you ~?** ➜ 어떤 행동에 대한 이유를 물을 때 사용해요. 이어서 정답 근거가 등장한다는 신호예요.
~ but I can't. ➜ 거절의 표현에 이어서 거절하는 이유가 등장해요.

정답이 들리는 핵심 표현

Expressions

이유를 묻는 표현

- **Why did you ~?** 너는 왜 ~했어?

Why did you go there? 기출
너는 그곳에 왜 갔어?

Why did you buy it? 기출
너는 그걸 왜 샀어?

Why did you go to bed so late?
너는 왜 그렇게 늦게 잤어?

거절을 나타내는 표현

- **I'd love to, but I can't.** 그러고 싶은데, 할 수 없어.

I'm sorry, but I can't. 미안하지만 할 수 없어.
I'm afraid I can't. 안 될 것 같아.
No, thanks. 아니, 괜찮아.

이유를 설명하는 표현

- **I went there to[for] ~.** 나는 ~하려고 그곳에 갔어.

I went there to see my dad. 기출
나는 아빠를 보러 그곳에 갔어.

I went there for ice fishing. 기출
난 얼음낚시 하러 그곳에 갔어.

- **I have ~.** 나는 ~가 있어.

I have a club meeting then. 기출
난 그때 동아리 모임이 있어.

I have an appointment at 2.
나는 2시에 예약이 있어.

- **I have to ~.** 나는 ~해야 해.

I have to take care of my sister.
나는 내 여동생을 돌봐야 해.

- **I'm here to ~.** 저는 ~하러 왔습니다.

I'm here to see Mr. Hanks.
저는 Hanks 씨를 만나러 왔습니다.

〈보기〉를 활용하여 주어진 우리말 해석에 맞게 문장을 완성하세요.

〈보기〉	I went there to	I have to	Why did you	I have

1 너는 왜 도서관에 갔니? → ________________ go to the library?
2 난 오늘 5시 전까지 집에 가야 하거든. → ________________ go home before 5 o'clock today.
3 난 3시까지 수영 레슨이 있어. → ________________ a swimming lesson until 3.
4 난 그곳에 사촌들을 만나러 갔어. → ________________ meet my cousins.

대표 기출 문제

*핵심 표현 ○정답 근거

1 대화를 듣고, **남자가 기차역에 간 이유**로 가장 적절한 것을 고르시오.

① 아빠를 만나기 위해서 ② 분실물을 찾기 위해서
③ 기차표를 바꾸기 위해서 ④ 가족여행을 가기 위해서
⑤ 직업체험을 하기 위해서

1 지시문에서 어떤 이유를 파악해야 하는지 확인하세요.
남자가 기차역에 간 이유를 묻고 있으므로 남자의 말에 집중해 보세요.

W Jackson, why do you look so tired?
M I went to the train station early this morning.
W ***Why did you** go there?
M I went there to see my dad. He came back from his business trip.
W Wow, how sweet of you!

2 이유를 직접적으로 묻는 경우에는 이후에 이어지는 응답에 정답이 등장해요.

여 Jackson, 왜 그렇게 피곤해 보이니?
남 오늘 아침 일찍 기차역에 다녀왔거든.
여 거기엔 왜 갔어?
남 아빠 뵈러 갔었어. 출장 가셨다가 돌아 오셨거든.
여 와, 정말 넌 다정하구나!

2 대화를 듣고, **남자가 여자를 도와 줄 수 없는 이유**로 가장 적절한 것을 고르시오.

① 집에 가야하기 때문에 ② 시험을 봐야하기 때문에
③ 청소를 해야 하기 때문에 ④ 우체국에 가야하기 때문에
⑤ 동아리 모임이 있기 때문에

1 지시문에서 누가 무엇을 할 수 없는 건지 확인하세요.

W Chris, can you do me a favor?
M What is it, Amy?
W Could you help me with my math homework at lunch time?
M ***I'd love to, but I can't.** ***I have** a club meeting in the art room then.
W Oh, I see.
M Why don't you ask Betty?
W Okay, I will. Thanks.

2 제안이나 요청을 거절하는 표현에 이어서 거절하는 이유가 등장하는 패턴이에요.
I'd love to, but I can't. 이후에 이어지는 남자의 말에 집중해 보세요.

여 Chris, 내 부탁 좀 들어줄래?
남 부탁이 뭔데, Amy?
여 점심시간에 내 수학 숙제 좀 도와 줄 수 있어?
남 그러고 싶은데, 할 수 없을 것 같아. 나 그때 미술실에서 동아리 모임이 있거든.
여 아, 그렇구나.
남 Betty에게 부탁하는 건 어때?
여 알겠어, 그렇게 할게. 고마워.

STEP 1

Mini Exercise

정답 및 해설 p.46

01 대화를 듣고, **남자가 다리를 다친 이유**로 가장 적절한 것을 고르시오.

① 차에 부딪혀서
② 축구하다가 넘어져서
③ 자전거에서 떨어져서

02 대화를 듣고, **여자가 바지를 반품하려는 이유**로 가장 적절한 것을 고르시오.

① 구멍이 나서
② 사이즈가 커서
③ 색상이 마음에 안 들어서

03 대화를 듣고, **남자가 책을 지금 빌려줄 수 없는 이유**로 가장 적절한 것을 고르시오.

① 숙제를 해야 해서
② 동생이 읽는 중이라서
③ 도서관 카드를 잃어버려서

04 대화를 듣고, **여자가 남자를 찾아간 이유**로 가장 적절한 것을 고르시오.

① 상담하기 위해서
② 조퇴를 허락받기 위해서
③ 숙제를 제출하기 위해서

05 대화를 듣고, **여자가 도서관에 가려는 이유**로 가장 적절한 것을 고르시오.

① 책을 빌리기 위해서
② 우산을 되찾기 위해서
③ 친구를 만나기 위해서

06 대화를 듣고, **남자가 약속에 늦은 이유**로 가장 적절한 것을 고르시오.

① 심부름을 했기 때문에
② 버스를 잘못 탔기 때문에
③ 전철에서 잠이 들었기 때문에

07 대화를 듣고, **남자가 옷을 구입한 이유**로 가장 적절한 것을 고르시오.

① 여행 가서 입기 위해서
② 사촌 결혼식에서 입기 위해서
③ 생일 파티에서 입기 위해서

기출
08 대화를 듣고, **남자가 여자를 찾아온 이유**로 가장 적절한 것을 고르시오.

① 체험학습을 신청하기 위해서
② 영화 감상문을 제출하기 위해서
③ 노래대회 참가를 신청하기 위해서

STEP 2

Listen & Check

정답 및 해설 p.48

01 대화를 듣고, 여자가 피곤한 이유로 가장 적절한 것을 고르시오.

① 잠을 못 자서
② 숙제가 많아서
③ 방 청소를 해서
④ 봉사활동을 해서
⑤ 늦게까지 영화를 봐서

02 대화를 듣고, 남자가 야구할 수 없는 이유로 가장 적절한 것을 고르시오.

① 집에 가야 해서
② 친구를 만나야 해서
③ 심부름을 가야 해서
④ 저녁을 먹어야 해서
⑤ 엄마를 도와 드려야 해서

03 대화를 듣고, 여자가 박물관에 간 이유로 가장 적절한 것을 고르시오.

① 인터뷰하기 위해서
② 숙제를 하기 위해서
③ 사진을 찍기 위해서
④ 한복을 만들기 위해서
⑤ 외국 친구를 안내하기 위해서

04 대화를 듣고, 남자가 체육관에 가지 않은 이유로 가장 적절한 것을 고르시오.

① 몸이 아파서
② 집을 봐야 해서
③ 강사가 휴무라서
④ 체육관이 폐업해서
⑤ 체육관이 문을 닫아서

05 대화를 듣고, 여자가 전화를 한 이유로 가장 적절한 것을 고르시오.

① 약속을 취소하기 위해서
② 배송을 확인하기 위해서
③ 진료 예약을 하기 위해서
④ 물건을 교환하기 위해서
⑤ 문제점을 알리기 위해서

06 대화를 듣고, 여자가 기타를 빌려줄 수 없는 이유로 가장 적절한 것을 고르시오.

① 잃어버려서
② 줄이 끊어져서
③ 아끼는 것이라서
④ 동생에게 빌려줘서
⑤ 다른 친구에게 팔아서

07 대화를 듣고, 여자가 속상한 이유로 가장 적절한 것을 고르시오.

① 발이 아파서
② 시험을 못 봐서
③ 모자를 잃어버려서
④ 놀이동산에 못 가서
⑤ 모자가 마음에 안 들어서

08 대화를 듣고, 남자의 휴대전화가 꺼져 있던 이유로 가장 적절한 것을 고르시오.

① 영화 보던 중이라서
② 수리점에 두고 와서
③ 휴대전화를 잃어버려서
④ 시험을 치르던 중이어서
⑤ 배터리에 문제가 있어서

STEP 3 Listen & Check

Dictation

◇ STEP 2의 내용을 다시 듣고, 빈칸에 들어갈 알맞은 단어를 써보세요.

정답 및 해설 p.48

01

대화를 듣고, 여자가 피곤한 이유로 가장 적절한 것을 고르시오.

① 잠을 못 자서
② 숙제가 많아서
③ 방 청소를 해서
④ 봉사활동을 해서
⑤ 늦게까지 영화를 봐서

W I'm so tired today.
M What did you do yesterday?
W I ____________ ____________ an animal center yesterday.
M Right. You are in a volunteer club. ____________ ____________ ____________?
W Yes. But after the volunteer work, I ____________ ____________ ____________ myself.

02

대화를 듣고, 남자가 야구할 수 없는 이유로 가장 적절한 것을 고르시오.

① 집에 가야 해서
② 친구를 만나야 해서
③ 심부름을 가야 해서
④ 저녁을 먹어야 해서
⑤ 엄마를 도와 드려야 해서

W Noah, let's play baseball.
M Sorry, I can't. I have to ____________ ____________ the market now.
W Why do you have to go there?
M I have to meet my mom there. I'll ____________ ____________ ____________ her shopping bags.

03

대화를 듣고, 여자가 박물관에 간 이유로 가장 적절한 것을 고르시오.

① 인터뷰하기 위해서
② 숙제를 하기 위해서
③ 사진을 찍기 위해서
④ 한복을 만들기 위해서
⑤ 외국 친구를 안내하기 위해서

M Michelle, what did you do last weekend?
W I ____________ ____________ the Hanbok Museum.
M Why did you go there?
W I am interested in hanbok. So I went there ____________ ____________ ____________ myself.
M Was it interesting?
W Yes. It was not easy ____________ ____________ hanbok, but I had a good time.

04

대화를 듣고, 남자가 체육관에 가지 않은 이유로 가장 적절한 것을 고르시오.

① 몸이 아파서
② 집을 봐야 해서
③ 강사가 휴무라서
④ 체육관이 폐업해서
⑤ 체육관이 문을 닫아서

W Nate, are you going to go to the gym today?
M No, I ____________ ____________ ____________ today.
W What's the matter? You go to the gym every day.
M It is ____________ ____________ ____________ cleaning.
W So, are you going to stay home?
M No, I'll ____________ ____________ at the park.

05

대화를 듣고, 여자가 전화를 한 이유로 가장 적절한 것을 고르시오.

① 약속을 취소하기 위해서
② 배송을 확인하기 위해서
③ 진료 예약을 하기 위해서
④ 물건을 교환하기 위해서
⑤ 문제점을 알리기 위해서

[Telephone rings.]

M Star Glasses. How can I help you?

W Hello. My name is Ann Baker. I got new glasses there last week.

M Oh, I remember. Is there ______ ______?

W I ______ ______ ______ far away.

M If you visit here tomorrow, ______ ______ your glasses.

W Okay. See you tomorrow.

06

대화를 듣고, 여자가 기타를 빌려줄 수 없는 이유로 가장 적절한 것을 고르시오.

① 잃어버려서
② 줄이 끊어져서
③ 아끼는 것이라서
④ 동생에게 빌려줘서
⑤ 다른 친구에게 팔아서

🔊 **Listening Tip**

ask her에서처럼 'h'가 문장의 중간에 있을 때, 그 소리를 잃고 앞 단어에 붙여서 /애스컬/처럼 발음해요. 주로 인칭 대명사 he, him, his, her 등의 'h'가 이렇게 들려요.

M Kate, you have a guitar, right?

W No. I don't have one any longer.

M What did you ______ ______ ______?

W I ______ ______ to another friend. Why?

M I wanted to borrow your guitar for the school festival.

W I think Jenny has a guitar. ______ ______ ______ 🔊 ask her?

M Okay.

07

대화를 듣고, 여자가 속상한 이유로 가장 적절한 것을 고르시오.

① 발이 아파서
② 시험을 못 봐서
③ 모자를 잃어버려서
④ 놀이동산에 못 가서
⑤ 모자가 마음에 안 들어서

W I took a walk in the park. ______ ______ ______ happened to me.

M What is it?

W I ______ ______ ______ ______. I'm so upset.

M That's too bad. Did you go to the lost and found?

W Yes. But ______ ______ ______.

08

대화를 듣고, 남자의 휴대전화가 꺼져 있던 이유로 가장 적절한 것을 고르시오.

① 영화 보던 중이라서
② 수리점에 두고 와서
③ 휴대전화를 잃어버려서
④ 시험을 치르던 중이어서
⑤ 배터리에 문제가 있어서

W Why did you ______ ______ your cell phone yesterday?

M Oh, did you call me?

W Yes. I wanted to ask you something.

M There was a problem ______ ______ ______. So my phone was off all day yesterday.

W Then did you take it to the repair shop?

M Yes, but it still ______ ______. I'll get a new one tomorrow.

유형 13 장소 · 관계 추론

정답 및 해설 p.50

| 유형 소개 [장소 추론] 대화가 일어나는 장소를 파악하는 유형이다.
[관계 추론] 대화에 등장하는 인물의 관계를 파악하는 유형이다.

| 지시문 [장소 추론] 대화를 듣고, **두 사람이 대화하는 장소**로 가장 적절한 곳을 고르시오.
[관계 추론] 대화를 듣고, **두 사람의 관계**로 가장 적절한 것을 고르시오.

정답이 들리는 핵심 표현

Expressions

장소를 나타내는 표현

- **식당**
  May I take your order? 주문을 도와드릴까요?
  For here or to go?
  여기서 드실 건가요 아니면 가져가실 건가요?
- **교실**
  Please open the windows and let's begin the class. 기출 창문 좀 열고나서 수업을 시작하자.
- **기차역**
  I'd like two tickets to Busan, please.
  부산행 티켓 2장을 구매하고 싶습니다.
  You should take the train from Platform 10.
  10번 플랫폼에서 기차를 타셔야 해요.
- **세탁소**
  Can you dry-clean this jacket for me? 기출
  이 재킷을 드라이클리닝 해주시겠어요?
- **사진관**
  I'm here to pick up my passport pictures. 기출
  제 여권 사진을 찾으러 왔어요.
- **가구점** 기출
  A: I'm looking for a dinner table for four people. 네 명이 앉을 수 있는 식탁을 찾고 있어요.
  B: These are all four-person dinner tables.
  이것들이 모두 4인용 식탁이에요.

직업별 상황별 주요 표현

- **치과의사 – 환자** 기출
  A: What's the problem? 어디가 불편하신가요?
  B: I have a toothache. 이가 아파요.
  A: Do you? Please open your mouth.
  그러신가요? 입을 벌리세요.
- **자동차 정비사 – 고객** 기출
  A: Can I help you? 도와드릴까요?
  B: I think there is something wrong with my car. 제 차에 뭔가 이상이 있는 것 같아요.
  A: Okay. Let me check your car.
  알겠습니다. 차를 확인해볼게요.

주어진 표현에 알맞은 장소나 관련 직업을 고르세요.

1	I'd like to borrow these books, please.	→	① 서점	② 버스 정류장	③ 도서관
2	Do you have these shoes in size 8?	→	① 신발 가게	② 꽃집	③ 세탁소
3	My magic show will continue until tomorrow.	→	① 마술사	② 소방관	③ 화가
4	I feed the animals and clean their cages.	→	① 간호사	② 호텔 직원	③ 동물 사육사
5	It'll be very sunny with clear skies tomorrow	→	① 식당 점원	② 기상캐스터	③ 은행원

대표 기출 문제

* **핵심 표현** o 정답 근거

1 대화를 듣고, **두 사람이 대화하는 장소**로 가장 적절한 곳을 고르시오.

① 식당 ② 공원 ③ 사진관 ④ 경찰서 ⑤ 동물 병원

M Hello, what's the problem?
W Doctor, my dog can't walk well.
M Let me see. What happened to her?
W I think she broke her leg.
M I need to **take an X-ray** of it.
W Okay.
M The X-ray room is right over here. Come this way.

남 안녕하세요. 문제가 무엇인가요?
여 선생님, 저희 개가 잘 걷지를 못해요.
남 어디 볼게요. 무슨 일이 있었나요?
여 다리가 부러진 것 같아요.
남 엑스레이 사진을 찍어야 해요.
여 알겠어요.
남 엑스레이 실은 바로 이쪽이에요. 이쪽으로 와주세요.

❶ 장소를 직접적으로 언급하지 않기 때문에 주어진 상황을 정확하게 파악하는 것이 중요해요.

❷ 장소를 파악하는 데, 서로 부르는 호칭은 중요한 힌트가 될 수 있어요. 대화에서 등장하는 여러 근거를 종합하면 대화 장소를 알 수 있어요.

❸ 의사가 있고, 개의 상태를 설명하면서, 엑스레이 사진을 찍을 수 있는 장소를 선택지에서 찾아보세요.

2 대화를 듣고, **두 사람의 관계**로 가장 적절한 것을 고르시오.

① 동요 작곡가 – 가수
② 드라마 작가 – 연출가
③ 오디션 참가자 – 심사 위원
④ 오케스트라 단원 – 지휘자
⑤ 공원 캠핑장 이용객 – 관리인

W Excuse me, sir. Can I **set up my tent here**?
M No. One of our park rules is that you cannot set up tents here.
W Then, where should I go?
M Look at this map. The camping zone is on the other side of the park.
W Thank you.

여 실례합니다. 텐트를 여기에 설치해도 되나요?
남 안 됩니다. 저희 공원 규칙 중 하나가 이곳에 텐트를 설치하실 수 없는 겁니다.
여 그러면 어디로 가야하나요?
남 이 지도를 보세요. 캠핑장은 공원 반대편에 있습니다.
여 감사합니다.

❶ 선택지에 제시된 관계들을 확인해보세요. 특정 직업을 가진 사람이 자주 사용하는 어휘나 표현들이 있으니 선택지들을 보면서 대화에 등장할 어휘나 표현을 예상해 보세요.

❷ 첫 대화 초반부터 정답에 대한 힌트가 드러나기도 하지만 그렇지 않은 경우도 있으니 유의하세요.

❸ 곳곳에 등장하는 장소나 직업에 대한 정보를 통해 관계를 알아낼 수 있어요.
→ 캠핑장을 찾고 있는 여자에게 위치를 설명하는 상황이에요.

STEP 1

Mini Exercise

정답 및 해설 p.50

01 대화를 듣고, **두 사람이 대화하는 장소**로 가장 적절한 곳을 고르시오.

① 서점
② 레스토랑
③ 미용실

02 대화를 듣고, **두 사람의 관계**로 가장 적절한 것을 고르시오.

① 요리사 – 손님
② 승무원 – 승객
③ 작곡가 – 가수

03 대화를 듣고, **두 사람의 관계**로 가장 적절한 것을 고르시오.

① 의사 – 환자
② 사진사 – 고객
③ 감독 – 작가

04 대화를 듣고, **두 사람이 대화하는 장소**로 가장 적절한 곳을 고르시오.

① 병원
② 우체국
③ 식료품점

05 대화를 듣고, **두 사람의 관계**로 가장 적절한 것을 고르시오.

① 교사 – 학생
② 의사 – 환자
③ 식당 점원 – 고객

06 대화를 듣고, **두 사람이 대화하는 장소**로 가장 적절한 곳을 고르시오.

① 경찰서
② 옷가게
③ 세탁소

기출

07 대화를 듣고, **두 사람의 관계**로 가장 적절한 것을 고르시오.

① 의사 – 환자
② 버스 운전기사 – 승객
③ 자동차 정비사 – 고객

기출

08 대화를 듣고, **두 사람이 대화하는 장소**로 가장 적절한 곳을 고르시오.

① 은행
② 약국
③ 서점

STEP 2

Listen & Check

정답 및 해설 p.52

01 대화를 듣고, 두 사람이 대화하는 장소로 가장 적절한 곳을 고르시오.

① 사진관
② 옷 가게
③ 컴퓨터 판매점
④ 휴대폰 수리점
⑤ 영화관 매표소

02 대화를 듣고, 두 사람의 관계로 가장 적절한 것을 고르시오.

① 의사 — 환자
② 영화감독 – 배우
③ 코치 – 운동선수
④ 요가 강사 – 수강생
⑤ 여행 가이드 – 관광객

03 대화를 듣고, 두 사람이 대화하는 장소로 가장 적절한 곳을 고르시오.

① 학교
② 박물관
③ 우체국
④ 스포츠 센터
⑤ 직업체험관

04 대화를 듣고, 두 사람의 관계로 가장 적절한 것을 고르시오.

① 의사 – 간호사
② 식당 점원 – 손님
③ 은행원 – 고객
④ 병원 접수원 – 고객
⑤ 도서관 사서 – 이용객

05 대화를 듣고, 두 사람이 대화하는 장소로 가장 적절한 곳을 고르시오.

① 관광 안내소
② 우체국
③ 놀이공원 매표소
④ 한복 가게
⑤ 박물관 기념품 가게

06 대화를 듣고, 두 사람의 관계로 가장 적절한 것을 고르시오.

① 과학 교사 – 학생
② 수리 기사 – 의뢰인
③ 헬스 트레이너 – 수강생
④ 극장 매표소 직원 – 고객
⑤ 컴퓨터 판매점 점원 – 고객

07 대화를 듣고, 두 사람이 대화하는 장소로 가장 적절한 곳을 고르시오.

① 극장 매표소
② 호텔 접수처
③ 박물관 짐 보관소
④ 백화점 고객 상담실
⑤ 공항 입국 심사대

08 대화를 듣고, 두 사람의 관계로 가장 적절한 것을 고르시오.

① 미용사 – 손님
② 약사 – 환자
③ 승무원 – 승객
④ 택시 기사 – 손님
⑤ 식당 종업원 – 손님

STEP 3 Listen & Check

Dictation

◇ STEP 2의 내용을 다시 듣고, 빈칸에 들어갈 알맞은 단어를 써보세요.

정답 및 해설 p.52

01

대화를 듣고, 두 사람이 대화하는 장소로 가장 적절한 곳을 고르시오.

① 사진관 ② 옷 가게
③ 컴퓨터 판매점 ④ 휴대폰 수리점
⑤ 영화관 매표소

M May I help you?
W Oh, this computer ____________ ____________.
M Yes, it's the latest model. It is only 800 grams.
W Wow, it's ____________ ____________.
M And if you buy it today, you can get a 20% discount.
W Great! ____________ ____________ ____________.

02

대화를 듣고, 두 사람의 관계로 가장 적절한 것을 고르시오.

① 의사 – 환자
② 영화감독 – 배우
③ 코치 – 운동선수
④ 요가 강사 – 수강생
⑤ 여행 가이드 – 관광객

W Let's start with a simple pose. Stand up straight.
M Okay.
W Next, ____________ ____________ ____________ above your head. Just follow me.
M Like this?
W That's right. You're doing great. Did ____________ ____________ yoga before?
M No, it's ____________ ____________ ____________.

03

대화를 듣고, 두 사람이 대화하는 장소로 가장 적절한 곳을 고르시오.

① 학교 ② 박물관
③ 우체국 ④ 스포츠 센터
⑤ 직업체험관

W Tom, which room are you going to go?
M I'll go to the reporter room.
W Do you want to be a reporter?
M Yes. I'm interested in sports, so I want to be a sports reporter.
W That's cool. I'm ____________ ____________ robots.
M Then ____________ ____________ ____________ to the scientist room.

04

대화를 듣고, 두 사람의 관계로 가장 적절한 것을 고르시오.

① 의사 – 간호사 ② 식당 점원 – 손님
③ 은행원 – 고객 ④ 병원 접수원 – 고객
⑤ 도서관 사서 – 이용객

Listening Tip
want to에서 't'처럼 같은 자음이 반복해서 이어질 때는 하나만 발음해요. 그래서 /원트 투/가 아니라 /원투/라고 발음해요.

[Telephone rings.]
W Dr. Smith's office. How can I help you?
M Hi. I want to ____________ ____________ ____________ next Friday at 2:00.
W Okay. May I have ____________ ____________, please?
M My name is Liam Clark.
W Okay. See you ____________ ____________, Mr. Clark.

05

대화를 듣고, 두 사람이 대화하는 장소로 가장 적절한 곳을 고르시오.

① 관광 안내소
② 우체국
③ 놀이공원 매표소
④ 한복 가게
⑤ 박물관 기념품 가게

M Welcome to Hanok Village. How may I help you?
W Well, it's my first time here. Can you tell me ____________ ____________ ____________?
M You can see traditional Korean houses.
W That's nice. Can I ____________ ____________ ____________?
M Sure. *[Pause]* Here is the map. ____________ ____________ ____________ guided tours every hour.

06

대화를 듣고, 두 사람의 관계로 가장 적절한 것을 고르시오.

① 과학 교사 – 학생
② 수리 기사 – 의뢰인
③ 헬스 트레이너 – 수강생
④ 극장 매표소 직원 – 고객
⑤ 컴퓨터 판매점 점원 – 고객

M May I help you?
W I bought this camera a week ago, but it ____________ ____________ ____________.
M Okay. Let me see. *[Pause]* I think I need to ____________ ____________ ____________ in it.
W Okay. How long will it take?
M It'll take 2 days to ____________ ____________. Can you come back next Thursday?
W All right.

07

대화를 듣고, 두 사람이 대화하는 장소로 가장 적절한 곳을 고르시오.

① 극장 매표소
② 호텔 접수처
③ 박물관 짐 보관소
④ 백화점 고객 상담실
⑤ 공항 입국 심사대

M Hello. May I help you?
W Hi, I'd like to ____________ ____________. Here's my passport.
M *[Pause]* Okay, I found ____________ ____________ ____________ 3 nights.
W Actually, ____________ ____________ ____________ one more night?
M Sure, no problem.

08

대화를 듣고, 두 사람의 관계로 가장 적절한 것을 고르시오.

① 미용사 – 손님
② 약사 – 환자
③ 승무원 – 승객
④ 택시 기사 – 손님
⑤ 식당 종업원 – 손님

W Hello. How may I help you?
M Hi. I have a stomachache.
W When did ____________ ____________?
M After lunch. I think I ate too much for lunch.
W Hmm... ____________ ____________ ____________. If you don't feel better, see ____________ ____________.

길 찾기, 위치 찾기

정답 및 해설 p.54

| 유형 소개 | [길 찾기] 위치를 설명하는 대화를 듣고 주어진 지도 안에 적절한 곳을 골라야 한다.
[위치 찾기] 대화를 듣고 주어진 그림을 보면서 찾고 있는 물건의 위치를 골라야 한다.

| 지시문 | [길 찾기] 대화를 듣고, **~의 위치**로 가장 알맞은 것을 고르시오.
[위치 찾기] 대화를 듣고, **남자[여자]가 찾고 있는 ~의 위치**로 가장 알맞은 것을 고르시오.

| 정답 시그널 | **How can I get[go] ~?** → 길을 묻는 표현 이후로 정답 근거가 등장해요.
전치사(on, in ...) + 물건 → 전치사를 사용하여 건물이나 물건의 위치를 표현해요.

정답이 들리는 핵심 표현

Expressions

길 묻기

- **How can I get (to) ~?** ~로 어떻게 가나요?

  How can I get there? 기출
  그곳엔 어떻게 가나요?

- **Can you tell[show] me the way to ~?**
  ~로 가는 길을 알려주시겠어요?

  Can you tell me the way to Grand Hotel? 기출
  Grand 호텔로 가는 길을 알려주시겠어요?

- **Is there ~ around[near] here?**
  여기 주위에 ~이 있나요?

  Is there a hospital **around here?** 기출
  여기 주위에 병원이 있나요?

길, 위치 안내

- **Go straight (for) ~ and turn ...**
  ~직진해서 …으로 도세요.

  Go straight two blocks **and turn** right. 기출
  두 블록 직진해서 오른쪽으로 도세요.

- **You will see[find] ~.** ~가 보일 거예요.

  You will find the hotel on your right. 기출
  오른편에 호텔이 보일 거예요.

- **It'll be ~.** ~에 있을 거예요.

  It'll be between the bank and City Hall. 기출
  그건 은행과 시청 사이에 있을 거예요.

Words

- **건물명**

  library 도서관 · museum 박물관
  flower shop 꽃집 · bookstore 서점
  subway station 지하철 역 · bus stop 버스정류장
  city hall 시청 · post office 우체국
  bakery 빵집 · cafe 카페
  police station 경찰서 · fire station 소방서

- **위치를 나타내는 표현**

  near ~에서 가까이 · around 주위에
  on your right[left] 오른편[왼편]에
  across from ~의 바로 맞은편에
  between A and B A와 B 사이에
  next to ~ 바로 옆에

다음 우리말과 같은 뜻이 되도록 〈보기〉에서 알맞은 것을 골라 문장을 완성하세요.

〈보기〉 next to　　under　　between

1 그 의자 밑에서 찾았어. → I found it ____________ the chair.
2 그 열쇠는 TV가 옆에 보여요. → I see the key ____________ the TV.
3 그건 꽃집과 서점 사이에 있어요. → It's ____________ the flower shop and the bookstore.

대표 기출 문제

* 핵심 표현 o 정답 근거

1 대화를 듣고, **서비스 센터의 위치**로 가장 알맞은 곳을 고르시오.

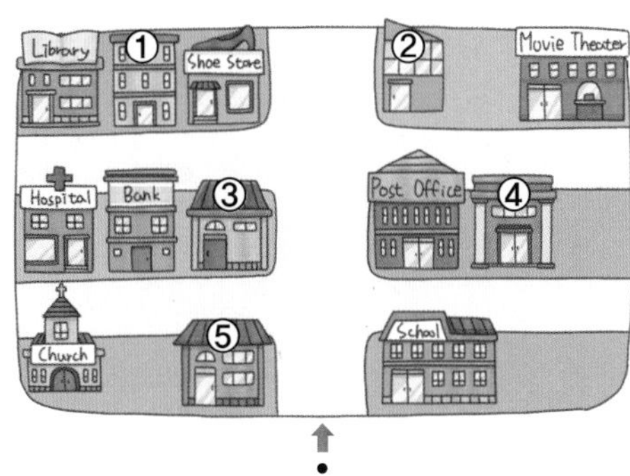

M My cell phone is broken.
W Really? I know a good service center.
M Great! * **How can I get** there?
W * **Go straight (for)** two blocks and turn left.
M Okay.
W * **It'll be** on your right between the library and the shoe store.

남 내 휴대전화가 고장 났어.
여 정말? 내가 좋은 서비스 센터를 알아.
남 잘됐다! 그곳에 어떻게 가는 거야?
여 두 블록 곧장 가서 왼쪽으로 돌면 돼.
남 알겠어.
여 그건 도서관이랑 신발 가게 사이에 네 오른편에 있을 거야.
남 아, 알겠다. 고마워.

❶ 길을 묻고 설명하는 표현들을 익혀두면 쉽게 정답을 찾을 수 있어요.

❷ 현재 위치를 나타내는 출발점을 찾고, 대화를 들으면서 길을 찾아보세요.

❸ 그림에도 건물 이름이 등장하지만, 다양한 건물 이름과 위치를 나타내는 표현들을 미리 알고 있으면 더 잘 들려요.

2 대화를 듣고, **여자가 찾고 있는 이어폰의 위치**로 가장 알맞은 것을 고르시오.

W Tony, where did you put my earphones?
M I think they're on my bed.
W Well, I checked your bed, but I couldn't find them.
M Then, did you look on my desk?
W Oh, I see them on your desk. Thanks.

여 Tony, 내 이어폰을 어디에 두었니?
남 제 침대 위에 있는 것 같아요.
여 음, 네 침대를 확인했는데 이어폰은 없었단다.
남 그러면, 제 책상 위도 보셨어요?
여 아, 네 책상 위에 있네. 고마워.

❶ 선택지에 어떤 가구가 있는지 확인하고, 해당 가구를 의미하는 단어들을 영어로 미리 떠올려 보세요.

① 옷장 closet
② 책장 bookshelf
③ 책상 desk
④ 침대 bed
⑤ 카펫 carpet[rug]

❷ 위치에 대해 여러 번 언급돼요. '찾았다', '보인다'라고 상대방이 응답할 때까지 집중해서 들으세요.

STEP 1

Mini Exercise

정답 및 해설 p.54

01 대화를 듣고, **Happy Hospital의 위치**로 가장 알맞은 곳을 고르시오.

02 대화를 듣고, **여자가 찾고 있는 공책의 위치**로 가장 적절한 것을 고르시오.

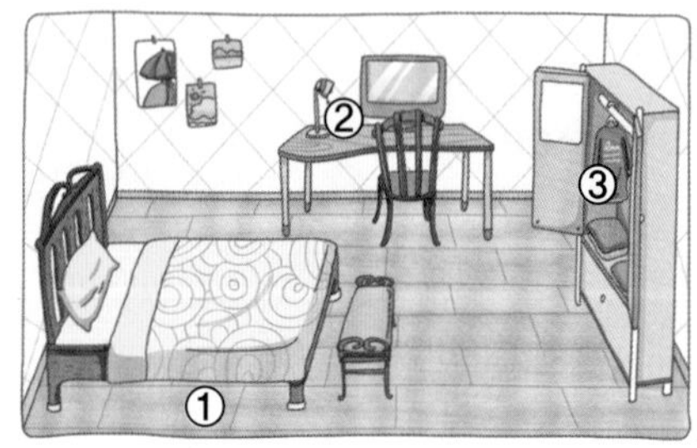

03 대화를 듣고, **서점의 위치**로 가장 알맞은 곳을 고르시오.

04 대화를 듣고, **여자가 찾고 있는 휴대전화의 위치**로 가장 적절한 것을 고르시오.

05 대화를 듣고, **우체국의 위치**로 가장 알맞은 곳을 고르시오.

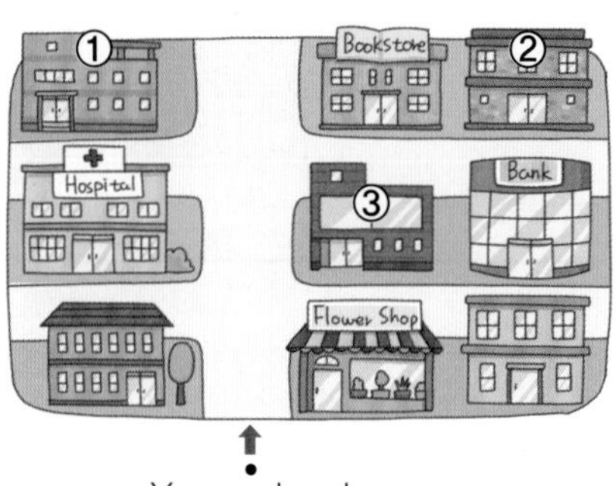

06 대화를 듣고, **남자가 찾고 있는 야구 모자의 위치**로 가장 적절한 것을 고르시오.

기출

07 대화를 듣고, **여자가 찾고 있는 휴대전화의 위치**로 가장 적절한 것을 고르시오.

기출

08 대화를 듣고, **남자가 가려고 하는 장소**를 고르시오.

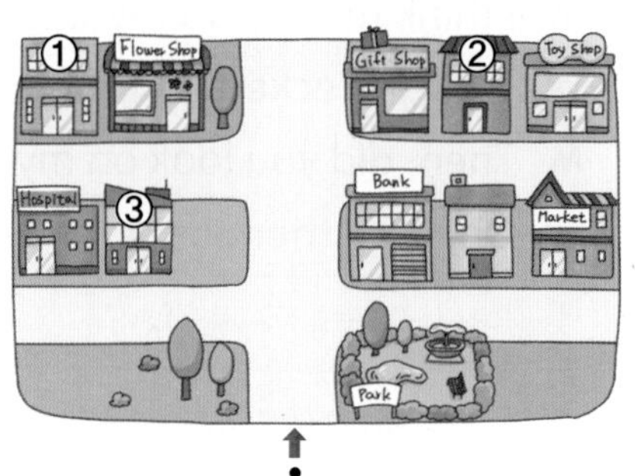

STEP 2

Listen & Check

정답 및 해설 p.56

01 대화를 듣고, 병원의 위치로 가장 알맞은 곳을 고르시오.

02 대화를 듣고, 여자가 찾고 있는 안경의 위치로 가장 적절한 것을 고르시오.

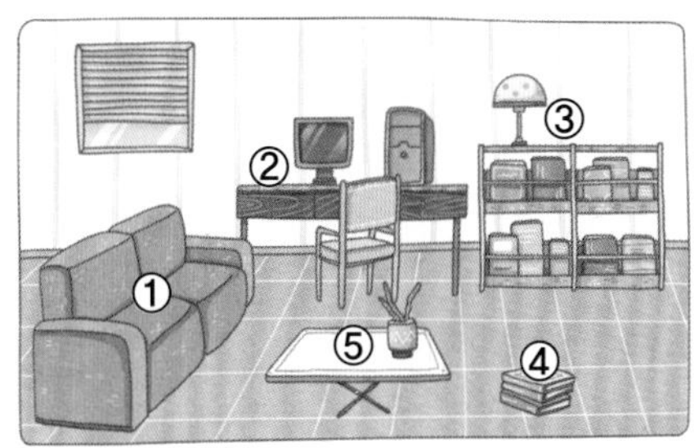

03 대화를 듣고, Grand Hotel의 위치로 가장 알맞은 곳을 고르시오.

04 대화를 듣고, 남자가 찾고 있는 잡지의 위치로 가장 적절한 것을 고르시오.

05 대화를 듣고, 남자가 가려고 하는 장소를 고르시오.

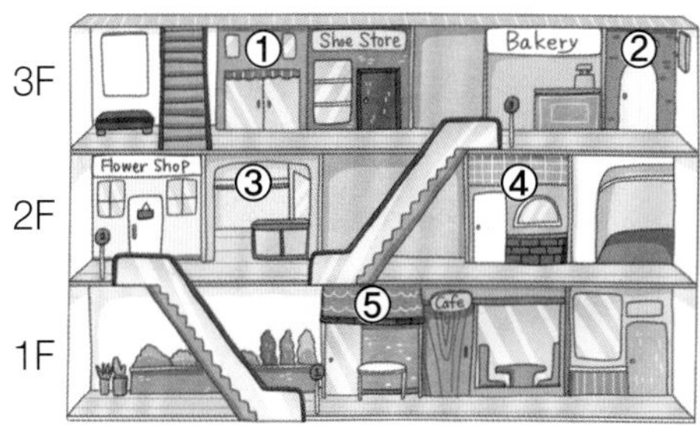

06 대화를 듣고, 여자가 찾고 있는 우산의 위치로 가장 적절한 것을 고르시오.

07 대화를 듣고, Star Mall의 위치로 가장 알맞은 곳을 고르시오.

08 대화를 듣고, 남자가 찾고 있는 신문의 위치로 가장 적절한 것을 고르시오.

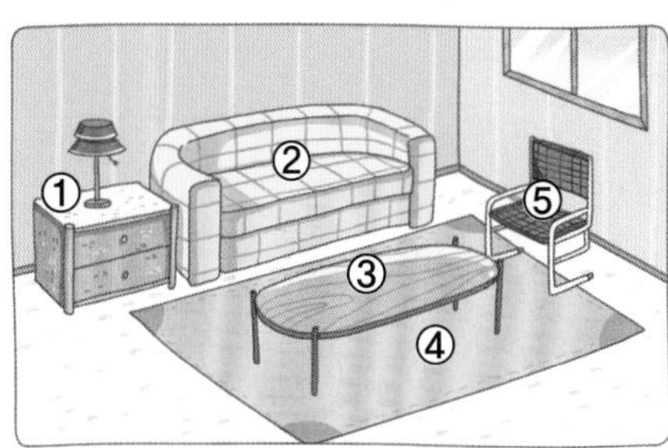

Dictation

◇ STEP 2의 내용을 다시 듣고, 빈칸에 들어갈 알맞은 단어를 써보세요.

정답 및 해설 p.56

01

대화를 듣고, 병원의 위치로 가장 알맞은 곳을 고르시오.

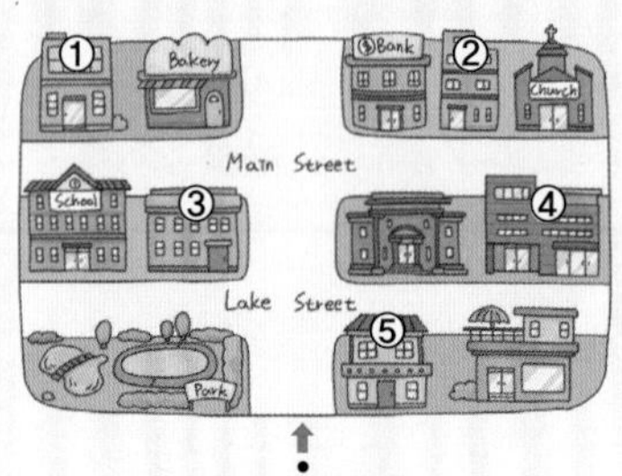

M Excuse me. Is there a hospital around here?

W __________ __________ __________ Main Street and turn right.

M Turn right on Main Street?

W Yes. It'll be on your left. __________ __________ __________ __________ and the church.

02

대화를 듣고, 여자가 찾고 있는 안경의 위치로 가장 적절한 것을 고르시오.

W Ben, did you see my glasses?

M No, I didn't. Where did you put them?

W I'm not sure. I can't see anything without them.

M Did you check __________ __________ __________?

W Yes. But I couldn't find them there.

M Oh, there they are. They are __________ __________ __________ __________.

03

대화를 듣고, Grand Hotel의 위치로 가장 알맞은 곳을 고르시오.

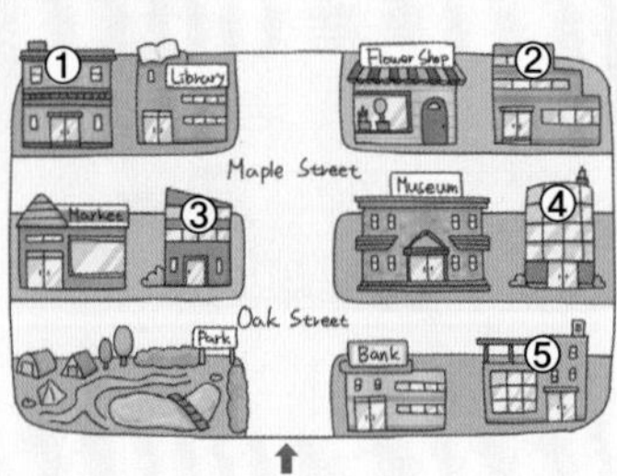

W Excuse me. I can't find Grand Hotel on my map.

M Grand Hotel? That's on Maple Street.

W How can I get there?

M Go straight for two blocks and turn right. Then __________ __________ the flower shop. The hotel is __________ __________ the flower shop.

04

대화를 듣고, 남자가 찾고 있는 잡지의 위치로 가장 적절한 것을 고르시오.

M I can't find my science magazine. Did you see it, Mom?

W I think I put it __________ __________ __________.

M No, it's not there.

W Oh, I think I __________ __________ in the drawer.

M *[Pause]* Yes, I __________ __________ __________.

05

대화를 듣고, 남자가 가려고 하는 장소를 고르시오.

W May I help you?

M Yes. Can you tell me __________ __________ __________ __________?

W Sure. Take the escalator and go to the third floor.

M The third floor? Okay.

W Then, you'll see it __________ __________ __________. It's __________ __________ the bakery.

06

대화를 듣고, 여자가 찾고 있는 우산의 위치로 가장 적절한 것을 고르시오.

M Kate, it's raining outside. Take your umbrella with you.

W Okay, Dad. Can you get it for me? It's __________ the plant.

M Really? __________ __________ __________.

W Oh no. Where is it?

M Look over there! It's __________ __________ __________.

07

대화를 듣고, Star Mall의 위치로 가장 알맞은 곳을 고르시오.

M Excuse me, I'm looking for Star Mall.

W It's on Second Street.

M How do I get there?

W Go straight one block and turn left. It'll be __________ __________ __________. It's between the __________ and the __________ __________.

08

대화를 듣고, 남자가 찾고 있는 신문의 위치로 가장 적절한 것을 고르시오.

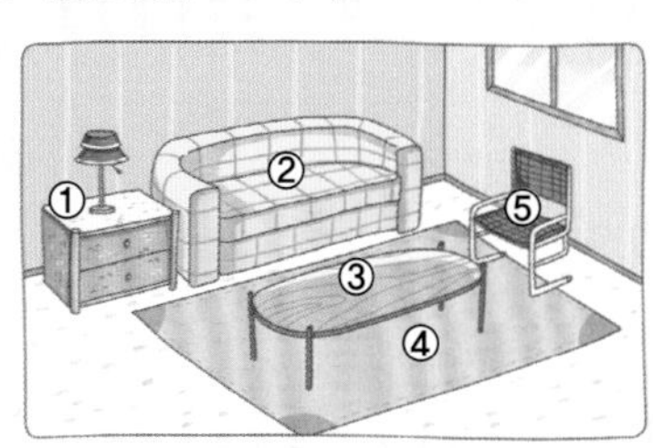

M Jessie, where's the newspaper?

W Hmm... I think I saw it __________ __________ __________.

M It's not there.

W Did you look __________ __________ __________?

M Oh, I see it there. Thanks, Jessie.

부탁 · 제안 파악

정답 및 해설 p.58

| 유형 소개 대화를 듣고, 주어진 상황 속에서 말하는 사람의 부탁 또는 제안하는 내용을 골라야 한다.

| 지시문 [부탁] 대화를 듣고, **남자가 여자에게 부탁[요청]한 일**로 가장 적절한 것을 고르시오.
[제안] 대화를 듣고, **여자가 남자에게 제안한 것**으로 가장 적절한 것을 고르시오.

| 정답 시그널 [부탁] **Can[Could] you ~?** 부탁할 때 자주 쓰이는 표현이에요.
[제안] **Why don't you[we] ~?** 제안 표현을 익혀두면 쉽게 정답을 알 수 있어요.

정답이 들리는 핵심 표현

Expressions

부탁 · 요청

- **Can[Could] you ~?** ~해 줄래[해 주시겠어요]?

Can you come again after school? 기출
방과 후에 다시 와 줄래요?

Could you buy some masks? 기출
마스크 좀 사다 주시겠어요?

- **Will[Would] you ~?** ~해 줄래[해 주시겠어요]?

Will you wash the dishes, please?
설거지 좀 해 줄래요?

Would you turn on the lights?
전등을 켜 주시겠어요?

Would you please wash my school uniform shirt? 기출
제 교복 셔츠 좀 세탁해 주시겠어요?

- **Can[Could] I ~?** ~해도 돼[될까요]?

Can I speak to you for a moment?
잠시 얘기 좀 해도 될까?

Could I take a picture with you? 기출
제가 당신과 사진 찍어도 될까요?

제안

- **Why don't you[we] ~?** ~하는 게 어때?

Why don't you add some more water? 기출
물을 좀 더 넣는 게 어때?

Why don't we learn Chinese together? 기출
우리 같이 중국어를 배우는 게 어때?

- **How[What] about ~?** ~하는 게 어때?

How about finding discount coupons online? 기출
온라인에서 할인 쿠폰을 찾아보는 게 어때?

- **Let's ~.** 우리 ~하자.

Let's make cookies together after school. 기출
방과 후에 같이 쿠키를 만들자.

- **I think you should ~.** 너는 ~해야 할 것 같아.

I think you should see a doctor.
너는 병원에 가야 할 것 같아.

〈보기〉를 활용하여 주어진 우리말 해석에 맞게 문장을 완성하세요.

〈보기〉	Can I borrow	Let's join	Why don't you	Would you pass

1 이 펜 좀 빌려도 될까? → ____________________ a pen?

2 저에게 그 그릇을 건네주시겠어요? → ____________________ the bowl to me?

3 같이 스케이트 동아리에 가입하자. → ____________________ the skating club together.

4 그녀에게 편지를 쓰는 것이 어때? → ____________________ write a letter to her?

대표 기출 문제

* **핵심 표현** ○ 정답 근거

1 대화를 듣고, **남자가 여자에게 부탁한 일**로 가장 적절한 것을 고르시오.

① 꽃 사오기　② 풍선 장식하기
③ 케이크 가져오기　④ 음료수 준비하기
⑤ 축하 노래 부르기

M Carol, do you remember the plans for Tina's birthday?
W You mean the surprise party?
M Yes. Ben will **bring a cake** and I'll **get some drinks.**
W Then what do I need to bring?
M * **Can you** buy some flowers for her?
W Sure. No problem.

남 Carol, Tina의 생일 계획을 기억하고 있지?
여 깜짝 파티 말하는 거지?
남 그래. Ben이 케이크를 가져올 거고, 난 음료수를 준비할 거야.
여 그러면, 난 뭘 가져와야 할까?
남 Tina에게 줄 꽃을 좀 사 올 수 있니?
여 물론이지. 문제없어.

① 지시문에서 부탁하는 사람이 누구인지 꼭 확인하세요. 남자가 부탁하는 상황이므로, 남자의 말에 집중해야 해요.

② 오답을 유도하는 표현이 여러 개 등장하므로 주의 깊게 들으세요.
→ ③ 케이크 가져오기
④ 음료수 준비하기

③ 부탁할 때 자주 쓰이는 표현을 익혀두면 쉽게 정답을 찾을 수 있어요.

2 대화를 듣고, **여자가 남자에게 제안한 것**으로 가장 적절한 것을 고르시오.

① 코딩 배우기　② 목공예품 만들기
③ 손 글씨 책 구입하기　④ 모형 자동차 조립하기
⑤ 라디오 방송국 방문하기

M Mina, your handwriting is really beautiful.
W Thank you, Tom. I practice it every day with this book.
M Is it helpful?
W Yes, it's easy to follow.
M I want to have better handwriting.
W Then, * **why don't you** buy a handwriting book?
M Good idea.

남 미나야, 네 손 글씨 정말 예쁘다.
여 Tom, 고마워. 난 이 책으로 매일 손 글씨를 연습하거든.
남 그것이 도움 되니?
여 응, 그건 따라 하기가 쉽거든.
남 나도 글씨를 더 잘 쓰고 싶어.
여 그러면 손 글씨 책을 하나 사는 게 어때?
남 좋은 생각이야.

① 지시문에서 누가 누구에게 제안하는지 확인하세요. 제안하는 사람의 말에 집중하세요.

② 제안 또는 충고를 나타내는 다양한 표현을 익혀두면 바로 정답을 알 수 있어요.

③ 대부분 대화 후반부에 결정적인 정답 근거가 등장하니 끝까지 집중하세요.

STEP 1

Mini Exercise

정답 및 해설 p.58

01 대화를 듣고, **남자가 여자에게 부탁한 일**로 가장 적절한 것을 고르시오.

① 초대장 쓰기
② 음료수 사기
③ 스테이크 굽기

02 대화를 듣고, **남자가 여자에게 제안한 것**으로 가장 적절한 것을 고르시오.

① 책 빌리기
② 미술 대회 참가하기
③ 도서관에서 공부하기

03 대화를 듣고, **여자가 남자에게 제안한 것**으로 가장 적절한 것을 고르시오.

① 병원 가기
② 뜨거운 목욕하기
③ 충분한 수면 취하기

04 대화를 듣고, **여자가 남자에게 요청한 일**로 가장 적절한 것을 고르시오.

① 숙제 도와주기
② 카메라 빌리기
③ 미술관 함께 가기

05 대화를 듣고, **여자가 남자에게 제안한 것**으로 가장 적절한 것을 고르시오.

① 축제 참가하기
② 영화 감상하기
③ 음악 동아리 가입하기

06 대화를 듣고, **여자가 남자에게 부탁한 일**로 가장 적절한 것을 고르시오.

① 설거지하기
② 휴대폰 찾기
③ 치약 구입하기

기출

07 대화를 듣고, **여자가 남자에게 요청한 일**로 가장 적절한 것을 고르시오.

① 노래 부르기
② 함께 사진 찍기
③ 사인하기

기출

08 대화를 듣고, **남자가 여자에게 제안한 것**으로 가장 적절한 것을 고르시오.

① 독서 감상문 쓰기
② 중국어 함께 배우기
③ 컴퓨터 구입하기

STEP 2

Listen & Check

정답 및 해설 p.60

01 대화를 듣고, 여자가 남자에게 부탁한 일로 가장 적절한 것을 고르시오.

① 선물 사 오기
② 모델 되어주기
③ 과제 도와주기
④ 그림 그려주기
⑤ 출품할 그림 골라주기

02 대화를 듣고, 남자가 여자에게 제안한 것으로 가장 적절한 것을 고르시오.

① 작곡하기
② 거리 공연하기
③ 드럼 연주하기
④ 기타 가르쳐주기
⑤ 밴드 가입하기

03 대화를 듣고, 여자가 남자에게 부탁한 일로 가장 적절한 것을 고르시오.

① 주말 계획 짜기
② 퍼즐 완성하기
③ 퍼즐 구입하기
④ 수학 문제 풀기
⑤ 잃어버린 조각 찾기

04 대화를 듣고, 여자가 남자에게 제안한 것으로 가장 적절한 것을 고르시오.

① 감자 심기
② 음식 맛보기
③ 당근 구입하기
④ 요리책 제작하기
⑤ 요리법 찾아보기

05 대화를 듣고, 남자가 여자에게 부탁한 일로 가장 적절한 것을 고르시오.

① 상자 치우기
② 방 청소하기
③ 숙제 도와주기
④ 설거지 하기
⑤ 동아리 신청하기

06 대화를 듣고, 여자가 남자에게 제안한 것으로 가장 적절한 것을 고르시오.

① 여행 가기
② 새 카메라 사기
③ 배경 사진 바꾸기
④ 컴퓨터 수리하기
⑤ 온라인 사진첩 만들기

07 대화를 듣고, 남자가 여자에게 부탁한 일로 가장 적절한 것을 고르시오.

① 짐 싸기
② 해산물 요리하기
③ 수영 가르쳐주기
④ 손전등 빌려주기
⑤ 캠핑 장비 구입하기

08 대화를 듣고, 여자가 남자에게 제안한 것으로 가장 적절한 것을 고르시오.

① 귀 청소하기
② 병원 가기
③ 보충 수업 받기
④ 수영복 구입하기
⑤ 수영 귀마개 하기

STEP 3 Listen & Check

Dictation

◇ STEP 2의 내용을 다시 듣고, 빈칸에 들어갈 알맞은 단어를 써보세요.

정답 및 해설 p.60

01

대화를 듣고, 여자가 남자에게 부탁한 일로 가장 적절한 것을 고르시오.

① 선물 사 오기
② 모델 되어주기
③ 과제 도와주기
④ 그림 그려주기
⑤ 출품할 그림 골라주기

W What are you drawing?
M I'm drawing my mother with a picture of her.
W Then, can ____________ ____________ ____________, too? I'll give you my picture.
M Okay. I'll ____________ ____________ ____________ and give it to you next week.

02

대화를 듣고, 남자가 여자에게 제안한 것으로 가장 적절한 것을 고르시오.

① 작곡하기
② 거리 공연하기
③ 드럼 연주하기
④ 기타 가르쳐주기
⑤ 밴드 가입하기

W What are you going to do this weekend?
M I'm going to play the drums on the street.
W Oh, that sounds fun.
M ____________ ____________ play the drums?
W No, but I ____________ ____________ the guitar.
M Really? Then, why don't we ____________ ____________?
W That's a good idea!

03

대화를 듣고, 여자가 남자에게 부탁한 일로 가장 적절한 것을 고르시오.

① 주말 계획 짜기
② 퍼즐 완성하기
③ 퍼즐 구입하기
④ 수학 문제 풀기
⑤ 잃어버린 조각 찾기

M How was your weekend?
W It was good. I did a 500-piece puzzle.
M Did ____________ ____________ ____________?
W No. It'll take 2 hours. Oh, ____________ ____________ ____________ ____________?
M Sure, I can do that.

04

대화를 듣고, 여자가 남자에게 제안한 것으로 가장 적절한 것을 고르시오.

① 감자 심기
② 음식 맛보기
③ 당근 구입하기
④ 요리책 제작하기
⑤ 요리법 찾아보기

M Yesterday, I made salad and pizza with potatoes.
W Potatoes? Where did you get the potatoes?
M My uncle sent me a box of them. But I still have a lot. ____________ ____________ ____________ other potato recipes?
W I don't know much about cooking. ____________ ____________ looking for recipes on the Internet?
M That's a good idea.

05

대화를 듣고, 남자가 여자에게 부탁한 일로 가장 적절한 것을 고르시오.

① 상자 치우기
② 방 청소하기
③ 숙제 도와주기
④ 설거지 하기
⑤ 동아리 신청하기

W Mike, your room is dirty.
M I don't have time to clean today.
W Then ____________ ____________ ____________, please.
M I have a club meeting tomorrow. Would you ____________ ____________ ____________ ____________, Mom?
W This is the last time. You have to ____________ ____________ ____________ next time.

06

대화를 듣고, 여자가 남자에게 제안한 것으로 가장 적절한 것을 고르시오.

① 여행 가기
② 새 카메라 사기
③ 배경 사진 바꾸기
④ 컴퓨터 수리하기
⑤ 온라인 사진첩 만들기

Listening Tip
trip, try처럼 'tr' 뒤에 모음이 오면 우리말의 '츄'로 발음돼요. dress의 'dr'이 '쥬'로 발음되는 것과 같아요.

W How was your family trip?
M It was great! I ____________ ____________ ____________ during the trip. I have them here. Look.
W *[Pause]* ____________ ____________ ____________ you had a wonderful time. How about making an online ____________ ____________ ____________?
M Okay. I'll try that.

07

대화를 듣고, 남자가 여자에게 부탁한 일로 가장 적절한 것을 고르시오.

① 짐 싸기
② 해산물 요리하기
③ 수영 가르쳐주기
④ 손전등 빌려주기
⑤ 캠핑 장비 구입하기

M I'm going to go camping this weekend.
W Where are you going to go camping?
M To Sokcho. ____________ ____________ the beautiful sea and eat seafood.
W ____________ ____________ ____________.
M But I need one more thing. ____________ ____________ ____________ your flashlight to me?
W Sure.

08

대화를 듣고, 여자가 남자에게 제안한 것으로 가장 적절한 것을 고르시오.

① 귀 청소하기
② 병원 가기
③ 보충 수업 받기
④ 수영복 구입하기
⑤ 수영 귀마개 하기

W Henry, I didn't see you in swimming class yesterday.
M That's right. I ____________ ____________ because my ears hurt.
W I'm ____________ ____________ ____________ ____________.
M I'm better now, but my ears are still ringing.
W Why don't you ____________ ____________ ____________?
M I think I should. Thanks.

이어질 응답 찾기

정답 및 해설 p.62

| 유형 소개 대화 흐름을 파악한 후, 마지막 말에 이어질 적절한 응답을 골라야 한다.

| 지시문 대화를 듣고, **여자의 마지막 말에 이어질 남자의 말로[응답으로]** 가장 적절한 것을 고르시오.

정답이 들리는 핵심 표현

Expressions

- **위로** 기출
  A: I want to, but I hurt my foot yesterday.
  그렇고 싶은데, 내가 어제 발을 다쳤거든.
  B: Oh, I'm sorry to hear that.
  아, 그것 참 안됐다.

- **충고 – 수용** 기출
  A: You'd better drive slowly.
  천천히 운전하는 게 좋겠어요.
  B: Okay. I'll be careful. 알겠어요. 조심할게요.

- **감사** 기출
  A: I can lend the book to you.
  너한테 책을 빌려줄 수 있어.
  B: Thank you so much. 정말 고마워.

- **요청 – 수락** 기출
  A: Can you bring your camera?
  네 카메라를 가져올래?
  B: Sure, no problem. 그래, 그럴게.

- **제안 – 승낙** 기출
  A: Why don't we visit him after school together? 학교 끝나고 우리 같이 그를 방문하는 게 어때?
  B: That's a great idea. 그거 좋은 생각이야.

- **의문사 what**
  A: What did you do in Jeju-do?
  제주도에서 뭐 했어?
  B: I had some delicious seafood.
  맛있는 해산물을 좀 먹었어.

- **의문사 what time/when (시간)** 기출
  A: What time do you want to meet him?
  몇 시에 그를 만나고 싶니?
  B: I'd like to meet him at 3 p.m.
  오후 3시에 만나고 싶어요.

  A: When are you coming? 언제 오시나요?
  B: We can get there by 6:30.
  저희는 거기에 6시 30분까지 도착할 수 있어요.

- **의문사 where (장소)** 기출
  A: Where did you practice? 너는 어디에서 연습했어?
  B: I practiced at a dance school.
  댄스 학교에서 연습했어.

- **의문사 how often (빈도/횟수)** 기출
  A: How often do you play table tennis?
  너는 얼마나 자주 탁구를 치니?
  B: Three times a week. 일주일에 세 번 쳐.

〈보기〉의 표현을 활용하여 대화를 완성하세요.

〈보기〉 Sure, no problem. It's next to the bank. I'm sorry to hear that.

1 A: My sister broke my guitar. B: ______________________

2 A: Excuse me, where is the library? B: ______________________

3 A: Can you take a picture of us? B: ______________________

대표 기출 문제

* 핵심 표현 ○ 정답 근거

1 대화를 듣고, **남자의 마지막 말에 이어질 여자의 응답**으로 가장 적절한 것을 고르시오.

Woman: ________________________________

① It's 9 o'clock. ② I enjoy writing.
③ It's in the corner. ④ I want a large soda.
⑤ We don't have your size.

W Hello. May I help you?
M Yes, please. I like this T-shirt.
W What's your **size**?
M Do you have this in a small (size)?
W Sure. *[Pause]* Here it is. You can try it on.
M Okay, thank you. **Where is the fitting room?**

여 안녕하세요. 도와드릴까요?
남 네. 이 티셔츠가 마음에 드네요.
여 사이즈가 어떻게 되세요?
남 이거 작은 사이즈로 있나요?
여 물론이죠. *[잠시 후]* 여기에 있습니다. 한번 입어보셔도 돼요.
남 네. 감사합니다. 탈의실이 어디에 있나요?

❶ 마지막 말이나 질문에 주의 깊게 들어야 해요.
대화가 언제 끝날지 알 수 없기 때문에 처음부터 끝까지 대화 흐름에 집중하세요.

❷ 대화에 등장했던 어휘를 활용한 선택지가 오답을 유도할 수 있으니 주의하세요.

❸ 특히나 질문에 등장하는 의문사는 결정적인 정답 근거를 제시해요.
의문사 where가 등장했으므로, 장소나 위치를 설명하는 응답이 이어져야 해요.

2 대화를 듣고, **여자의 마지막 말에 이어질 남자의 응답**으로 가장 적절한 것을 고르시오.

Man: ________________________________

① Yes, he does. ② Long time no see.
③ Okay. I'll be careful. ④ Let me introduce myself.
⑤ She really had a good time.

M It's so cold this morning.
W Look outside the window.
M Wow! It snowed a lot last night.
W Yeah. The roads look very slippery.
M I'm worried because I have to go to work now.
W Well, **you'd better drive slowly.**

남 오늘 아침 너무 춥네요.
여 창문 밖을 보세요.
남 와! 어젯밤에 눈이 많이 내렸네요.
여 네. 도로가 굉장히 미끄러울 것 같아요.
남 이제 출근해야 하는데, 걱정이네요.
여 음. 천천히 운전하는 게 좋겠어요.

❶ 대화가 이뤄지는 장소나 상황에 집중하여 흐름을 알면 정답을 쉽게 찾을 수 있어요.

❷ 일상생활에서 자주 쓰이는 표현을 익혀두는 것이 중요해요.
제안, 동의, 승낙, 거절, 조언, 감사 등 상황별 일상생활 표현들을 미리 알아두세요.

❸ had better는 '~하는 게 좋겠어'의 의미로 충고를 나타내요.
따라서 충고를 받아들이거나 거절하는 응답이 이어지는 게 가장 자연스러워요.

STEP 1

Mini Exercise

정답 및 해설 p.62

01 대화를 듣고, **여자의 마지막 말에 이어질 남자의 응답**으로 가장 적절한 것을 고르시오.

Man: ________________

① It's my fault.
② Yes, that's fine.
③ I'm sorry to hear that.

02 대화를 듣고, **여자의 마지막 말에 이어질 남자의 응답**으로 가장 적절한 것을 고르시오.

Man: ________________

① Can you wait for me?
② Everything will be fine.
③ He'll be here in 5 minutes.

03 대화를 듣고, **남자의 마지막 말에 이어질 여자의 말**로 가장 적절한 것을 고르시오.

Woman: ________________

① Sure. I'll help.
② I can't believe it.
③ Don't worry about it.

04 대화를 듣고, **여자의 마지막 말에 이어질 남자의 응답**으로 가장 적절한 것을 고르시오.

Man: ________________

① I'll stay for 3 nights.
② Sorry. I should go now.
③ Can I use the bathroom?

05 대화를 듣고, **남자의 마지막 말에 이어질 여자의 말**로 가장 적절한 것을 고르시오.

Woman: ________________

① Sure, I'd love to.
② I enjoy listening to music.
③ No, I can't play the guitar.

06 대화를 듣고, **남자의 마지막 말에 이어질 여자의 말**로 가장 적절한 것을 고르시오.

Woman: ________________

① Twice a week.
② No, I don't do yoga.
③ Thank you very much.

기출

07 대화를 듣고, **남자의 마지막 말에 이어질 여자의 응답**으로 가장 적절한 것을 고르시오.

Woman: ________________

① I'd love to, but I can't.
② Thank you for your advice.
③ Oh, I'm sorry to hear that.

기출

08 대화를 듣고, **여자의 마지막 말에 이어질 남자의 응답**으로 가장 적절한 것을 고르시오.

Man: ________________

① It's my fault.
② That's a good idea.
③ For here or to go?

STEP 2

Listen & Check

정답 및 해설 p.64

01 대화를 듣고, 여자의 마지막 말에 이어질 남자의 말로 가장 적절한 것을 고르시오.

Man: ______________________

① Okay. I'll take it.
② Wow, it looks cool.
③ It's $25. It's on sale.
④ There's no discount for that.
⑤ You can get the cake for $20.

02 대화를 듣고, 남자의 마지막 말에 이어질 여자의 말로 가장 적절한 것을 고르시오.

Woman: ______________________

① I'm glad you liked it.
② I want to go on a trip to India.
③ All right. I can't wait to see her.
④ I don't enjoy Indian food much.
⑤ I'm sorry, but I have other plans that day.

03 대화를 듣고, 여자의 마지막 말에 이어질 남자의 말로 가장 적절한 것을 고르시오.

Man: ______________________

① For 4 days. It was too short.
② I'll sign up for the camp, too.
③ We watched the stars at night.
④ The camp started on July 20th.
⑤ We also visited the Musical Museum.

04 대화를 듣고, 남자의 마지막 말에 이어질 여자의 말로 가장 적절한 것을 고르시오.

Woman: ______________________

① I don't think so. It's fun.
② There's a new amusement park.
③ I'll call the restaurant tomorrow.
④ That sounds good. Hiking is exciting.
⑤ I know. But it's not good for your health.

05 대화를 듣고, 여자의 마지막 말에 이어질 남자의 말로 가장 적절한 것을 고르시오.

Man: ______________________

① Wow, I can't wait to see it.
② I'm sorry, but I'm busy tonight.
③ I like the moon more than the stars.
④ I have to finish my homework by 4:00.
⑤ Really? Then let's see the moon tomorrow.

06 대화를 듣고, 여자의 마지막 말에 이어질 남자의 말로 가장 적절한 것을 고르시오.

Man: ______________________

① Look! I like these shoes.
② I'd like to buy a backpack.
③ How much are these sneakers?
④ Really? I should go there then.
⑤ They are nice, but I'll buy them next time.

07 대화를 듣고, 여자의 마지막 말에 이어질 남자의 말로 가장 적절한 것을 고르시오.

Man: ______________________

① I'm busy this Saturday.
② I don't like watching TV.
③ I stay home and relax on Sundays.
④ I will watch movies with my friends.
⑤ Getting up early is good for your health.

08 대화를 듣고, 남자의 마지막 말에 이어질 여자의 말로 가장 적절한 것을 고르시오.

Woman: ______________________

① No. I don't think he'll like it.
② Thank you. I feel much better.
③ Don't worry. You'll do a good job.
④ Of course. You can use my computer.
⑤ Yes. I'm sure he's waiting for your call.

STEP 3 Listen & Check

Dictation

◇ STEP 2의 내용을 다시 듣고, 빈칸에 들어갈 알맞은 단어를 써보세요.

정답 및 해설 p.64

01

대화를 듣고, 여자의 마지막 말에 이어질 남자의 말로 가장 적절한 것을 고르시오.

Man: ______________

① Okay. I'll take it.
② Wow, it looks cool.
③ It's $25. It's on sale.
④ There's no discount for that.
⑤ You can get the cake for $20.

M Hello. May I help you?
W Yes, please. I'm __________ __________ a shirt.
M __________ __________ this red one?
W It looks nice. How much is it?
M It's $40.
W Well, it's a little expensive. Then __________ __________ __________ that blue one?

02

대화를 듣고, 남자의 마지막 말에 이어질 여자의 말로 가장 적절한 것을 고르시오.

Woman: ______________

① I'm glad you liked it.
② I want to go on a trip to India.
③ All right. I can't wait to see her.
④ I don't enjoy Indian food much.
⑤ I'm sorry, but I have other plans that day.

M Do you like Indian food, Amy?
W Yes, I like it a lot. I __________ __________ curry.
M Me, too. There's a new Indian restaurant __________ __________ __________.
W Really? Let's go there someday.
M __________ __________ go there this Friday?

03

대화를 듣고, 여자의 마지막 말에 이어질 남자의 말로 가장 적절한 것을 고르시오.

Man: ______________

① For 4 days. It was too short.
② I'll sign up for the camp, too.
③ We watched the stars at night.
④ The camp started on July 20th.
⑤ We also visited the Musical Museum.

W Jacob, __________ __________ the music camp?
M It was great. I watched performances of __________ __________.
W That sounds interesting.
M I also learned new skills from the musicians.
W Great. __________ __________ was the camp?

04

대화를 듣고, 남자의 마지막 말에 이어질 여자의 말로 가장 적절한 것을 고르시오.

Woman: ______________

① I don't think so. It's fun.
② There's a new amusement park.
③ I'll call the restaurant tomorrow.
④ That sounds good. Hiking is exciting.
⑤ I know. But it's not good for your health.

M Honey, where do you want to go this weekend?
W I'm not sure. Where should __________ __________?
M Why don't we go to the amusement park?
W That is a fun place, but __________ __________ __________ last month.
M Then __________ __________ going hiking instead?

05

대화를 듣고, 여자의 마지막 말에 이어질 남자의 말로 가장 적절한 것을 고르시오.

Man: ____________________

① Wow, I can't wait to see it.
② I'm sorry, but I'm busy tonight.
③ I like the moon more than the stars.
④ I have to finish my homework by 4:00.
⑤ Really? Then let's see the moon tomorrow.

W Eric, why don't we go and see the moon tonight?

M Sure. But is there __________ __________ __________ today's moon?

W Yes. Today's full moon is this year's biggest supermoon.

M Why does it look bigger today than any other day?

W Because it's __________ __________ the earth.

06

대화를 듣고, 여자의 마지막 말에 이어질 남자의 말로 가장 적절한 것을 고르시오.

Man: ____________________

① Look! I like these shoes.
② I'd like to buy a backpack.
③ How much are these sneakers?
④ Really? I should go there then.
⑤ They are nice, but I'll buy them next time.

W Hi, Justin. Where are you going?

M Hi, Suji. __________ __________ __________ ABC Mall.

W What are you going to buy?

M __________ __________ a pair of sneakers.

W Go to FC Shoes instead. The shop is having __________ __________ __________ now.

07

대화를 듣고, 여자의 마지막 말에 이어질 남자의 말로 가장 적절한 것을 고르시오.

Man: ____________________

① I'm busy this Saturday.
② I don't like watching TV.
③ I stay home and relax on Sundays.
④ I will watch movies with my friends.
⑤ Getting up early is good for your health.

M Katie, what do you do in __________ __________ __________?

W I usually go jogging and swimming. But I do something else on Sundays.

M What do you do on Sundays?

W I usually play badminton in the morning.

M Wow, you are __________ __________.

W So, what about you? How do __________ __________ __________?

08

대화를 듣고, 남자의 마지막 말에 이어질 여자의 말로 가장 적절한 것을 고르시오.

Woman: ____________________

① No. I don't think he'll like it.
② Thank you. I feel much better.
③ Don't worry. You'll do a good job.
④ Of course. You can use my computer.
⑤ Yes. I'm sure he's waiting for your call.

M My best friend Junsu is upset with me.

W __________ __________?

M I borrowed his favorite book. But I lost it.

W Why don't you __________ __________ __________ to him?

M Will he __________ __________ __________?

PART. 02

Listening Q

^^^

중학영어듣기 모의고사

실전 모의고사

×

실제 시험과 동일한 실전 모의고사로 문제 풀이 감각을 익히고,
받아쓰기 훈련으로 듣기 실력 UP!

정답과 해설 p.67

실전 모의고사 01

점수 /20

01 다음을 듣고, 'this'가 가리키는 것으로 가장 적절한 것을 고르시오.

①  ②  ③ 
④  ⑤ 

02 대화를 듣고, 여자가 만든 앞치마로 가장 적절한 것을 고르시오.

①  ②  ③ 
④ 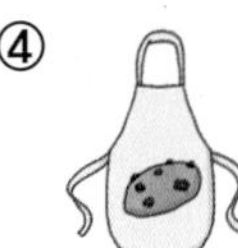 ⑤ 

03 다음을 듣고, 내일의 날씨로 가장 적절한 것을 고르시오.

①  ②  ③  ④  ⑤ 

04 대화를 듣고, 여자의 마지막 말의 의도로 가장 적절한 것을 고르시오.

① 승낙 ② 불만 ③ 사과
④ 축하 ⑤ 거절

05 다음을 듣고, 여자가 삼촌에 대해 언급하지 <u>않은</u> 것을 고르시오.

① 이름 ② 나이 ③ 직업
④ 직장명 ⑤ 사는 곳

06 대화를 듣고, 남자가 도서관에 도착한 시각을 고르시오.

① 3:30 p.m. ② 4:00 p.m. ③ 4:30 p.m.
④ 5:00 p.m. ⑤ 5:30 p.m.

07 대화를 듣고, 남자의 장래 희망으로 가장 적절한 것을 고르시오.

① 육상선수 ② 교사
③ 축구선수 ④ 패션 디자이너
⑤ 신문기자

08 대화를 듣고, 남자의 심정으로 가장 적절한 것을 고르시오.

① excited ② bored ③ worried
④ proud ⑤ relaxed

09 대화를 듣고, 남자가 대화 직후에 할 일로 가장 적절한 것을 고르시오.

① 할머니 집 가기 ② 요리하기
③ 전통시장 가기 ④ 사촌들 만나기
⑤ 영화 보러 가기

10 대화를 듣고, 무엇에 관한 내용인지 가장 적절한 것을 고르시오.

① 캠핑 예절 ② 여름 캠프
③ 학부모 면담 ④ 중국어 학습법
⑤ 여름 방학 과제

11 대화를 듣고, 두 사람이 함께 이용할 교통수단으로 가장 적절한 것을 고르시오.

① 승용차 ② 기차 ③ 버스
④ 배 ⑤ 비행기

12 대화를 듣고, 여자가 남자를 찾아 온 이유로 가장 적절한 것을 고르시오.

① 환불받기 위해서
② 불만을 접수하기 위해서
③ 신발을 교환하기 위해서
④ 신발을 수선하기 위해서
⑤ 잃어버린 물건을 찾기 위해서

13 대화를 듣고, 두 사람이 대화하는 장소로 가장 적절한 곳을 고르시오.

① 옷 가게 ② 요리 학원 ③ 빵집
④ 기념품 가게 ⑤ 은행

14 대화를 듣고, 남자가 찾고 있는 일기장의 위치로 가장 적절한 것을 고르시오.

15 대화를 듣고, 남자가 여자에게 요청한 일로 가장 적절한 것을 고르시오.

① 구두 닦기 ② 신발 교환하기
③ 방 불 끄기 ④ 차 태워주기
⑤ 면접 준비 도와주기

16 대화를 듣고, 남자가 여자에게 제안한 것으로 가장 적절한 것을 고르시오.

① 유기견 입양하기 ② 개랑 자주 놀아주기
③ 매일 운동하기 ④ 집 자주 청소하기
⑤ 개 집 만들어주기

17 대화를 듣고, 남자가 지난 주말에 한 일로 가장 적절한 것을 고르시오.

① 쇼핑하기 ② 동생 돌보기
③ 탁자 만들기 ④ 가족과 외식하기
⑤ 미술 숙제하기

18 대화를 듣고, 여자의 직업으로 가장 적절한 것을 고르시오.

① 의사 ② 방송 작가
③ 소설가 ④ 웹 디자이너
⑤ 도서관 사서

[19-20] 대화를 듣고, 남자의 마지막 말에 이어질 여자의 응답으로 가장 적절한 것을 고르시오.

19 Woman: ______________________________

① That's a great idea!
② Is that sign in the right place?
③ You need to stop doing that.
④ Okay. I'll plant flowers there.
⑤ Why didn't you clean it yesterday?

20 Woman: ______________________________

① It's great to see you again.
② Why don't we meet at 5:30 p.m.?
③ I woke up at 7 o'clock this morning.
④ How do you like your new clothes?
⑤ It's my first time in this shopping mall.

Dictation 01

◇ 다시 듣고, 빈칸에 들어갈 알맞은 단어를 써보세요.

정답과 해설 p.67

01 화제 추론

다음을 듣고, 'this'가 가리키는 것으로 가장 적절한 것을 고르시오.

① ② ③ ④ ⑤

M This ______ ______ ______ many different shapes, but it is usually round. This is very sweet, so many people like to eat ______ ______ ______ this as a dessert. You also eat this ______ ______ ______. What is this?

02 그림 정보 파악

대화를 듣고, 여자가 만든 앞치마로 가장 적절한 것을 고르시오.

① ② ③ ④ ⑤

M Did you make this apron, Jenny?

W Yes, I did. I made it ______ ______ ______.

M Did you also ______ ______ ______?

W Yes. I actually wanted to draw a rose, but I couldn't.

M It ______ ______ ______!

W Thank you, Hojun.

03 날씨 파악

다음을 듣고, 내일의 날씨로 가장 적절한 것을 고르시오.

① ② ③ ④ ⑤

W Good morning, everyone. It's sunny and warm right now, but in the evening, it will be ______ ______. Tomorrow, ______ ______ ______ any sunshine. It won't be raining, but it will be ______ ______.

04 의도 파악

대화를 듣고, 여자의 마지막 말의 의도로 가장 적절한 것을 고르시오.

① 승낙 ② 불만 ③ 사과
④ 축하 ⑤ 거절

M Mom, is this T-shirt for me?

W No, James. ______ ______ ______ older sister.

M I want a new T-shirt, too.

W You already ______ ______ ______ T-shirts.

🔊 Listening Tip

can은 조동사라서 문장 안에서 강세가 없어서 /캔/이 아니라 /큰/으로 발음해요. 부정문에 쓰인 can't에서 can은 조동사이지만 뒤에 부정어 not이 붙어있어서 can은 /캔/에 가깝게 발음하고 뒤의 't'는 /트/로 소리 내지 않고 숨을 잠시 멈추는 정도로 발음해요.

M Then, 🔊can I just wear this tomorrow?

W No, you can't. It is ____________ ____________ ____________.

05 언급하지 않은 내용 찾기

다음을 듣고, 여자가 삼촌에 대해 언급하지 <u>않은</u> 것을 고르시오.

① 이름 ② 나이 ③ 직업
④ 직장명 ⑤ 사는 곳

W I'd like to tell you about my uncle. ____________ ____________ ____________ Michael Lee, and he is 35 years old. He's a ____________ ____________, and he ____________ ____________ Paris right now. He wants to come to Korea and open a French restaurant next year.

06 숫자 정보 파악 (시각)

대화를 듣고, 남자가 도서관에 도착한 시각을 고르시오.

① 3:30 p.m. ② 4:00 p.m.
③ 4:30 p.m. ④ 5:00 p.m.
⑤ 5:30 p.m.

W What's the matter, honey?

M Susan is angry at me. She isn't answering her phone.

W Why is she angry?

M We promised ____________ ____________ ____________ 3:30 at the library, but I ____________ ____________ ____________.

W Oh no. When did you get there?

M I left home at 4:30, and I ____________ ____________ ____________ 5 o'clock.

07 장래 희망 파악

대화를 듣고, 남자의 장래 희망으로 가장 적절한 것을 고르시오.

① 육상선수 ② 교사
③ 축구선수 ④ 패션 디자이너
⑤ 신문기자

W Are you going to school, Tim?

M Yes, Mrs. Taylor.

W Why are you going to ____________ ____________ ____________?

M I ____________ ____________ every morning.

W Wow, you really like to play soccer.

M Yes. *I want to be a ____________ ____________.

*** 교육부 지정 의사소통 표현: 장래 희망 말하기** 동(윤) 6 | 동(이) 6 | 미 7 | 능(김) 5 | Y(송) 7

I want to be ~. 나는 ~가 되고 싶어.

- **I want to be** a fashion designer. 나는 패션 디자이너가 되고 싶어.
- **I want to be** an animal doctor. 나는 수의사가 되고 싶어.

08 심정 추론

대화를 듣고, 남자의 심정으로 가장 적절한 것을 고르시오.

① excited ② bored ③ worried
④ proud ⑤ relaxed

W Chris, you look tired.
M No, I'm not tired at all.
W Then, ______ ______ ______?
M I want to ______ ______, but I can't.
W Oh, I see. It's raining a lot now.
M I don't have ______ ______ ______ at home.

09 할 일 파악

대화를 듣고, 남자가 대화 직후에 할 일로 가장 적절한 것을 고르시오.

① 할머니 집 가기 ② 요리하기
③ 전통시장 가기 ④ 사촌들 만나기
⑤ 영화 보러 가기

M What are we going to do today, Mom?
W I have to ______ ______ ______ today.
M Oh, you have to cook a lot today, right?
W Yes. You should go ______ ______ ______ with your cousins.
M They're going to watch a comedy movie. I don't want to see it.
W Then, how about going to the traditional ______ ______ ______?
M Okay. I'll do that.

10 주제 추론

대화를 듣고, 무엇에 관한 내용인지 가장 적절한 것을 고르시오.

① 캠핑 예절 ② 여름 캠프
③ 학부모 면담 ④ 중국어 학습법
⑤ 여름 방학 과제

Listening Tip

don't you에서처럼 [t], [d], [s], [z] 소리로 끝나는 단어 뒤에 y로 시작하는 단어가 오면 두 소리가 합쳐져 /츄/, /쥬/, /슈/, /쥬/로 발음해요. 따라서 don't you는 /돈 츄/처럼 발음되지요.

M What is that on your desk?
W It's a list of ______ ______ ______. I need to choose one for this summer.
M Okay. Let me see. There are 3 camps to choose from.
W Well, ______ ______ ______ space and music. But I can't decide between the space camp and the music camp.
M You are taking violin lessons now. So why don't you ______ ______ ______ ______?
W That's a good idea.

11 교통수단 파악

대화를 듣고, 두 사람이 함께 이용할 교통수단으로 가장 적절한 것을 고르시오.

① 승용차 ② 기차 ③ 버스
④ 배 ⑤ 비행기

M ______ ______ ______ to see your grandfather this Saturday?
W Of course, I am, Dad.
M It'll take ______ ______ ______ to get to Mokpo ______ ______.

W You don't have to drive this weekend. Mom already ______ ______ ______ online.

M Oh, that's good to hear.

12 이유 파악

대화를 듣고, 여자가 남자를 찾아 온 이유로 가장 적절한 것을 고르시오.

① 환불받기 위해서
② 불만을 접수하기 위해서
③ 신발을 교환하기 위해서
④ 신발을 수선하기 위해서
⑤ 잃어버린 물건을 찾기 위해서

M Welcome to Best Shoes. How can I help you?

W *Can I ______ ______ ______ for another pair?

M Sure, what's the problem with these?

W They are ______ ______ ______ me.

M These are size 6. Do you want ______ ______ ______ 7?

W Yes, please.

> *** 교육부 지정 의사소통 표현: 허락 요청하기** 능(김) 3
> **Can I ~? 제가 ~해도 될까요?**
> • **Can I** try on this shirt? 제가 이 셔츠를 입어 봐도 될까요?
> • **Can I** come in here? 제가 이 안에 들어가도 될까요?

13 장소 추론

대화를 듣고, 두 사람이 대화하는 장소로 가장 적절한 곳을 고르시오.

① 옷 가게 ② 요리 학원
③ 빵집 ④ 기념품 가게
⑤ 은행

W How much is this?

M It's $35.

W That's a little expensive. ______ ______ ______ ______ chocolate cakes?

M I'm sorry, ______ ______ ______ the last one about an hour ago.

W Then, I'll just get ______ ______ ______ and these cookies.

M Okay. It is $12.

14 그림 정보 파악 (위치 찾기)

대화를 듣고, 남자가 찾고 있는 일기장의 위치로 가장 적절한 것을 고르시오.

M Mom, where is my diary?

W Did you check ______ ______?

M I did. It's not on my desk.

W Why don't you ______ ______ ______?

M I already did, but it's not there, either.

W Oh, I found it. It's ______ ______ ______.

15 요청 파악

대화를 듣고, 남자가 여자에게 요청한 일로 가장 적절한 것을 고르시오.

① 구두 닦기
② 신발 교환하기
③ 방 불 끄기
④ 차 태워주기
⑤ 면접 준비 도와주기

W Those shoes look very ____________ ____________ ____________, Ben.

M Thanks, Mom.

W Are you ready for ____________ ____________ ____________?

M I'm a little nervous, but I think I'm ready.

W You'll be fine. Just do your best.

M I will. Oh, can you ____________ ____________ ____________ ____________ in my room?

W Sure, no problem.

16 제안 파악

대화를 듣고, 남자가 여자에게 제안한 것으로 가장 적절한 것을 고르시오.

① 유기견 입양하기
② 개랑 자주 놀아주기
③ 매일 운동하기
④ 집 자주 청소하기
⑤ 개 집 만들어주기

M Emma, how are you doing with ____________ ____________ ____________?

W We're doing well. But there is one problem.

M What is that?

W He ____________ ____________ ____________.

M Why don't you ____________ ____________ ____________ more often?

W I'll try.

17 한 일 파악

대화를 듣고, 남자가 지난 주말에 한 일로 가장 적절한 것을 고르시오.

① 쇼핑하기 ② 동생 돌보기
③ 탁자 만들기 ④ 가족과 외식하기
⑤ 미술 숙제하기

M Did you have a good weekend, Sara?

W Yes, I did. I ____________ ____________. How about you?

M I ____________ ____________ ____________ with my uncle.

W Really? What did you do with him?

M We ____________ ____________ ____________ together. It was fun.

W That's cool!

18 직업 추론

대화를 듣고, 여자의 직업으로 가장 적절한 것을 고르시오.

① 의사
② 방송 작가
③ 소설가
④ 웹 디자이너
⑤ 도서관 사서

M You look amazing, Cindy.

W You, too. How's work?

M Work is fine. I see about 20 patients a day. How about you?

W I just ____________ ____________ a new book.

M I can't wait to read it. I loved ____________ ____________ ____________.

W Thanks. It's always nice to ____________ ____________ ____________.

19 이어질 응답 찾기

대화를 듣고, 남자의 마지막 말에 이어질 여자의 응답으로 가장 적절한 것을 고르시오.

Woman: ________________________

① That's a great idea!
② Is that sign in the right place?
③ You need to stop doing that.
④ Okay. I'll plant flowers there.
⑤ Why didn't you clean it yesterday?

W Look at all the trash here.

M ____________ ____________ ____________ all up yesterday.

W We need to ____________ ____________ about this.

M I agree. We can't just keep cleaning it up.

W What should we do?

M Why don't we ____________ ____________ ____________, "No Trash"?

20 이어질 응답 찾기

대화를 듣고, 남자의 마지막 말에 이어질 여자의 응답으로 가장 적절한 것을 고르시오.

Woman ________________________

① It's great to see you again.
② Why don't we meet at 5:30 p.m.?
③ I woke up at 7 o'clock this morning.
④ How do you like your new clothes?
⑤ It's my first time in this shopping mall.

W Wow, this place is big!

M This is ____________ ____________ ____________ mall in the city.

W There are so many different stores. Let's go to the second floor.

M Oh, I wanted to go to the third floor. That's for men's clothing.

W How about ____________ ____________ ____________ later?

M Okay. ____________ ____________ ____________ ____________ meet again?

정답과 해설 p.73

실전 모의고사 02

01 다음을 듣고, 'I'가 무엇인지 가장 적절한 것을 고르시오.

①  ②  ③ 

④  ⑤ 

02 대화를 듣고, 여자가 구입할 여행 가방으로 가장 적절한 것을 고르시오.

①  ②  ③ 

④  ⑤ 

03 다음을 듣고, 금요일의 날씨로 가장 적절한 것을 고르시오.

① ② ③ ④ ⑤

04 대화를 듣고, 남자가 한 마지막 말의 의도로 가장 적절한 것을 고르시오.

① 칭찬 ② 사과 ③ 제안
④ 거절 ⑤ 승낙

05 다음을 듣고, 남자가 친구에 대해 언급하지 않은 것을 고르시오.

① 이름 ② 국적 ③ 전학 온 때
④ 특기 ⑤ 가족 관계

06 대화를 듣고, 두 사람이 탈 기차 시각을 고르시오.

① 10:00 a.m. ② 10:30 a.m.
③ 11:00 a.m. ④ 11:15 a.m.
⑤ 11:50 a.m.

07 대화를 듣고, 남자의 장래 희망으로 가장 적절한 것을 고르시오.

① 미술 교사 ② 만화가
③ 건축가 ④ 게임 디자이너
⑤ 패션 디자이너

08 대화를 듣고, 남자가 할 봉사활동에 대한 내용으로 일치하지 않는 것을 고르시오.

① 이번 주 토요일에 한다.
② 봉사자가 필요 없다.
③ ABC 병원에서 한다.
④ 아이들에게 책을 읽어준다.
⑤ 아이들과 함께 노래를 부른다.

09 대화를 듣고, 남자가 대화 직후에 할 일로 가장 적절한 것을 고르시오.

① 불 줄이기 ② 물 끓이기
③ 파스타 삶기 ④ 해산물 손질하기
⑤ 토마토 사 오기

10 대화를 듣고, 무엇에 관한 내용인지 가장 적절한 것을 고르시오.

① 집 소개하기 ② 고양이 입양하기
③ 고양이 구조하기 ④ 약속 장소 정하기
⑤ 홍보 영상 만들기

11 대화를 듣고, 여자가 경주에서 이용할 교통수단으로 가장 적절한 것을 고르시오.

① 버스 ② 택시 ③ 마차
④ 자전거 ⑤ 기차

12 대화를 듣고, 여자가 뉴욕으로 휴가 가는 이유로 가장 적절한 것을 고르시오.

① 쇼핑하기 위해서
② 뮤지컬을 보기 위해서
③ 미술관에 가기 위해서
④ 영화를 촬영하기 위해서
⑤ 다양한 음식을 맛보기 위해서

13 대화를 듣고, 두 사람이 대화하는 장소로 가장 적절한 곳을 고르시오.

① 서점 ② 교실
③ 도서관 ④ 분실물 보관소
⑤ 놀이 공원

14 대화를 듣고, 버스 정류장의 위치로 가장 알맞은 것을 고르시오.

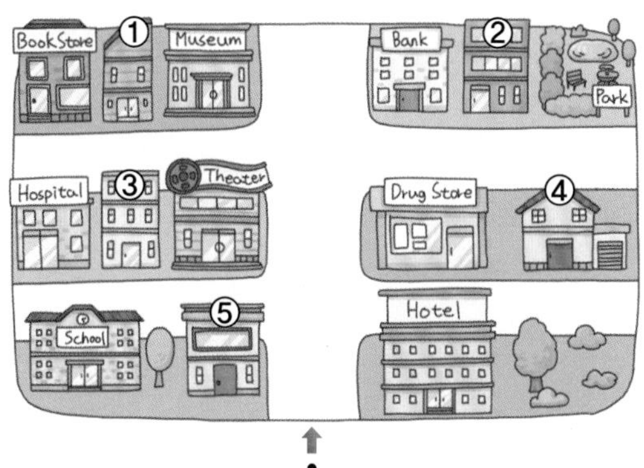

You are here!

15 대화를 듣고, 남자가 여자에게 부탁한 일로 가장 적절한 것을 고르시오.

① 창문 모두 닫기 ② 집 안에 머물기
③ 기상 특보 확인하기 ④ 자전거 들여놓기
⑤ 할머니한테 전화하기

16 대화를 듣고, 남자가 여자에게 제안한 것으로 가장 적절한 것을 고르시오.

① 이메일 쓰기
② 새 컴퓨터 사기
③ 스팸메일 열지 말기
④ 컴퓨터 바이러스 체크하기
⑤ 컴퓨터 서비스 센터 도움 받기

17 대화를 듣고, 여자가 주말에 한 일로 가장 적절한 것을 고르시오.

① 캠핑 가기 ② 등산하기 ③ 감자 심기
④ 병문안 가기 ⑤ 채소 가게 가기

18 대화를 듣고, 여자의 직업으로 가장 적절한 것을 고르시오.

① 배우 ② 작곡가 ③ 영화감독
④ 잡지사 기자 ⑤ 방송 진행자

[19-20] **대화를 듣고, 여자의 마지막 말에 이어질 남자의 말로 가장 적절한 것을 고르시오.**

19 Man: ______________________________

① That's good.
② I'm sorry, but I'm busy.
③ Can you turn off the light?
④ How's the weather tomorrow?
⑤ Stay here. I'll light a candle.

20 Man: ______________________________

① I'm very happy, too.
② I got a new dog yesterday.
③ My team won the basketball game.
④ I didn't do well on the science test.
⑤ You can do better on the next test.

Dictation 02

◇ 다시 듣고, 빈칸에 들어갈 알맞은 단어를 써보세요.

정답과 해설 p.73

01 화제 추론

다음을 듣고, 'I'가 무엇인지 가장 적절한 것을 고르시오.

① ② ③

④ ⑤

W I usually live in a cave. I look like a ____________ ____________ ____________. I fly well. I ____________ ____________ ____________ night and hunt for food. I ____________ ____________ upside down. What am I?

02 그림 정보 파악

대화를 듣고, 여자가 구입할 여행 가방으로 가장 적절한 것을 고르시오.

① ② ③

④ ⑤

M Good afternoon. May I help you?

W Yes. I'm looking for a travel bag for me.

M How about ____________ ____________ ____________ ____________?

W Well, I need a bigger one.

M Then, how about that one ____________ ____________ ____________?

W Oh, I like it. ____________ ____________ ____________.

03 날씨 파악

다음을 듣고, 금요일의 날씨로 가장 적절한 것을 고르시오.

① ② ③

④ ⑤

W Good morning! This is the weekly weather report. It'll ____________ ____________ ____________ today to Thursday. However, ____________ ____________ ____________ Friday. The rain ____________ ____________ on Saturday night, and it'll be windy on Sunday.

Listening Tip

Saturday에서 't'처럼 모음 사이에 오는 강세가 없는 음절의 [t], [d]는 /ㄹ/로 발음해요. 따라서 Saturday는 /새터데이/가 아니라 /새러데이/로 발음해요.

04 의도 파악

대화를 듣고, 남자가 한 마지막 말의 의도로 가장 적절한 것을 고르시오.

① 칭찬 ② 사과 ③ 제안
④ 거절 ⑤ 승낙

[Cell phone rings.]

M Hello.

W Hi, Uncle Ben. Can I ____________ ____________ ____________ ____________?

M Hi, Amy. What is it?

W Well, you have a big backpack, right?

M Yes, I do.

W ____________ ____________ ____________ ____________? I'm going to go to a music camp this weekend.

M Sure. ____________ ____________.

05 언급하지 않은 내용 찾기

다음을 듣고, 남자가 친구에 대해 언급하지 않은 것을 고르시오.

① 이름 ② 국적 ③ 전학 온 때
④ 특기 ⑤ 가족 관계

M ____________ ____________ ____________ my friend Nikita. She's from Russia. When she ____________ ____________ ____________ our school 3 months ago, she was a little shy. However, she became very close to us because she is friendly. She ____________ ____________ well and is captain of the team.

06 숫자 정보 파악 (시각)

대화를 듣고, 두 사람이 탈 기차 시각을 고르시오.

① 10:00 a.m. ② 10:30 a.m.
③ 11:00 a.m. ④ 11:15 a.m.
⑤ 11:50 a.m.

M Can we arrive in time?

W Of course. The train ____________ ____________ 11:15 in the morning.

M But it's already 10:30.

W The train station isn't far from here. ____________ ____________ ____________ before 11 o'clock.

M Are you sure ____________ ____________ ____________ the 11:15 train?

W Yeah. Don't worry.

07 장래 희망 파악

대화를 듣고, 남자의 장래 희망으로 가장 적절한 것을 고르시오.

① 미술 교사 ② 만화가
③ 건축가 ④ 게임 디자이너
⑤ 패션 디자이너

W You're drawing cartoons, Alex. Can I take a look at them?

M No problem.

W Wow! You're really ____________ ____________ ____________. Do you want to be a cartoonist?

M Not really. I ____________ ____________ ____________ a game designer.

W You're creative, ____________ ____________ ____________ a great game designer.

M Thank you.

08 일치하지 않는 내용 찾기

대화를 듣고, 남자가 할 봉사활동에 대한 내용으로 일치하지 않는 것을 고르시오.

① 이번 주 토요일에 한다.
② 봉사자가 필요 없다.
③ ABC 병원에서 한다.
④ 아이들에게 책을 읽어준다.
⑤ 아이들과 함께 노래를 부른다.

W Henry, what are you going to ______ ______ ______?

M Nothing special. Why?

W Our club is going to volunteer at ABC Hospital. But we ______ ______ ______.

M Okay. I'll help. What can I do?

W You can ______ ______ ______ to the children and sing together.

M Okay. No problem.

09 할 일 파악

대화를 듣고, 남자가 대화 직후에 할 일로 가장 적절한 것을 고르시오.

① 불 줄이기 ② 물 끓이기
③ 파스타 삶기 ④ 해산물 손질하기
⑤ 토마토 사 오기

Listening Tip

sound의 끝소리 [d]는 유성음이어서 /싸운드즈/로 발음하게 되지만 'nds'처럼 자음 3개가 중복될 때는 가운데 소리는 발음하지 않기 때문에 /싸운즈/로 발음하게 되지요.

M Mom, what are you ______ ______ ______?

W Seafood pasta. What do you think?

M That sounds nice. Can I help you?

W You're so sweet. Can you ______ ______ ______?

M Sure. *[Pause]* Oh, Mom! The water is boiling.

W ______ ______ ______ the heat.

M Okay, Mom.

10 주제 추론

대화를 듣고, 무엇에 관한 내용인지 가장 적절한 것을 고르시오.

① 집 소개하기 ② 고양이 입양하기
③ 고양이 구조하기 ④ 약속 장소 정하기
⑤ 홍보 영상 만들기

[Telephone rings.]

W Hello. Animal Help. How may I help you?

M My cat is ______ ______ ______, and he can't get down.

W When did he go up there?

M He went up 3 hours ago. Can you ______ ______ ______?

W Sure. Where are you?

M On Elm Street near the park.

W Okay. ______ ______ ______ in 10 minutes.

11 교통수단 찾기

대화를 듣고, 여자가 경주에서 이용할 교통수단으로 가장 적절한 것을 고르시오.

① 버스 ② 택시 ③ 마차
④ 자전거 ⑤ 기차

W I'm going to go on a trip to Gyeongju this weekend.
M Great. How are you going to get there?
W ____________ ____________.
M Okay. *Why don't you ____________ ____________ ____________ to get around Gyeongju?
W That's a good idea!
M There are many places to ____________ ____________ ____________.
W Okay. Thank you for the information.

> *** 교육부 지정 의사소통 기능: 제안하기** 동(윤) 3 | 미 2 | 능(김) 7 | 능(양) 3 | Y(박) 4
> **Why don't you ~? 너는 ~하는 게 어때?**
> • **Why don't you** join the baking club? 너는 제빵 동아리에 드는 게 어때?
> • **Why don't you** ask Mike? Mike에게 물어보는 게 어떨까?

12 이유 파악

대화를 듣고, 여자가 뉴욕으로 휴가 가는 이유로 가장 적절한 것을 고르시오.

① 쇼핑하기 위해서
② 뮤지컬을 보기 위해서
③ 미술관에 가기 위해서
④ 영화를 촬영하기 위해서
⑤ 다양한 음식을 맛보기 위해서

M Aunt Susan, where are you planning to go this vacation?
W I'm going to go to New York.
M New York? ____________ ____________ ____________ going to go there?
W I'm going ____________ ____________ a musical on Broadway. I always wanted to see one.
M That sounds fun.
W Yeah, I ____________ ____________ ____________ see it.
M Have a nice trip!

13 장소 추론

대화를 듣고, 두 사람이 대화하는 장소로 가장 적절한 곳을 고르시오.

① 서점 ② 교실
③ 도서관 ④ 분실물 보관소
⑤ 놀이 공원

M Excuse me. I'm ____________ ____________ a book.
W What book are you looking for?
M It's *River Boy*.
W Just a minute. *[Pause]* Oh, I found it. You should ____________ ____________ ____________ the fiction section.
M Thanks.
W You can get a 20% ____________ ____________ all books this week.
M Great. Thanks a lot.

14 그림 정보 파악 (길 찾기)

대화를 듣고, 버스 정류장의 위치로 가장 알맞은 것을 고르시오.

You are here!

W Excuse me. How can I get to the National Gallery?

M You can take bus number 94.

W Where is the bus stop?

M __________ __________ for two blocks and __________ __________.

W Okay.

M It's on __________ __________ __________ the bank and the park.

W Thank you.

15 부탁 파악

대화를 듣고, 남자가 여자에게 부탁한 일로 가장 적절한 것을 고르시오.

① 창문 모두 닫기
② 집 안에 머물기
③ 기상 특보 확인하기
④ 자전거 들여놓기
⑤ 할머니한테 전화하기

M Kate, can you __________ __________ __________ __________?

W What is it, Dad?

M Did you hear that a storm is coming tonight?

W Yes. So I brought in my bike from outside.

M Good. Can you call your grandmother and __________ __________ __________ the storm?

W Okay. I'll tell her __________ __________ __________.

16 제안 파악

대화를 듣고, 남자가 여자에게 제안한 것으로 가장 적절한 것을 고르시오.

① 이메일 쓰기
② 새 컴퓨터 사기
③ 스팸메일 열지 말기
④ 컴퓨터 바이러스 체크하기
⑤ 컴퓨터 서비스 센터 도움 받기

M You look worried. What's wrong?

W I think __________ __________ __________ a virus.

M Why?

W I opened an e-mail and then my computer __________ __________.

M You should __________ __________ __________ a computer service center right now.

W Okay, I will.

17 한 일 파악

대화를 듣고, 여자가 주말에 한 일로 가장 적절한 것을 고르시오.

① 캠핑 가기 ② 등산하기
③ 감자 심기 ④ 병문안 가기
⑤ 채소 가게 가기

W Hi, Kevin. How was your weekend?

M It was nice. I went on a __________ __________ __________ my friends.

W That sounds great! Did you go hiking?

M Of course. What about you?

W I visited my grandparents ____________ ____________
____________.

M What did you do with them?

W We ____________ ____________. It was really fun.

18 직업 추론

대화를 듣고, 여자의 직업으로 가장 적절한 것을 고르시오.

① 배우 ② 작곡가
③ 영화감독 ④ 잡지사 기자
⑤ 방송 진행자

M Hello, Julie King. I'm Sam Lee from *Music Week* magazine.

W Nice to meet you, Sam.

M ____________ ____________ ____________ is a big hit.

W Yes. I think I am lucky.

M You ____________ ____________ ____________
____________. Where do you get the ideas for your songs?

W I read books a lot. My ideas usually ____________
____________ ____________.

19 이어질 응답 찾기

대화를 듣고, 여자의 마지막 말에 이어질 남자의 말로 가장 적절한 것을 고르시오.

Man: ________________________

① That's good.
② I'm sorry, but I'm busy.
③ Can you turn off the light?
④ How's the weather tomorrow?
⑤ Stay here. I'll light a candle.

W Dad, I'm scared.

M It's okay, Jane.

W But it's ____________ ____________.

M It's just the wind and rain.

W Dad, won't the window break?

M Don't worry. I closed all the windows, so ____________
____________ ____________.

W *[Pause]* Oh, Dad, ____________ ____________
____________ ____________.

20 이어질 응답 찾기

대화를 듣고, 여자의 마지막 말에 이어질 남자의 말로 가장 적절한 것을 고르시오.

Man: ________________________

① I'm very happy, too.
② I got a new dog yesterday.
③ My team won the basketball game.
④ I didn't do well on the science test.
⑤ You can do better on the next test.

W Eric, ____________ ____________ ____________?

M Well, I have good news and bad news.

W What's the good news?

M I ____________ ____________ ____________ in the writing contest.

W That's great! I'm so happy to hear that.

M Thanks, Mom.

W Okay. Now, what's ____________ ____________
____________?

정답과 해설 p.79

실전 모의고사 03

점수 /20

01 다음을 듣고, 'this'가 가리키는 것으로 가장 적절한 것을 고르시오.

①  ②  ③ 

④  ⑤ 

02 대화를 듣고, 여자의 가방으로 가장 적절한 것을 고르시오.

①   ②  ③ 

④  ⑤ 

03 다음을 듣고, 수요일의 날씨로 가장 적절한 것을 고르시오.

①  ②  ③  ④  ⑤ 

04 대화를 듣고, 여자가 한 마지막 말의 의도로 가장 적절한 것을 고르시오.

① 감사 ② 동의 ③ 거절
④ 충고 ⑤ 축하

05 다음을 듣고, 여자가 배에 대해 언급하지 않은 것을 고르시오.

① 이름 ② 제작자 ③ 제작 연도
④ 재료 ⑤ 용도

06 대화를 듣고, 여자가 컴퓨터를 찾으러 올 시각을 고르시오.

① 2:30 p.m. ② 3:00 p.m. ③ 3:30 p.m.
④ 4:00 p.m. ⑤ 4:30 p.m.

07 대화를 듣고, 남자의 장래 희망으로 가장 적절한 것을 고르시오.

① 작곡가 ② 야구 감독
③ 피아니스트 ④ 음악 교사
⑤ 컴퓨터 프로그래머

08 대화를 듣고, 남자가 다녀온 콘서트에 대한 내용으로 일치하지 않는 것을 고르시오.

① 록 콘서트이다.
② 누나와 함께 갔다.
③ 무대 위 가수의 사진을 찍었다.
④ 가수와 함께 사진을 찍었다.
⑤ 음악에 맞춰 춤을 췄다.

09 대화를 듣고, 여자가 대화 직후에 할 일로 가장 적절한 것을 고르시오.

① 예매 취소하기 ② 예매 티켓 찾기
③ 영화 검색하기 ④ 팝콘 사러 가기
⑤ 영화 티켓 발권기 찾기

10 대화를 듣고, 무엇에 관한 내용인지 가장 적절한 것을 고르시오.

① 유제품의 장점 ② 요리 강습 안내
③ 팬케이크 조리법 ④ 아침식사 메뉴
⑤ 식품 안전 교육

11 대화를 듣고, 여자가 이용한 교통수단을 고르시오.

① 버스 ② 기차 ③ 자동차
④ 비행기 ⑤ 배

12 대화를 듣고, 남자가 늦은 이유로 가장 적절한 것을 고르시오.

① 사고가 나서 ② 버스를 잘못 타서
③ 버스가 늦게 와서 ④ 시간을 잘못 알아서
⑤ 열차 운행이 지연되서

13 대화를 듣고, 두 사람의 관계로 가장 적절한 것을 고르시오.

① 은행 직원 – 고객
② 도서관 사서 – 학생
③ 우체국 직원 – 고객
④ 신문 기자 – 동화 작가
⑤ 장난감 가게 직원 – 손님

14 대화를 듣고, 두 사람이 캣타워를 놓을 위치로 가장 알맞은 것을 고르시오.

15 대화를 듣고, 여자가 남자에게 부탁한 일로 가장 적절한 것을 고르시오.

① 식료품 사오기 ② 집에 일찍 오기
③ 쇼핑 목록 만들기 ④ 피자 가게 검색하기
⑤ 저녁 식사 준비하기

16 대화를 듣고, 여자가 남자에게 제안한 것으로 가장 적절한 것을 고르시오.

① 운동하기 ② 다이어트하기
③ 영양제 먹기 ④ 일찍 잠자기
⑤ 음식 골고루 먹기

17 대화를 듣고, 여자가 지난 주말에 한 일로 가장 적절한 것을 고르시오.

① 쇼핑하기 ② 영화 보기
③ 낚시하기 ④ 자전거 타기
⑤ 도서관 가기

18 대화를 듣고, 남자의 직업으로 가장 적절한 것을 고르시오.

① 의사 ② 식당 종업원
③ 버스 기사 ④ 여행사 직원
⑤ 비행기 승무원

[19-20] 대화를 듣고, 여자의 마지막 말에 이어질 남자의 말로 가장 적절한 것을 고르시오.

19 Man: ______________________________

① That's impossible.
② I don't like exercising.
③ That sounds better to me.
④ I slept early yesterday.
⑤ I'll go to bed before midnight.

20 Man: ______________________________

① I live in the village.
② I liked it very much.
③ I couldn't find it easily.
④ I came here by subway.
⑤ I hope to visit the village again.

Dictation 03

◇ 다시 듣고, 빈칸에 들어갈 알맞은 단어를 써보세요.

정답과 해설 p.79

01 화제 추론

다음을 듣고, 'this'가 가리키는 것으로 가장 적절한 것을 고르시오.

① ② ③ ④ ⑤

M You need this in ________ ________. This ________ ________ ________. You can use this when you get lost in the forest ________ ________. Also, you can use your cell phone ________ ________ ________. What is this?

02 그림 정보 파악

대화를 듣고, 여자의 가방으로 가장 적절한 것을 고르시오.

① ② ③ ④ ⑤

W I think I left my bag at your home yesterday. Did you see it?

M No. *What does it look like?

W Well, ________ ________ ________ on it.

M Is it square or round?

W It's ________ ________ ________.

M Okay. I'll go home and look for it.

> ＊ 교육부 지정 의사소통 기능: **외모 묻고 답하기** 동(이) 3 | 지 6
>
> **What does ~ look like?** ~은 어떻게 생겼니?
>
> A: **What does** the woman **look like?** 그 여자는 어떻게 생겼니?
> B: She is tall and has brown eyes. 그녀는 키가 크고 갈색 눈을 가졌어.
>
> A: **What does** your cat **look like?** 너의 고양이는 어떻게 생겼니?
> B: It is white and has a long tail. 흰색이고 꼬리가 길어.

03 날씨 파악

다음을 듣고, 수요일의 날씨로 가장 적절한 것을 고르시오.

① ② ③ ④ ⑤

W Good morning, everyone. This is Kate with the weather report. ________ ________, and we expect rain and strong winds. This ________ ________ ________ tomorrow afternoon. On Wednesday, we'll have nice weather ________ ________ ________. Thank you.

04 의도 파악

대화를 듣고, 여자가 한 마지막 말의 의도로 가장 적절한 것을 고르시오.

① 감사 ② 동의 ③ 거절
④ 충고 ⑤ 축하

W Minho, you are good at drawing.

M Thanks. ________ ________ ________ drawing.

W How about entering an art contest?

M Actually, I did. And today, I heard that I ____________ ____________ ____________.

W Wow! ____________ ____________. Congratulations!

05 언급하지 않은 내용 찾기

다음을 듣고, 여자가 배에 대해 언급하지 않은 것을 고르시오.

① 이름 ② 제작자 ③ 제작 연도
④ 재료 ⑤ 용도

Listening Tip
famous ship처럼 단어의 끝 자음과 첫 자음의 소리가 같은 경우, 하나를 생략하고 /페이머쉽/처럼 발음해요.

W Let me introduce a famous ship from the Joseon Dynasty. ____________ ____________ of it was the Turtle Ship. General Yi Sun Shin ____________ ____________ ____________ 1590. He used pine trees to make the ship. 150 people could ____________ ____________ ____________ ____________.

06 숫자 정보 파악 (시각)

대화를 듣고, 여자가 컴퓨터를 찾으러 올 시각을 고르시오.

① 2:30 p.m. ② 3:00 p.m.
③ 3:30 p.m. ④ 4:00 p.m.
⑤ 4:30 p.m.

M Good morning. How can I help you?

W My computer is broken. Could ____________ ____________ ____________ now?

M Well, I'm busy right now. I will have time to look at it after 2 p.m.

W When will it be ready?

M It will ____________ ____________ ____________ 4:30. You should come then.

W That's great. I'll ____________ ____________ ____________ 4:30.

07 장래 희망 파악

대화를 듣고, 남자의 장래 희망으로 가장 적절한 것을 고르시오.

① 작곡가 ② 야구 감독
③ 피아니스트 ④ 음악 교사
⑤ 컴퓨터 프로그래머

W What do you want to be ____________ ____________ ____________?

M When I was a child, I was always ____________ ____________ ____________.

W Computers? Then do you want to be a computer programmer?

M Yes, I ____________ ____________ ____________ useful programs.

W I hope your dream comes true.

08 일치하지 않는 내용 찾기

대화를 듣고, 남자가 다녀온 콘서트에 대한 내용으로 일치하지 않는 것을 고르시오.

① 록 콘서트이다.
② 누나와 함께 갔다.
③ 무대 위 가수의 사진을 찍었다.
④ 가수와 함께 사진을 찍었다.
⑤ 음악에 맞춰 춤을 췄다.

W Did you go to the rock concert?

M Yes, it was exciting! I ____________ ____________ my older sister. We took photos of the singers on the stage.

W Did you ____________ ____________ ____________ ____________ them?

M No. Instead, I bought some pictures of them.

W What else did you do?

M I ____________ ____________ the music.

09 할 일 파악

대화를 듣고, 여자가 대화 직후에 할 일로 가장 적절한 것을 고르시오.

① 예매 취소하기
② 예매 티켓 찾기
③ 영화 검색하기
④ 팝콘 사러 가기
⑤ 영화 티켓 발권기 찾기

W Excuse me. Do you know how to use this machine?

M Sure. First, push the button for your ____________ ____________.

W What should I ____________ ____________ ____________?

M Push the "print" button. And then, you can get the tickets.

W *[Pause]* Oh, here are the tickets. Where can ____________ ____________ ____________?

M ____________ ____________ the stairs over there. Hurry. There is a long line.

W Oh, okay. I'll go down the stairs now and get popcorn.

10 주제 추론

대화를 듣고, 무엇에 관한 내용인지 가장 적절한 것을 고르시오.

① 유제품의 장점 ② 요리 강습 안내
③ 팬케이크 조리법 ④ 아침식사 메뉴
⑤ 식품 안전 교육

W How delicious! Can you tell me how to ____________ ____________ ____________?

M It's easy. First, put flour into a bowl.

W What do I do next?

M Add 2 eggs and some milk, and ____________ ____________ ____________.

W And then?

M Pour it into a pan and then fry it. When it is done, add some syrup or jam. Delicious pancakes ____________ ____________ ____________.

11 교통수단 찾기

대화를 듣고, 여자가 이용한 교통수단을 고르시오.

① 버스 ② 기차 ③ 자동차
④ 비행기 ⑤ 배

M *What did you do last weekend?

W I went on a trip to Jeju-do.

M How did you get there?

W I ____________ ____________ ____________ from Busan on Friday night. There were many interesting events ____________ ____________ ____________.

M How long did it take?

W About 12 hours. I think one time is enough. I'm going to ____________ ____________ ____________ next time.

* 교육부 지정 의사소통 기능: **과거 사실 묻고 답하기** 동(이) 4 | 천(이) 5 | 미 4 | Y(박) 3

What did you do ~? 너는 ~에 무엇을 했니?

A: **What did you do** yesterday? 너는 어제 무엇을 했니?
B: I played baseball with my friends. 나는 친구들과 야구를 했어.

A: **What did you do** last Saturday? 너는 지난 토요일에 무엇을 했니?
B: I volunteered at the nursing home. 나는 양로원에서 자원봉사를 했어.

12 이유 파악

대화를 듣고, 남자가 늦은 이유로 가장 적절한 것을 고르시오.

① 사고가 나서
② 버스를 잘못 타서
③ 버스가 늦게 와서
④ 시간을 잘못 알아서
⑤ 열차 운행이 지연되서

W You are almost an hour late.

M Sorry. Is the club meeting over already?

W Yes, it was over 30 minutes ago. Why are you late?

M ____________ ____________ ____________ ____________ on the street, so the bus didn't ____________ ____________ ____________.

W Why didn't you take the subway?

M The subway station isn't ____________ ____________ ____________.

13 관계 추론

대화를 듣고, 두 사람의 관계로 가장 적절한 것을 고르시오.

① 은행 직원 – 고객
② 도서관 사서 – 학생
③ 우체국 직원 – 고객
④ 신문 기자 – 동화 작가
⑤ 장난감 가게 직원 – 손님

W How may I help you?

M ____________ ____________ ____________ ____________ this package to Kingston town.

W What is in it?

M Some books and toys for children.

W Okay. ____________ ____________ ____________ here, please. *[Pause]* ____________ ____________ 5 kilograms. How would you like to send this?

M By express mail.

W Okay, that's $10.

14 그림 정보 파악 (위치 찾기)

대화를 듣고, 두 사람이 캣타워를 놓을 위치로 가장 알맞은 것을 고르시오.

① ② ③ ④ ⑤

W Where should we put the cat tower?

M How about putting it ____________ ____________ ____________?

W No. It's too dark there.

M Let's ____________ ____________ ____________ the wall, then.

W Which wall?

M I mean ____________ ____________ ____________ the 2 windows. The cats can look out the windows.

W That's a good idea.

15 부탁 파악

대화를 듣고, 여자가 남자에게 부탁한 일로 가장 적절한 것을 고르시오.

① 식료품 사오기
② 집에 일찍 오기
③ 쇼핑 목록 만들기
④ 피자 가게 검색하기
⑤ 저녁 식사 준비하기

M I'll go to the market this afternoon.

W Can you ____________ ____________ ____________ ____________ for me?

M Sure. ____________ ____________ ____________ ____________?

W I need some cheese and onions. I'll make a pizza.

M Is that all?

W I need some tomatoes, too.

M Okay. I'll write them on ____________ ____________ ____________.

16 제안 파악

대화를 듣고, 여자가 남자에게 제안한 것으로 가장 적절한 것을 고르시오.

① 운동하기 ② 다이어트하기
③ 영양제 먹기 ④ 일찍 잠자기
⑤ 음식 골고루 먹기

W You look worried, Eric.

M Mom, I'm too short. How can I ____________ ____________?

W You're not short for your age.

M Well, I want to be ____________ ____________ ____________ my brother.

W Try to ____________ ____________ ____________ of food. I'm sure you'll grow much more next year.

M Okay, I will.

17 한 일 파악

대화를 듣고, 여자가 지난 주말에 한 일로 가장 적절한 것을 고르시오.

① 쇼핑하기 ② 영화 보기
③ 낚시하기 ④ 자전거 타기
⑤ 도서관 가기

W I go out ____________ ____________.

M What do you do when you go out?

W I usually go shopping, ride a bike, or see a movie with my friends.

M What did you ____________ ____________ ____________?

W I ____________ ____________ ____________ my dad. It was interesting.

M I'm sure you had a good time.

18 직업 추론

대화를 듣고, 남자의 직업으로 가장 적절한 것을 고르시오.

① 의사 ② 식당 종업원
③ 버스 기사 ④ 여행사 직원
⑤ 비행기 승무원

W Good evening.

M Good evening. Do you ____________ ____________ ____________?

W Yes. ____________ ____________ ____________ 4 at 7 o'clock.

M Oh, yes. Are you Ms. Davis?

W That's right.

M Your table is ready, ma'am. ____________ ____________ ____________, please.

19 이어질 응답 찾기

대화를 듣고, 여자의 마지막 말에 이어질 남자의 말로 가장 적절한 것을 고르시오.

Man: ______________________________

① That's impossible.
② I don't like exercising.
③ That sounds better to me.
④ I slept early yesterday.
⑤ I'll go to bed before midnight.

W Nick, why don't ____________ ____________ ____________ in the morning?

M Well, getting up early is very hard for me.

W Exercising in the morning is ____________ ____________ ____________ ____________.

M I know, Mom, but I don't have much time in the morning.

W How about going jogging ____________ ____________ ____________ after dinner, then?

20 이어질 응답 찾기

대화를 듣고, 여자의 마지막 말에 이어질 남자의 말로 가장 적절한 것을 고르시오.

Man: ______________________________

① I live in the village.
② I liked it very much.
③ I couldn't find it easily.
④ I came here by subway.
⑤ I hope to visit the village again.

W Excuse me, how can I get to Buckchon Hanok Village?

M Oh, I'm ____________ ____________, too. Come with me.

W Great. How long will it take from here?

M 10 minutes. There are ____________ ____________ ____________ to take pictures.

W ____________ ____________ ____________ ____________ that?

정답과 해설 p.85

실전 모의고사 04

점수 /20

01 다음을 듣고, 'I'가 무엇인지 가장 적절한 것을 고르시오.

①  ②  ③ 

④ ⑤ 

02 대화를 듣고, 남자가 구입할 장갑으로 가장 적절한 것을 고르시오.

① 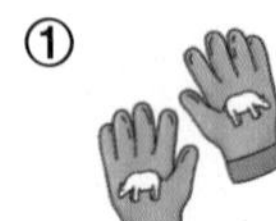 ②  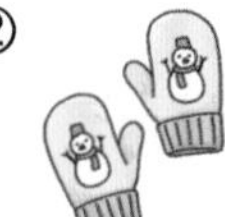 ③  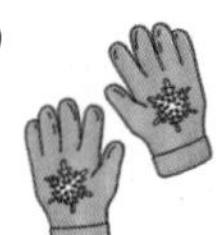

④ ⑤ 

03 다음을 듣고, 베이징의 오늘 날씨로 가장 적절한 것을 고르시오.

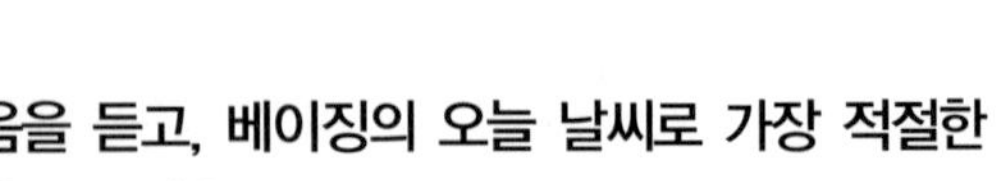

① ② ③ ④ ⑤

04 대화를 듣고, 남자가 한 마지막 말의 의도로 가장 적절한 것을 고르시오.

① 제안 ② 사과 ③ 부탁
④ 의심 ⑤ 충고

05 다음을 듣고, 여자가 과학 캠프에 대해 언급하지 않은 것을 고르시오.

① 지도 교사 ② 장소 ③ 준비물
④ 일시 ⑤ 활동 내용

06 대화를 듣고, 두 사람이 만날 시각을 고르시오.

① 9:00 a.m. ② 10:30 a.m.
③ 11:00 a.m. ④ 6:00 p.m.
⑤ 6:30 p.m.

07 대화를 듣고, 남자의 장래 희망으로 가장 적절한 것을 고르시오.

① 경찰관 ② 소방관 ③ 간호사
④ 수의사 ⑤ 동물 훈련사

08 대화를 듣고, 여자가 다녀온 여행에 대한 내용으로 일치하지 않는 것을 고르시오.

① 방콕에 다녀왔다. ② 이모와 함께 갔다.
③ 왕궁을 방문했다. ④ 시장에 갔다.
⑤ 길거리 음식을 먹었다.

09 대화를 듣고, 여자가 대화 직후에 할 일로 가장 적절한 것을 고르시오.

① 숙제하기 ② 저녁 먹기
③ 설거지하기 ④ 자러 가기
⑤ 보드게임 가르치기

10 대화를 듣고, 무엇에 관한 내용인지 가장 적절한 것을 고르시오.

① 도서관 대여 수칙 ② 건강 유지 방법
③ 여름 캠프 신청 ④ 여름 방학 계획
⑤ 효과적인 독서 방법

11 대화를 듣고, 남자가 이용할 교통수단으로 가장 적절한 것을 고르시오.

① 도보 ② 버스 ③ 택시
④ 지하철 ⑤ 자전거

12 대화를 듣고, 남자가 정원을 만든 이유로 가장 적절한 것을 고르시오.

① 직업 체험을 하기 위해서
② 원예 농가를 도와주기 위해서
③ 집 앞을 예쁘게 꾸미기 위해서
④ 동물들이 쉴 곳을 마련하기 위해서
⑤ 쓰레기를 버리지 않도록 하기 위해서

13 대화를 듣고, 두 사람이 대화하는 장소로 가장 적절한 곳을 고르시오.

① 옷가게 ② 분실물 센터
③ 옷 수선집 ④ 자전거 수리점
⑤ 동물 병원

14 대화를 듣고, 서점의 위치로 가장 알맞은 것을 고르시오.

15 대화를 듣고, 여자가 남자에게 부탁한 일로 가장 적절한 것을 고르시오.

① 함께 쇼핑하기 ② 우유 사 오기
③ 세탁물 찾아오기 ④ 저녁 식사 준비하기
⑤ 집에 일찍 들어오기

16 대화를 듣고, 여자가 남자에게 제안한 것으로 가장 적절한 것을 고르시오.

① 지하철 타기 ② 일찍 일어나기
③ 함께 축구장 가기 ④ 버스 시간 확인하기
⑤ 아빠에게 전화하기

17 대화를 듣고, 남자가 일요일에 한 일로 가장 적절한 것을 고르시오.

① 외식하기 ② 요리하기 ③ TV 보기
④ 산책하기 ⑤ 축구하기

18 대화를 듣고, 남자의 직업으로 가장 적절한 것을 고르시오.

① 약사 ② 식당 종업원
③ 교통경찰 ④ 비행기 승무원
⑤ 호텔 직원

[19-20] 대화를 듣고, 남자의 마지막 말에 이어질 여자의 말로 가장 적절한 것을 고르시오.

19 Woman: ______________________

① I'm sorry to hear that.
② My eyes are getting worse.
③ That is not good for your eyes.
④ Eating carrots is good for your eyes.
⑤ You should get up early in the morning.

20 Woman: ______________________

① Show it to me later.
② Don't throw them away.
③ I'll make a shopping bag.
④ It's also good for the earth.
⑤ You're good at recycling old clothes.

Dictation 04

◇ 다시 듣고, 빈칸에 들어갈 알맞은 단어를 써보세요.

정답과 해설 p.85

01 화제 추론

다음을 듣고, 'I'가 무엇인지 가장 적절한 것을 고르시오.

① ② ③ ④ ⑤

M I am a very large animal. I have a pointed mouth. I am ____________ ____________ and often friendly to humans. I live in the sea but I ____________ ____________ ____________. *I'm good at swimming and ____________ ____________ ____________ the water. What am I?

> ✽ 교육부 지정 의사소통 기능: **잘 하는 것 말하기** 동(이) 1
>
> **I'm good at ~. 나는 ~을 잘 해.**
>
> • **I'm good at** singing. 나는 노래를 잘 해.
> • **I'm good at** writing. 나는 글쓰기를 잘 해.

02 그림 정보 파악

대화를 듣고, 남자가 구입할 장갑으로 가장 적절한 것을 고르시오.

① ② ③ ④ ⑤

W Paul, are you going to go to Lisa's birthday party?

M Yes. What should I buy for her?

W ____________ ____________ ____________? I bought a hat with a bear on it.

M Good! Then I'll ____________ ____________ ____________ ____________ penguins.

W Great! I think ____________ ____________ ____________.

03 날씨 파악

다음을 듣고, 베이징의 오늘 날씨로 가장 적절한 것을 고르시오.

① ② ③ ④ ⑤

M Good morning! Welcome to today's world weather forecast. ____________ ____________ ____________ in Tokyo. In Beijing, there will be ____________ ____________ ____________ ____________. Moscow will be windy and cold. London will be ____________ ____________ ____________.

04 의도 파악

대화를 듣고, 남자가 한 마지막 말의 의도로 가장 적절한 것을 고르시오.

① 제안 ② 사과 ③ 부탁
④ 의심 ⑤ 충고

W Jake, *what are you going to do tomorrow?

M I'm going to go to An-dong.

W Great. Is it ____________ ____________ ____________ there?

M Yes. I'm so ____________ ____________ ____________ a folk village.

W Try the mask dance there, too. It'll be fun.

M Mask dance? ____________ ____________ ____________ more about it?

＊ 교육부 지정 의사소통 기능: 계획 묻고 답하기 능(김) 2 | Y(송) 9

What are you going to ~? 너는 무엇을 할 예정이니?
– I'm going to ~. 나는 ~하려고 해.

A: **What are you going to** do this weekend? 너는 주말에 뭐 할 거야?
B: **I'm going to** get a haircut. 나는 머리 자를 거야.

A: **What are you going** to do after school? 너는 방과 후에 뭐 할 거야?
B: **I'm going to** go swimming. 나는 수영하러 갈 거야.

05 언급하지 않은 내용 찾기

다음을 듣고, 여자가 과학 캠프에 대해 언급하지 않은 것을 고르시오.

① 지도 교사 ② 장소 ③ 준비물
④ 일시 ⑤ 활동 내용

W Hello, students! Let me tell you about the winter science camp. Mr. John Carter ____________ ____________ this year's camp. The camp ____________ ____________ ____________ ____________ the science museum from January 2nd to 6th. You'll have a chance to design ____________ ____________ ____________.

06 숫자 정보 파악 (시각)

대화를 듣고, 두 사람이 만날 시각을 고르시오.

① 9:00 a.m. ② 10:30 a.m.
③ 11:00 a.m. ④ 6:00 p.m.
⑤ 6:30 p.m.

W Ben, I have good news.

M What is it?

W I can ____________ ____________ ____________ you this Saturday.

M Great. But what happened to your family lunch?

W We moved ____________ ____________ ____________ at 6:30.

M Then ____________ ____________ ____________ 9 o'clock in the morning.

W Okay. See you then.

07 장래 희망 파악

대화를 듣고, 남자의 장래 희망으로 가장 적절한 것을 고르시오.

① 경찰관 ② 소방관
③ 간호사 ④ 수의사
⑤ 동물 훈련사

M What do you want to be in the future?

W I'm not sure yet.

M Well, what are you interested in?

W I'm interested in protecting ____________ ____________ ____________.

M Then ____________ ____________ ____________ a police officer?

W That's a good idea. How about you?

M I want to be ______ ______ ______ and help sick animals.

08 일치하지 않는 내용 찾기

대화를 듣고, 여자가 다녀온 여행에 대한 내용으로 일치하지 않는 것을 고르시오.

① 방콕에 다녀왔다.
② 이모와 함께 갔다.
③ 왕궁을 방문했다.
④ 시장에 갔다.
⑤ 길거리 음식을 먹었다.

Listening Tip
try에서처럼 'r' 바로 앞에 있는 't'는 /추/에 가깝게 발음해요. 따라서 try는 /트라이/가 아니라 /추롸이/로 발음하는 경우가 많아요.

M How was your summer break?

W It was great! I visited Bangkok ______ ______ ______.

M That's nice. What did you do there?

W I went to a ______ ______.

M Did you go to a market, too?

W ______, ______ ______.

M Did you try ______ ______ ______?

W Of course. I liked them a lot.

09 할 일 파악

대화를 듣고, 여자가 대화 직후에 할 일로 가장 적절한 것을 고르시오.

① 숙제하기 ② 저녁 먹기
③ 설거지하기 ④ 자러 가기
⑤ 보드게임 가르치기

W Dad, why don't we play ______ ______ ______?

M Did you finish your homework?

W Yes. I finished it before dinner.

M Good. But I don't know ______ ______ ______ this game.

W It's okay. ______ ______ ______.

M Okay. Let's do it.

10 주제 추론

대화를 듣고, 무엇에 관한 내용인지 가장 적절한 것을 고르시오.

① 도서관 대여 수칙
② 건강 유지 방법
③ 여름 캠프 신청
④ 여름 방학 계획
⑤ 효과적인 독서 방법

W Bill, what are you doing?

M I'm making my daily schedule for ______ ______ ______.

W So what time are you planning to get up?

M I'll get up at 8 every day ______ ______ ______.

W What is this "reading time"?

M I'll go to the library and ______ ______ ______. My goal for this summer break is reading 10 books.

W Good for you.

11 교통수단 찾기

대화를 듣고, 남자가 이용할 교통수단으로 가장 적절한 것을 고르시오.

① 도보 ② 버스 ③ 택시
④ 지하철 ⑤ 자전거

M Excuse me. How can I get to the African Art Museum?
W It's a little ____________ ____________ ____________. You can't get there on foot.
M Then, can I take the bus?
W No, there's ____________ ____________ ____________ ____________. You should take a taxi.
M Okay. I'll ____________ ____________ ____________. Thank you.

12 이유 파악

대화를 듣고, 남자가 정원을 만든 이유로 가장 적절한 것을 고르시오.

① 직업 체험을 하기 위해서
② 원예 농가를 도와주기 위해서
③ 집 앞을 예쁘게 꾸미기 위해서
④ 동물들이 쉴 곳을 마련하기 위해서
⑤ 쓰레기를 버리지 않도록 하기 위해서

M How do you like this garden?
W It's a small garden, but it's beautiful.
M I made the garden and planted these flowers because people often ____________ ____________ ____________.
W Really? That was ____________ ____________ ____________! That's why ____________ ____________ ____________ ____________ trash here now.
M I'm glad I made a little change.

13 장소 추론

대화를 듣고, 두 사람이 대화하는 장소로 가장 적절한 곳을 고르시오.

① 옷가게 ② 분실물 센터
③ 옷 수선집 ④ 자전거 수리점
⑤ 동물 병원

Listening Tip
this shirt에서처럼 앞 단어가 [s] 소리로 끝나고 이어지는 단어의 첫 소리가 [ʃ]일 때는 앞 단어의 [s] 소리는 발음하지 않아요. 그래서 this shirt는 /디스 셔츠/가 아니라 /디셔츠/처럼 발음해요.

M Hello. How may I help you?
W Hi. These pants are too long for me. Can you ____________ ____________ ____________?
M Sure. Anything else?
W The zipper on this shirt ____________ ____________.
M I ____________ ____________ ____________, too.
W Thanks. How much will it be?
M It will be $35.

14 그림 정보 파악 (길 찾기)

대화를 듣고, 서점의 위치로 가장 알맞은 것을 고르시오.

Bank ① School ② ③ Theater ④ Library Flower Shop ⑤

You are here!

M I need a science book to do my homework.
W A new bookstore opened near here.
M Really? How can I get there?
W Go straight and ____________ ____________ ____________ the first corner. It's ____________ ____________ ____________.

M Then, is ____________ ____________ ____________ the theater?

W That's right. You can't miss it.

15 부탁 파악

대화를 듣고, 여자가 남자에게 부탁한 일로 가장 적절한 것을 고르시오.

① 함께 쇼핑하기 ② 우유 사 오기
③ 세탁물 찾아오기 ④ 저녁 식사 준비하기
⑤ 집에 일찍 들어오기

M Mom, I'm going out to the supermarket to ____________ ____________ ____________.

W Okay. Then ____________ ____________ ____________ you a favor?

M Sure. What is it?

W Can you ____________ ____________ ____________ ____________ from the dry cleaner's, too?

M No problem.

16 제안 파악

대화를 듣고, 여자가 남자에게 제안한 것으로 가장 적절한 것을 고르시오.

① 지하철 타기
② 일찍 일어나기
③ 함께 축구장 가기
④ 버스 시간 확인하기
⑤ 아빠에게 전화하기

W What's the hurry, Mike?

M I'm late for a baseball game. I might ____________ ____________ ____________.

W Why don't you take the subway? ____________ ____________ ____________ the bus.

M But the subway station is too far.

W I can drive you to ____________ ____________ ____________.

M Thanks, Mom.

17 한 일 파악

대화를 듣고, 남자가 일요일에 한 일로 가장 적절한 것을 고르시오.

① 외식하기 ② 요리하기
③ TV 보기 ④ 산책하기
⑤ 축구하기

M Kate, how was your Sunday?

W It was so boring because it ____________ ____________ ____________.

M So what did you do?

W I just ate, slept, and watched TV. How about you?

M I ____________ ____________ ____________ my friends.

W Did you play soccer in the rain?

M Yes, but it was ____________ ____________ ____________ ____________.

18 직업 추론

대화를 듣고, 남자의 직업으로 가장 적절한 것을 고르시오.

① 약사 ② 식당 종업원
③ 교통경찰 ④ 비행기 승무원
⑤ 호텔 직원

M How can I help you?

W Can I have some water? I ____________ ____________ ____________ my medicine.

M Of course, ma'am. For now, please take your seat. After the ____________ ____________ ____________, I'll help you with that.

W Thank you. And could ____________ ____________ ____________ a blanket?

M Sure.

19 이어질 응답 찾기

대화를 듣고, 남자의 마지막 말에 이어질 여자의 말로 가장 적절한 것을 고르시오.

Woman: ______________________

① I'm sorry to hear that.
② My eyes are getting worse.
③ That is not good for your eyes.
④ Eating carrots is good for your eyes.
⑤ You should get up early in the morning.

W Jack, what's wrong? Your eyes are red.

M I ____________ ____________ ____________ last night.

W Why?

M I ____________ ____________ ____________ on my cell phone until 3 a.m.

W Did you watch it ____________ ____________ ____________?

M Yes, I did.

20 이어질 응답 찾기

대화를 듣고, 남자의 마지막 말에 이어질 여자의 말로 가장 적절한 것을 고르시오.

Woman: ______________________

① Show it to me later.
② Don't throw them away.
③ I'll make a shopping bag.
④ It's also good for the earth.
⑤ You're good at recycling old clothes.

W Jim, are you going to ____________ ____________ ____________ away?

M Yeah, they are too old.

W Can I have them?

M Sure, but what will ____________ ____________ ____________ ____________?

W I want to recycle these jeans.

M Oh, really? What are you going to ____________ ____________ ____________?

정답과 해설 p.91

실전 모의고사 05

점수 /20

01 다음을 듣고, 'this'가 가리키는 것으로 가장 적절한 것을 고르시오.

①  ②  ③ 

④  ⑤ 

02 대화를 듣고, 여자가 구입한 운동화로 가장 적절한 것을 고르시오.

①   ②  ③ 

④  ⑤ 

03 다음을 듣고, 일요일의 날씨로 가장 적절한 것을 고르시오.

① ② ③ ④ ⑤

04 대화를 듣고, 남자가 한 마지막 말의 의도로 가장 적절한 것을 고르시오.

① 칭찬 ② 거절 ③ 당부
④ 위로 ⑤ 기대

05 다음을 듣고, 남자가 정원에 대해 언급하지 않은 것을 고르시오.

① 위치 ② 만든 사람 ③ 만든 시기
④ 연못의 위치 ⑤ 꽃의 종류

06 대화를 듣고, 두 사람이 만날 시각을 고르시오.

① 1:00 p.m. ② 1:30 p.m. ③ 2:00 p.m.
④ 2:30 p.m. ⑤ 3:00 p.m.

07 대화를 듣고, 여자의 장래 희망으로 가장 적절한 것을 고르시오.

① 카 레이서 ② 만화가
③ 동화 작가 ④ 자동차 디자이너
⑤ 자동차 정비사

08 대화를 듣고, 여자가 간 파티에 대한 내용으로 일치하지 않는 것을 고르시오.

① 크리스마스 파티였다.
② 음식 종류가 많았다.
③ 여자는 바이올린을 연주했다.
④ 춤을 춘 사람들도 있었다.
⑤ 파티는 10시에 끝났다.

09 대화를 듣고, 여자가 대화 직후에 할 일로 가장 적절한 것을 고르시오.

① 문 수리하기 ② 강아지 사진 찍기
③ 포스터 만들기 ④ 경찰서에 신고하기
⑤ 강아지 장난감 사기

10 대화를 듣고, 무엇에 관한 내용인지 가장 적절한 것을 고르시오.

① 초대장 작성법 ② 자원 절약 방법
③ 우편 요금 안내 ④ 이메일의 장점
⑤ 손 편지를 쓰는 이유

11 대화를 듣고, 여자가 이용할 교통수단을 고르시오.

① 버스 ② 자동차 ③ 지하철
④ 자전거 ⑤ 오토바이

12 대화를 듣고, 여자가 팔을 다친 이유로 가장 적절한 것을 고르시오.

① 차 사고가 나서 ② 빙판에 넘어져서
③ 자전거와 부딪쳐서 ④ 나무에 부딪쳐서
⑤ 계단에서 넘어져서

13 대화를 듣고, 두 사람의 관계로 가장 적절한 것을 고르시오.

① 경찰관 – 운전자
② 호텔 직원 – 투숙객
③ 여행 가이드 – 관광객
④ 면세점 직원 – 손님
⑤ 입국 심사원 – 여행객

14 대화를 듣고, 여자가 찾고 있는 지갑의 위치로 가장 알맞은 것을 고르시오.

15 대화를 듣고, 여자가 남자에게 부탁한 일로 가장 적절한 것을 고르시오.

① TV 수리하기
② 책 빌려주기
③ 전시회 데려다 주기
④ 전시회 표 예매하기
⑤ 미술 과제 도와주기

16 대화를 듣고, 여자가 남자에게 제안한 것으로 가장 적절한 것을 고르시오.

① 일찍 일어나기 ② 걷기 운동하기
③ 제때 식사하기 ④ 걸어서 학교 가기
⑤ 농구 연습하기

17 대화를 듣고, 남자가 휴일에 한 일로 가장 적절한 것을 고르시오.

① 거실 청소하기 ② 테니스 배우기
③ 봉사활동 하기 ④ 자전거 여행하기
⑤ 아르바이트 하기

18 대화를 듣고, 남자의 직업으로 가장 적절한 것을 고르시오.

① 의사 ② 약사 ③ 수의사
④ 경찰관 ⑤ 소방관

[19-20] 대화를 듣고, 여자의 마지막 말에 이어질 남자의 말로 가장 적절한 것을 고르시오.

19 Man: ______________________

① I don't feel very well.
② You did a good job.
③ I'll help you with it.
④ I hope you'll get well soon.
⑤ I didn't do my science homework.

20 Man: ______________________

① Help yourself.
② It's very delicious.
③ I want to eat pizza.
④ I made this for you.
⑤ It's good for your health.

Dictation 05

◇ 다시 듣고, 빈칸에 들어갈 알맞은 단어를 써보세요.

정답과 해설 p.91

01 화제 추론

다음을 듣고, 'this'가 가리키는 것으로 가장 적절한 것을 고르시오.

① ② ③ ④ ⑤

M People make this with ____________ ____________ ____________. It comes in different sizes and shapes. You can ____________ ____________ and ____________ ____________ in your bag. In summer, you wave this and you'll ____________ ____________. What is this?

02 그림 정보 파악

대화를 듣고, 여자가 구입한 운동화로 가장 적절한 것을 고르시오.

① ② ③ ④ ⑤

M May I help you?

W Yes, I'm looking for sneakers ____________ ____________.

M How about these ones with flowers?

W They're nice, but I don't like flowers.

M Then, what about these ones ____________ ____________?

W They're perfect. Can I ____________ ____________ ____________?

M Sure. Go ahead.

W They are great. I'll ____________ ____________.

03 날씨 파악

다음을 듣고, 일요일의 날씨로 가장 적절한 것을 고르시오.

① ② ③ ④ ⑤

M Good morning, everyone. This is the weekly weather forecast. This week, it's going to ____________ ____________ and a little ____________. Luckily, it'll ____________ ____________ on Friday night. However, it'll ____________ ____________ on Sunday. Thank you for joining us.

04 의도 파악

대화를 듣고, 남자가 한 마지막 말의 의도로 가장 적절한 것을 고르시오.

① 칭찬 ② 거절 ③ 당부
④ 위로 ⑤ 기대

M Happy birthday, Susie. This is a present for you.

W Thank you. Can I ____________ ____________ now?

M Sure. Go ahead.

W Oh, what a beautiful dish!

M I'm glad you like it.

W I'll __________ __________ for you and put it in this dish.

M I __________ __________ __________ try it.

05 언급하지 않은 내용 찾기

다음을 듣고, 남자가 정원에 대해 언급하지 않은 것을 고르시오.

① 위치 ② 만든 사람
③ 만든 시기 ④ 연못의 위치
⑤ 꽃의 종류

M There is a garden in __________ __________. My father built it 5 years ago. He made a small pond __________ __________ __________ of the garden, too. There are lots of beautiful flowers __________ __________ __________. I like to play there.

06 숫자 정보 파악 (시각)

대화를 듣고, 두 사람이 만날 시각을 고르시오.

① 1:00 p.m. ② 1:30 p.m.
③ 2:00 p.m. ④ 2:30 p.m.
⑤ 3:00 p.m.

M Can you come to my school festival this Saturday?

W Sure.

M __________ __________ do you want to come?

W I have a cello lesson in the morning. So I can come at 1:30.

M Can __________ __________ __________ 2 instead? I have a club meeting until 1:45.

W Okay. __________ __________ __________.

07 장래 희망 파악

대화를 듣고, 여자의 장래 희망으로 가장 적절한 것을 고르시오.

① 카 레이서 ② 만화가
③ 동화 작가 ④ 자동차 디자이너
⑤ 자동차 정비사

M What are you doing, Betty?

W I'm drawing cars.

M *Are you interested in cars?

W Yes. My father works for a car company, so I looked at __________ __________ __________ __________.

M What do you want to do in the future?

W I want to __________ __________. I'll make nice sports cars.

*** 교육부 지정 의사소통 기능: 관심 여부 묻기** Y(박) 3

Are you interested in ~? 너는 ~에 관심이 있니?

- **Are you interested in** sports? 너는 스포츠에 관심이 있니?
- **Are you interested in** music? 너는 음악에 관심이 있니?

08 일치하지 않는 내용 찾기

대화를 듣고, 여자가 간 파티에 대한 내용으로 일치하지 않는 것을 고르시오.

① 크리스마스 파티였다.
② 음식 종류가 많았다.
③ 여자는 바이올린을 연주했다.
④ 춤을 춘 사람들도 있었다.
⑤ 파티는 10시에 끝났다.

M Rose, I'm sorry I missed the party. How was it?
W It's all right. The ____________ ____________ was really fun. There were ____________ ____________ ____________ food.
M What did you do there?
W I played the guitar, and ____________ ____________ ____________ to the music.
M What time was ____________ ____________ ____________?
W At 10 p.m.

09 할 일 파악

대화를 듣고, 여자가 대화 직후에 할 일로 가장 적절한 것을 고르시오.

① 문 수리하기 ② 강아지 사진 찍기
③ 포스터 만들기 ④ 경찰서에 신고하기
⑤ 강아지 장난감 사기

Listening Tip
have to는 빨리 발음하면 /해프터/가 돼요. 무성음 [t]가 유성음 [v]를 같은 무성음인 [f]로 소리 나게 변화시켰기 때문이에요.

W I ____________ ____________ ____________ yesterday.
M Oh no! How did that happen?
W When I opened the door, ____________ ____________ ____________.
M That's too bad.
W I'm worried because he's just a puppy. I have to ____________ ____________ ____________.
M Then, let's ____________ ____________ ____________ his photo.
W That's a good idea.

10 주제 추론

대화를 듣고, 무엇에 관한 내용인지 가장 적절한 것을 고르시오.

① 초대장 작성법 ② 자원 절약 방법
③ 우편 요금 안내 ④ 이메일의 장점
⑤ 손 편지를 쓰는 이유

W What are you doing?
M I'm writing party invitations to my friends.
W Are you sending them by e-mail?
M Yes. It doesn't take ____________ ____________ ____________ ____________ and receive messages.
W Also, if you use e-mail, you ____________ ____________ ____________ ____________ for stamps.
M You're right.

11 교통수단 파악

대화를 듣고, 여자가 이용할 교통수단을 고르시오.

① 버스 ② 자동차 ③ 지하철
④ 자전거 ⑤ 오토바이

W Dad, I'm going to go to the library after school today.
M How are you going to get there?
W Can you ____________ ____________ ____________ at 4?
M Sorry. I have to go back to the office at 3.

W I see. Then I'll ________ ________ ________.

M You should. Call me when you are done. I'll come and ________ ________ ________.

12 이유 파악

대화를 듣고, 여자가 팔을 다친 이유로 가장 적절한 것을 고르시오.

① 차 사고가 나서
② 빙판에 넘어져서
③ 자전거와 부딪쳐서
④ 나무에 부딪쳐서
⑤ 계단에서 넘어져서

M Did something happen?

W I ________ ________ ________.

M Why did that happen?

W I was riding my bike and ________ ________ ________.

M I'm sorry to hear that. You should be careful when you ride your bike. I hope you ________ ________ ________.

W Thanks.

13 관계 추론

대화를 듣고, 두 사람의 관계로 가장 적절한 것을 고르시오.

① 경찰관 – 운전자
② 호텔 직원 – 투숙객
③ 여행 가이드 – 관광객
④ 면세점 직원 – 손님
⑤ 입국 심사원 – 여행객

W May I see your passport, please?

M Here you are.

W Is this ________ ________ ________ here?

M Yes.

W ________ ________ ________ you stay here?

M For 5 days.

W All right. Here's your passport. ________ ________ ________ ________.

M Thank you.

14 그림 정보 파악 (위치 찾기)

대화를 듣고, 여자가 찾고 있는 지갑의 위치로 가장 알맞은 것을 고르시오.

W Honey, did you see my wallet?

M Isn't it on your desk?

W No. I already checked there, but I ________ ________ ________.

M Then, look on the table.

W It's ________ ________, ________.

M Oh, I found it. It's ________ ________ ________ ________.

W Thanks.

15 부탁 파악

대화를 듣고, 여자가 남자에게 부탁한 일로 가장 적절한 것을 고르시오.

① TV 수리하기
② 책 빌려주기
③ 전시회 데려다 주기
④ 전시회 표 예매하기
⑤ 미술 과제 도와주기

M What are you going to do this Saturday?
W I'll just stay home and watch TV. Do you have any plans?
M I'm planning to go to Dream Art Center.
W Oh, are you going to __________ __________ __________ __________?
M Yes. Would you like to __________ __________ __________?
W Sure. *Can you __________ __________ __________?
M Of course.

＊ 교육부 지정 의사소통 기능: 요청하기 천(이) 4 | 천(정) 5 | 능(양) 6 | 비 3 | Y(송) 2 | 지 2 | 다 7

Can you ~? ~을 해 주시겠어요?
- **Can you** wash the dishes? 설거지를 해 줄래?
- **Can you** move this box? 이 상자를 옮겨 줄래?

16 제안 파악

대화를 듣고, 여자가 남자에게 제안한 것으로 가장 적절한 것을 고르시오.

① 일찍 일어나기 ② 걷기 운동하기
③ 제때 식사하기 ④ 걸어서 학교 가기
⑤ 농구 연습하기

M Monica, you look great.
W Thanks. I exercise every day.
M What exercise do you do?
W I just __________ __________ __________ an hour after dinner.
M Maybe I should exercise, too. I __________ __________ 5 kilograms recently.
W Then, why don't __________ __________ __________?
M That's a good idea.

17 한 일 파악

대화를 듣고, 남자가 휴일에 한 일로 가장 적절한 것을 고르시오.

① 거실 청소하기 ② 테니스 배우기
③ 봉사활동 하기 ④ 자전거 여행하기
⑤ 아르바이트 하기

M What did you do during the holiday?
W I __________ __________ Chuncheon by bike.
M That's great!
W It was hard, but I had a good time. __________ __________ __________?
M I learned __________ __________ __________.
W Really? That sounds fun.

18 직업 추론

대화를 듣고, 남자의 직업으로 가장 적절한 것을 고르시오.

① 의사 ② 약사 ③ 수의사
④ 경찰관 ⑤ 소방관

M May I help you?
W Yes. I have a terrible headache.
M ____________ ____________ ____________ ____________?
W After lunch.
M Well, take this medicine. You have to take it ____________ ____________ ____________.
W All right.
M If you don't feel better tomorrow, you ____________ ____________ ____________ ____________.
W Okay. Thank you.

19 이어질 응답 찾기

대화를 듣고, 여자의 마지막 말에 이어질 남자의 말로 가장 적절한 것을 고르시오.

Man: ____________________

① I don't feel very well.
② You did a good job.
③ I'll help you with it.
④ I hope you'll get well soon.
⑤ I didn't do my science homework.

M How are you today, Mina?
W Not so good.
M Is ____________ ____________?
W I made a lot of mistakes on my math exam.
M Well, you'll ____________ ____________ ____________ ____________.
W I don't know. Math is very ____________ ____________ ____________.

20 이어질 응답 찾기

대화를 듣고, 여자의 마지막 말에 이어질 남자의 말로 가장 적절한 것을 고르시오.

Man: ____________________

① Help yourself.
② It's very delicious.
③ I want to eat pizza.
④ I made this for you.
⑤ It's good for your health.

Listening Tip

cook의 과거형인 cooked처럼 [k]로 끝나는 동사에서 ed는 [t]로 소리가 나요. 그래서 /쿡트/처럼 발음해요. 그밖에 [p], [s], [ʃ], [tʃ]으로 소리가 끝나는 동사도 과거형을 만드는 ed는 [t]로 발음해요.

M Who cooked this?
W I did. It's japchae.
M Really? It looks good.
W Thanks. Why don't you ____________ ____________?
M You're ____________ ____________ ____________. I'm sure it's good, too. *[Pause]* Wow!
W ____________ ____________ ____________ ____________ ____________?

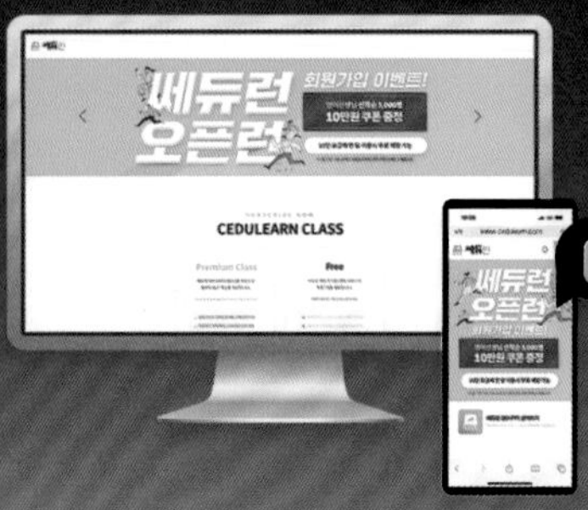

LISTENING Q

[리스닝 큐]

중학영어듣기
모의고사

유형편

김기훈 | 쎄듀 영어교육연구센터

정답 및 해설

쎄듀

LISTENING Q

중학영어듣기
모의고사

정답 및 해설

유형 01 그림 정보 파악

본문 p.10

1 I'll take 2 I'm looking for 3 with stripes 4 in the middle 대표 기출 문제 1 ④ 2 ①

STEP 1 Mini Exercise 01 ① 02 ③ 03 ① 04 ② 05 ③ 06 ② 07 ③ 08 ②

01 ①

해설 강아지 얼굴 그림 아래에 Kate가 적혀 있는 머그컵이다.

어휘 mug[mʌg] 머그컵
also[ɔːlsoʊ] 또한
add[æd] 추가하다
own[oun] 자기 자신의

M Kate, I love this mug with a dog on it. Did you make it?
W Yes, I also added my name under the dog.
M I want to make my own mug, too.

남 Kate, 위에 개가 그려진 이 머그컵이 아주 마음에 들어. 네가 만들었니?
여 응, 나는 그 개 아래에 내 이름도 추가했어.
남 나도 나만의 머그컵을 만들고 싶네.

02 ③

해설 남자는 여자가 추천한 줄무늬 우산을 사겠다고 했다.

어휘 stripe[straip] 줄무늬

W May I help you?
M Yes, I'm looking for an umbrella.
W How about this one with stripes?
M It's nice. I'll take it.

여 도와드릴까요?
남 네, 저는 우산을 찾고 있어요.
여 줄무늬가 있는 이건 어떠세요?
남 좋네요. 그걸로 살게요.

03 ①

해설 남자는 리본과 전등으로 크리스마스트리를 꾸몄다.

어휘 amazing[əméiziŋ] 놀라운, 대단한
ribbon[ríbən] 리본
light[lait] 전등

W This Christmas tree looks amazing.
M Thanks. My mom likes ribbons, so we put ribbons and lights on it.

여 이 크리스마스트리는 정말 멋져 보여.
남 고마워. 우리 엄마가 리본을 좋아하셔서 리본들이랑 전등을 달았어.

04 ②

해설 남자는 별 모양이 있는 양초를 만들었다.

어휘 make[meik] 만들다 (make-made-made)
candle[kǽndl] 양초

M Mom, I made this candle in class today.
W Wow, it has a star on it. I love it.
M Great. It's for you.

남 엄마, 오늘 수업에서 이 양초를 만들었어요.
여 와, 위에 별이 있네. 정말 마음에 든다.
남 잘됐네요. 이건 엄마 드릴 거예요.

05 ③

해설 여자는 체리가 있는 컵케이크를 만들었다.

어휘 top[tɑp] 맨 위, 꼭대기
favorite[féivərit] 가장 좋아하는 것

W I made this cupcake for my sister.
M Wow, it's pretty. I like the cherry on the top.
W Thanks. Cherries are her favorite.

여 내 여동생을 위해 이 컵케이크를 만들었어.
남 와, 예쁘다. 맨 위에 있는 체리가 마음에 들어.
여 고마워. 체리는 걔가 가장 좋아하는 거야.

06 ②

해설 남자는 반지 위에 꽃이 있는 것으로 구입하였다.

어휘 wife[waif] 아내

M Hello, I'm looking for a ring for my wife.
W Yes, how about this one with a heart on it?
M It's nice. But she really likes flowers.
W I see. How about this one with a flower on it?
M Great. I'll take it.

남 안녕하세요. 저는 저의 아내에게 줄 반지를 찾고 있어요.
여 네, 위에 하트가 있는 이건 어떠세요?
남 멋지네요. 그런데 제 아내는 꽃을 정말 좋아해요.
여 알겠습니다. 위에 꽃이 있는 이건 어떠세요?
남 좋네요. 그걸 살게요.

07 ③

해설 목 주위에 리본이 둘러져 있고 모자를 쓴 곰 인형이다.

어휘 neck[nek] 목
teddy bear 곰 인형, 테디 베어

W Hi. I lost my teddy bear in the park yesterday.
M What does it look like?
W It has a ribbon around its neck. It's wearing a hat.

여 안녕하세요. 제가 어제 공원에서 곰 인형을 잃어버렸어요.
남 그 인형은 어떻게 생겼나요?
여 목 주위에 리본이 둘려있어요. 모자를 썼고요.

08 ②

해설 남자는 리본이 달린 실내화를 구입하였다.

어휘 a pair of 한 켤레
slipper[slípər] 슬리퍼, 실내화

M I'd like to buy a pair of slippers for my sister.
W Okay. We have slippers with ribbons.
M The ones with ribbons are good. I'll take them.

남 제 누나에게 줄 슬리퍼 한 켤레를 사고 싶어요.
여 알겠습니다. 저희는 리본이 달린 슬리퍼가 있어요.
남 리본이 달린 것이 좋네요. 그걸 살게요.

STEP 2·3 Listen & Check 01 ② 02 ④ 03 ③ 04 ④ 05 ⑤ 06 ① 07 ③ 08 ⑤

01 ②

해설 여자가 그린 고깔모자에는 별이 있다.

어휘 cone hat 고깔모자

M Seri, are you making a cone hat?
W Yes. It's for Ted's birthday.
M Good. Why don't you draw stars or hearts on it?
W That's a good idea. I'll draw stars. *[Pause]* What do you think?
M Wow, it looks much better with stars.

남 세리야, 고깔모자를 만들고 있는 거니?
여 응, Ted의 생일에 쓸 거야.
남 좋아. 별이나 하트를 그려 넣는 게 어때?
여 좋은 생각이야. 별을 그릴게. *[잠시 후]* 어떤 것 같아?
남 와, 별들이 있으니 훨씬 나은 것 같아.

02 ④

해설 여자는 개 그림이 있는 티셔츠를 구입하겠다고 했다.

어휘 stripe[straip] 줄무늬
popular[pάpulər] 인기 있는

M May I help you?
W Yes, I'm looking for a T-shirt for myself.
M Okay. How about this one with stripes?
W It looks good, but I like that one better.
M This one with a dog on it? It's really popular, too.
W Great. I'll take it.

남 도와드릴까요?
여 네, 제가 입을 티셔츠를 찾고 있어요.
남 알겠습니다. 줄무늬가 있는 이건 어떠세요?
여 좋아 보이지만, 저는 저게 더 마음에 들어요.
남 개 그림이 있는 티셔츠요? 그것도 정말 인기가 많죠.
여 좋네요. 그걸 살게요.

03 ③

해설 남자의 책가방에는 고양이가 그려져 있고, 여자의 책가방에는 안경 쓴 여자아이가 그려져 있다.

어휘 backpack[bǽkpæ̀k] 책가방
cute[kjuːt] 귀여운
glasses[glǽsiz] 안경

M I really like your backpack.
W Thanks. It's new.
M I like the girl on it. She's wearing cute glasses.
W That's why I got it. I like your bag with the cat, too.
M Thank you.

남 네 책가방 정말 마음에 든다.
여 고마워. 이거 새것이야.
남 그 위에 그려진 여자아이가 마음에 들어. 귀여운 안경을 쓰고 있네.
여 그래서 내가 이걸 샀어. 고양이가 그려진 네 책가방도 좋네.
남 고마워.

04 ④

해설 남자는 해바라기가 그려진 헤드폰을 구입하겠다고 했다.

어휘 headphones 헤드폰
ear[iər] 귀
sunflower[sənflauər] 해바라기

M Excuse me. I'm looking for headphones for my sister.
W How about these ones with panda ears?
M They look cute, but she doesn't like pandas.
W Then how about these ones with sunflowers on them?
M They're nice. I'll take them.

남 실례합니다만, 여동생에게 줄 헤드폰을 찾고 있어요.
여 판다 귀를 가진 이건 어떠세요?
남 귀엽게 생겼지만, 그 애는 판다를 좋아하지 않아요.
여 그럼 해바라기가 그려진 이건 어떠세요?
남 멋지네요. 그걸 살게요.

05 ⑤

해설 여자는 구운 닭고기와 토마토 샐러드, 콜라를 주문했다.

어휘 take an order 주문을 받다
salad[sǽləd] 샐러드
coke[kouk] 콜라

M May I take your order?
W Yes. Can I have the chicken steak, please?
M Okay. It comes with tomato salad or potato salad.
W I'll have the tomato salad.
M What would you like to drink?
W I'd like a coke, please.

남 주문하시겠습니까?
여 네. 닭고기 스테이크를 주시겠어요?
남 알겠습니다. 요리는 토마토 샐러드 또는 감자샐러드와 함께 나옵니다.
여 저는 토마토 샐러드로 할게요.
남 음료는 무엇으로 하시겠어요?
여 콜라 하나 주세요.

06 ①

해설 남자는 나무 그림이 있는 양말을 구입하겠다고 했다.

어휘 sock[sɑ:k] 양말
present[prézənt] 선물
deer[diər] 사슴

W Hello. May I help you?
M I'm looking for socks for my brother.
W If they're Christmas presents, how about these ones with deer on them?
M Well, I don't think he likes animals very much.
W Then how about these ones with trees?
M All right. I'll take them.

여 안녕하세요. 도와드릴까요?
남 제 동생에게 선물로 줄 양말을 찾고 있어요.
여 혹시 크리스마스 선물이라면 사슴이 있는 이건 어때요?
남 글쎄요. 걔가 동물을 별로 좋아하지 않는 것 같아요.
여 그럼 나무가 있는 이건 어때요?
남 좋아요. 그걸 살게요.

07 ③

해설 여자가 잃어버린 운동화는 별이 그려진 것이다.

어휘 lose[lu:z] 잃어버리다 (lose-lost-lost)
sneaker[sní:kər] 운동화
check[tʃek] 확인하다

W Excuse me. I lost my sneakers.
M What do they look like?
W My sneakers have stars on them.
M Let me check. *[Pause]* I'm sorry, but we only have ones with flowers.
W I see. Thank you for helping me.

여 실례합니다만. 제 운동화를 잃어 버렸어요.
남 어떻게 생겼나요?
여 제 운동화에는 별이 그려져 있어요.
남 확인해 볼게요. *[잠시 후]* 죄송하지만 저희에게는 꽃이 그려진 운동화만 있네요.
여 알겠습니다. 도와주셔서 감사해요.

08 ⑤

해설 여자가 미술 시간에 만든 접시에는 곰이 그려져 있다.

어휘 art class 미술 시간
plate[pleit] 접시
guess[ges] 추측하다
hope[houp] 바라다

W Dad, look at this. I made it in art class today.
M Oh, what a pretty plate! Hmm... Your mom likes flowers, but there's a bear on the plate.
W That's right.
M Is it for your brother?
W Yes. I hope he likes it.

여 아빠, 이것 좀 봐요. 오늘 미술 시간에 만들었어요.
남 아, 정말 예쁜 접시구나! 흠… 너희 엄마는 꽃을 좋아하는데, 접시에는 곰이 있구나.
여 맞아요.
남 네 동생 거니?
여 네. 걔가 그걸 마음에 들어 하면 좋겠어요.

유형 02 화제 추론

본문 p.16

1 ③ 2 ② 3 ③ 4 ① 5 ② 대표 기출 문제 1 ① 2 ④

STEP 1 Mini Exercise 01 ① 02 ② 03 ① 04 ③ 05 ① 06 ① 07 ③ 08 ②

01 ①

해설 사람들이 머리 아래에 두고 자는 것은 베개이다.

어휘 come in (상품 등이) 나오다

M This can come in different sizes and shapes. Many people use this when they go to sleep. You put this under your head and close your eyes. What is this?

남 이것은 다양한 크기와 모양으로 나와요. 많은 사람들은 잠을 자러 갈 때 이것을 사용해요. 여러분은 이것을 머리 아래에 놓고 눈을 감아요. 이것은 무엇일까요?

02 ②

해설 알을 낳고, 추운 곳에 살며 물고기를 먹는 헤엄을 잘 치는 새는 펭귄이다.

어휘 lay[lei] 알을 낳다
cold[kould] 추운
place[pleis] 곳, 장소
usually[júːʒuəli] 주로

W I am a bird. I lay eggs, but I can't fly. I live in a cold place and usually eat fish. I can't run fast, but I can swim really well. What am I?

여 나는 새예요. 알을 낳지만 날지는 못해요. 나는 추운 곳에 살고 주로 물고기를 먹어요. 나는 빨리 달릴 수는 없지만 헤엄을 아주 잘 쳐요. 나는 누구일까요?

03 ①

해설 거울 앞에서 머리를 빗을 때 사용하는 것은 머리빗이다.

어휘 come in ~으로 나오다
different[dífərənt] 다른
in front of ~ 앞에
mirror[mírər] 거울
brush[brʌʃ] (솔, 빗으로) 빗다

M This comes in different shapes. You usually use this in front of a mirror. You look into the mirror and brush your hair with this. What is this?

남 이것은 여러 모양으로 나와요. 여러분은 주로 거울 앞에서 이것을 사용해요. 거울을 들여다보면서 이것으로 머리를 빗어요. 이것은 무엇일까요?

04 ③

해설 다정하고 똑똑하고 물속에 살고 머리 위에 있는 구멍으로 호흡을 하는 것은 돌고래이다.

어휘 friendly[fréndli] 다정한
smart[smaːrt] 똑똑한
breathe[briːð] 호흡하다, 숨 쉬다
through[θruː] ~을 통해서
hole[houl] 구멍

W I am very friendly and smart. I live in water, but I also breathe through a hole on the top of my head. What am I?

여 나는 아주 다정하고 똑똑해요. 나는 물속에서 살지만, 머리 위에 있는 구멍을 통해 호흡도 해요. 나는 누구일까요?

05 ①

해설 주로 겨울 동안 추운 날에 입고 머리에 쓰는 것은 털모자이다.

어휘 during[djúəriŋ] ~ 동안
put on ~을 입다, 쓰다

M This can come in different colors and designs. People usually wear this on cold days during winter. You put this on your head. What is this?

남 이것은 다양한 색상과 디자인으로 나와요. 사람들은 주로 겨울 동안 추운 날에 이것을 입어요. 여러분은 이것을 머리에 써요. 이것은 무엇일까요?

06 ①

해설 몸집과 키가 크고 긴 목을 가지고 있고 사람들이 등에 타기도 하며 사막에 사는 것은 낙타이다.

어휘 ride[raid] 타다
desert[dézərt] 사막

W I am big and tall. I have a long neck. Some people ride on my back. You can find me in a desert. What am I?

여 나는 몸집이 크고 키가 커요. 나는 긴 목을 가지고 있어요. 어떤 사람들은 내 등에 타요. 여러분은 나를 사막에서 찾을 수 있어요. 나는 무엇일까요?

07 ③

해설 겨울에 추울 때 목 주위에 둘러 목을 따뜻하게 해주는 것은 목도리이다.

어휘 neck[nek] 목
keep warm 따뜻하게 유지해주다

M This is usually long and soft. You can use this when you feel cold in winter. You can put this around your neck and this keeps your neck warm. What is this?

남 이것은 주로 길고 부드러워요. 여러분은 이것을 겨울에 추울 때 사용해요. 여러분이 이것을 목 주위에 두르면 목을 따뜻하게 유지해줘요. 이것은 무엇일까요?

08 ②

해설 몸집이 크고 사냥을 잘하고 몸에 검은색 줄이 있는 고양잇과 동물은 호랑이이다.

어휘 traditional[trədíʃənəl] 전통적인
large[lɑːrdʒ] 큰
hunter[hʌ́ntər] 사냥꾼
line[lain] 줄, 선
the cat family 고양잇과(科)

W You can find me in Korean traditional stories. I am a large animal. I am a good hunter. I have black lines on my body. I am a member of the cat family. What am I?

여 여러분은 나를 한국 전통 이야기에서 찾을 수 있어요. 나는 몸집이 큰 동물이에요. 나는 사냥을 잘해요. 내 몸에는 검은색 줄이 있어요. 나는 고양잇과 동물이에요. 나는 무엇일까요?

STEP 2·3 Listen & Check 01 ④ 02 ② 03 ③ 04 ⑤ 05 ② 06 ⑤ 07 ④ 08 ②

01 ④

해설 날지 못하고, 작은 씨앗과 지렁이를 먹으면서 사람에게 달걀과 고기를 주는 것은 닭이다.

어휘 farm [fɑːrm] 농장
fly [flai] 날다
seed [siːd] 씨, 씨앗
worm [wəːrm] 지렁이
meat [miːt] 고기

M I usually live on a farm. I am a bird, but I can't fly. I like to eat small seeds and worms. People can get eggs and meat from me. What am I?

남 나는 보통 농장에서 살아요. 나는 새지만 날지 못해요. 나는 작은 씨앗과 지렁이를 먹는 걸 좋아해요. 사람들은 나에게서 달걀과 고기를 얻을 수 있어요. 나는 누구일까요?

02 ②

해설 초록색 몸과 긴 꼬리, 네 개의 짧은 다리를 가지고 있으며 나무를 잘 타는 것은 이구아나이다.

어휘 skin [skin] 피부
tail [teil] 꼬리
climb [klaim] 오르다
popular [pápulər] 인기 있는
pet [pet] 반려동물

W I live in hot places. I have green skin, a long tail and 4 short legs. I'm good at climbing trees just like Spider-Man. I'm also very popular as a pet. What am I?

여 나는 더운 곳에서 살아요. 나는 초록색 피부와 긴 꼬리, 그리고 네 개의 짧은 다리를 가지고 있어요. 나는 스파이더맨처럼 나무를 잘 타요. 나는 꽤 인기 있는 반려동물이기도 해요. 나는 누구일까요?

03 ③

해설 바다에서 살고 팔이 다섯 개이며, 별처럼 생긴 것은 불가사리이다.

어휘 arm [ɑːrm] 팔
lose [luːz] 잃다
grow back 다시 자라다

M You can see me in the sea. I have 5 arms, so I look like a star. If I lose an arm, a new arm grows back in the same place. What am I?

남 여러분은 나를 바다에서 볼 수 있어요. 나는 팔이 다섯 개라서 별처럼 생겼어요. 내가 팔을 하나 잃게 되면 같은 자리에 새로운 팔이 자라나요. 나는 누구일까요?

04 ⑤

해설 검고 흰 줄무늬가 있으며 아프리카에 사는 동물은 얼룩말이다.

어휘 thick [θik] 두꺼운
body [bádi] 몸
thin [θin] 얇은, 가는
stripe [straip] 줄무늬
cover [kʌ́vər] 뒤덮다
spend [spend] (시간을) 보내다
grass [græs] 풀

W I live in Africa. I have a thick body and thin legs. Black and white stripes cover my body, too. I spend most of my day eating grass and leaves. What am I?

여 나는 아프리카에서 살아요. 나는 두꺼운 몸통과 가는 다리를 가지고 있어요. 검고 흰 줄무늬가 내 몸을 덮고 있기도 해요. 나는 하루의 대부분을 풀과 나뭇잎을 먹으면서 보내요. 나는 누구일까요?

05 ②

해설 깊은 그릇 형태이며 물을 끓이거나 음식을 넣고 요리할 수 있는 것은 냄비이다.

어휘 kitchen [kítʃən] 부엌
deep [di:p] 깊은
bowl [boul] (우묵한) 그릇
boil [bɔil] 끓이다
delicious [dilíʃəs] 맛있는

M You can see this in the kitchen. This looks like a deep bowl. You can boil water in this. You can also cook delicious food in this. What is this?

남 여러분은 이것을 부엌에서 볼 수 있어요. 이것은 깊은 그릇 모양이에요. 여러분은 여기에 물을 끓일 수 있어요. 또 이것 안에서 맛있는 음식을 요리할 수 있어요. 이것은 무엇일까요?

06 ⑤

해설 설날에 하는 보드게임에 필요한 나무 막대기 세트는 윷이다.

어휘 wooden [wúdn] 나무로 된
stick [stik] 막대기
board game 보드게임
New Year's Day 설날
throw [θrou] 던지다
floor [flɔːr] 바닥
decide [disáid] 결정하다
move [mu:v] (보드게임에서) 말의 움직임
board [bɔːrd] 말판, 판

W These are a set of wooden sticks. These are about 15 centimeters long. Koreans enjoy playing a board game with these on New Year's Day. You throw these on the floor, and they decide your move on the board. What are these?

여 이것은 나무 막대기 세트예요. 이것은 길이가 15센티미터 정도 돼요. 설날에 한국인들은 이것을 가지고 보드게임을 즐겨요. 이것을 바닥에 던지면 말판 위에서 말의 움직임이 결정돼요. 이것은 무엇일까요?

07 ④

해설 물고기를 넣어 기르고 안에 모래와 식물, 조개껍데기를 넣는 유리그릇은 어항이다.

어휘 glass [glæs] 유리
sand [sænd] 모래
shell [ʃel] 조개껍데기
feel [fi:l] 느끼다
ocean [óuʃən] 바다, 대양

M This is a big glass bowl. You keep fish in this. You can put some sand, plants and shells inside. That way, fish feel like they're in the ocean. What is this?

남 이것은 큰 유리그릇이에요. 여러분은 이것 안에서 물고기를 길러요. 안에 약간의 모래와 식물, 조개껍데기를 넣을 수 있어요. 그렇게 하면 물고기는 바다에 있는 것처럼 느껴요. 이것은 무엇일까요?

08 ②

해설 나무나 쇠로 만들어진 긴 막대이며 야구 경기에서 공을 칠 때 사용하는 것은 야구 방망이이다.

어휘 wood [wud] 나무
metal [métəl] 철, 쇠
hit [hit] 치다

W This is a long stick. People usually make this with wood or metal. You use this in a baseball game. You can hit a ball with this. What is this?

여 이것은 긴 막대예요. 사람들은 보통 나무나 쇠로 이것을 만들어요. 여러분은 야구 시합에서 이것을 사용해요. 보통 이것으로 공을 칠 수 있어요. 이것은 무엇일까요?

유형 03 날씨 파악

본문 p.22

1 cloudy and rainy 2 clear skies 3 strong winds 대표 기출 문제 1 ① 2 ①

STEP 1 Mini Exercise 01 ① 02 ② 03 ② 04 ③ 05 ① 06 ② 07 ③ 08 ③

01 ①

해설 내일 오후에는 덥고 화창하다고 하였다.

어휘 cold [kould] 추운
cloudy [kláudi] 흐린, 구름이 많은
sunny [sʌ́ni] 화창한

W It's going to be a little cold and cloudy until tomorrow morning. However, it'll be hot and sunny tomorrow afternoon.

여 내일 아침까지는 조금 춥고 흐리겠습니다. 그러나 내일 오후에는 덥고 화창하겠습니다.

02 ②

해설 수요일에는 눈이 많이 온다고 하였다.

어휘 windy [wíndi] 바람이 부는
all day long 하루 종일
temperature [témpərətʃər] 기온
go down 내려가다
a lot 많이

M On Monday, it will be cold and windy all day long. On Tuesday, it's going to rain. The temperature will go down, and it will snow a lot on Wednesday.

남 월요일에는 하루 종일 춥고 바람이 불겠습니다. 화요일에는 비가 내리겠습니다. 수요일에는 기온이 떨어지고 비가 많이 오겠습니다.

03 ②

해설 런던은 하루 종일 춥고 바람이 강하게 불겠다고 하였다.

어휘 sunny skies 맑은 하늘
rainy [réini] 비 오는

W You will see sunny skies in Tokyo and Seoul. New York and L.A. will have rainy weather. London will be cold and have strong winds all day long.

여 도쿄와 서울에서는 맑은 하늘을 보실 수 있습니다. 뉴욕과 LA는 비가 내리는 날씨가 되겠습니다. 런던은 하루 종일 춥고 바람이 강하게 불겠습니다.

04 ③

해설 대구는 내일 춥고 바람이 불겠다고 하였다.

어휘 windy [wíndi] 바람이 부는

M There will be rain in Seoul and Incheon tomorrow. Daegu and Gwangju will be cold and windy all day long. Busan will have cloudy weather tomorrow.

남 내일 서울과 인천은 비가 내리겠습니다. 대구와 광주는 하루 종일 춥고 바람이 불겠습니다. 부산은 내일 흐린 날씨가 되겠습니다.

05 ①

해설 금요일 오후에는 비가 내리겠다고 하였다.

어휘 become[bikʌ́m] ~이 되다

W On Friday, it will become colder in the morning, and it will rain in the afternoon. However, we will see clear and sunny skies on Saturday.

여 금요일 아침에는 점점 추워지면서 오후에는 비가 내리겠습니다. 그러나 토요일에는 맑고 화창한 하늘을 보실 수 있습니다.

06 ②

해설 오늘 저녁 날씨는 여전히 흐리겠다고 하였다.

어휘 snow[snou] 눈이 내리다; 눈
still[stil] 여전히

M It's snowing a lot now. The snow is going to stop this afternoon. But it will still be cloudy in the evening.

남 지금은 눈이 많이 내리고 있습니다. 오늘 오후에 눈이 그치겠습니다. 그러나 저녁에는 여전히 흐리겠습니다.

07 ③

해설 오늘은 비가 내리지 않고 구름만 많이 끼겠다고 하였다.

어휘 rain[rein] 비
a lot of 많은

W We had rain yesterday. But today, there will be no rain, just a lot of clouds. You can see sunny skies from tomorrow.

여 어제는 비가 내렸습니다. 그러나 오늘은 비가 내리지 않고 구름만 많이 끼겠습니다. 내일부터는 맑은 하늘을 보실 수 있습니다.

08 ③

해설 내일은 날씨가 화창하다고 하였다.

어휘 any more 더 이상

M It's raining a lot now, but it's going to stop tonight. After today's rain, it will be sunny tomorrow. The sky will not be cloudy any more.

남 지금은 비가 많이 내리고 있지만 오늘 밤에는 그치겠습니다. 오늘 비가 내리고 난 뒤 내일은 날씨가 화창하겠습니다. 하늘은 더 이상 흐리지 않겠습니다.

STEP 2·3 Listen & Check 01 ④ 02 ③ 03 ⑤ 04 ② 05 ④ 06 ⑤ 07 ③ 08 ②

01 ④

해설 일요일은 하루 종일 구름이 낀 날씨라고 했다.

어휘 weather report 일기 예보
weekend [wíːkènd] 주말
rain [rein] 비가 오다; 비
from A to B A부터 B까지
lots of 많은
all day 하루 종일

M Good morning. This is the weather report for this weekend. It will rain from tonight to Saturday morning. However, the rain will stop on Saturday afternoon. On Sunday, we'll see lots of clouds all day.

남 안녕하세요. 이번 주말의 일기 예보입니다. 오늘 밤부터 토요일 아침까지 비가 내릴 것입니다. 하지만 비는 토요일 오후에 그칠 겁니다. 일요일에는 하루 종일 구름이 많이 끼겠습니다.

02 ③

해설 오늘 저녁부터 비가 오기 시작해 내일 아침에 멈출 것이라고 했다.

어휘 windy [wíndi] 바람이 부는
start [stɑːrt] 시작되다
evening [íːvniŋ] 저녁, 밤
until [əntíl] ~까지

W Hello, I'm Sally Jones. Here is the weather report for today. It's very cloudy and windy now. But the rain will start this evening and it won't stop until tomorrow morning. Tomorrow afternoon, we'll have clear skies.

여 안녕하세요, Sally Jones입니다. 오늘의 일기 예보입니다. 지금은 매우 흐리고 바람이 많이 붑니다. 하지만 오늘 저녁부터 비가 시작해서 내일 아침까지 멈추지 않겠습니다. 내일 오후에는 맑은 하늘을 보게 될 것입니다.

03 ⑤

해설 하노이는 구름 한 점 없는 매우 맑은 날씨라고 했다.

어휘 weather forecast 일기 예보
all day long 하루 종일
enjoy [indʒɔ́i] 즐기다
area [ɛ́əriə] 지역

M Good morning! Here is today's world weather forecast. In Seoul, it's going to rain all day long. In Beijing, it'll be cloudy. But Hanoi and Manila will be very sunny. You can enjoy beautiful skies with no clouds in these areas.

남 안녕하세요! 오늘의 세계 일기 예보입니다. 서울에서는 하루 종일 비가 오겠습니다. 베이징은 날씨가 흐리겠습니다. 하지만 하노이와 마닐라는 매우 맑을 것입니다. 이 지역에서는 구름 한 점 없는 아름다운 하늘을 즐기실 수 있겠습니다.

04 ②

해설 금요일은 바람이 강하게 불고 추운 날씨라고 했다.

어휘 strong [strɔ(ː)ŋ] 강한
wind [wind] 바람
cold [kould] 추운
careful [kɛ́ərfəl] 조심하는
catch a cold 감기에 걸리다

W This is the weather report for this week. It'll be sunny from Monday to Wednesday. On Thursday, it'll be cloudy. On Friday, we'll have strong winds, and it'll be very cold. Please be careful not to catch a cold.

여 이번 주 일기 예보입니다. 월요일부터 수요일까지 화창하겠습니다. 목요일에는 매우 흐려질 것입니다. 금요일에는 바람이 강하게 불고 매우 춥겠습니다. 감기에 걸리지 않도록 주의하십시오.

05 ④

해설 내일 아침에 눈이 그치고 오후에는 조금 춥지만 화창한 날씨라고 했다.

어휘 snow[snou] 눈이 내리다; 눈
a little 약간
wear[wɛər] 입다
thick[θik] 두꺼운

M Good evening. This is the weather report for tomorrow. It's snowing now, but the snow will stop tomorrow morning. Tomorrow afternoon, it will be sunny but a little cold. Please wear a thick coat. Thank you.

남 안녕하세요. 내일의 일기 예보입니다. 지금은 눈이 내리고 있지만, 눈은 내일 아침에 그칠 겁니다. 내일 오후에는 화창하지만, 조금 춥겠습니다. 두꺼운 코트를 입으시길 바랍니다. 감사합니다.

06 ⑤

해설 광주는 내일 아침에 눈이 내리기 시작한다고 했다.

어휘 local[lóukəl] 지역의

W Good evening. Here is the local weather forecast for tomorrow. In Seoul, it's going to be cloudy all day. It will be windy and cold in Daejeon. In Gwangju, it will start snowing tomorrow morning.

여 안녕하세요. 다음은 내일의 지역 일기 예보입니다. 서울에서는 하루 종일 흐리겠습니다. 대전은 바람이 불고 추울 것입니다. 광주는 내일 아침에 눈이 내리기 시작할 것입니다.

07 ③

해설 목요일에 비가 내리기 시작할 거라고 했다.

어휘 however[hauévər] 그러나
keep[ki:p] 계속 ~하다

M Good evening. This is Andrew Parker from Weather News. It will be very sunny from Monday to Tuesday. However, it will be cloudy on Wednesday, and start raining on Thursday. On Friday, it will keep raining.

남 안녕하세요. 날씨 뉴스의 Andrew Parker입니다. 월요일부터 화요일까지는 매우 화창하겠습니다. 하지만 수요일에는 구름이 끼고, 목요일에 비가 내리기 시작할 것입니다. 금요일에도 비는 계속 내릴 것입니다.

08 ②

해설 모스크바는 하늘이 맑고 화창한 날씨라고 했다.

어휘 clear[kliər] 맑은

W Good morning. Welcome to the World's Weather Report. In Paris, it's very windy and cold. In London, it's cloudy and rainy. In Rome and Moscow, it's very sunny with clear skies.

여 안녕하세요. 세계 일기 예보에 오신 것을 환영합니다. 파리는 바람이 많이 불고 춥습니다. 런던은 흐리고 비가 옵니다. 로마와 모스크바는 하늘이 맑고 화창합니다.

유형 04 의도 파악

본문 p.28

1 ③ 2 ① 3 ③ 4 ② 대표 기출 문제 1 ⑤ 2 ②

STEP 1 Mini Exercise 01 ① 02 ② 03 ② 04 ③ 05 ③ 06 ② 07 ③ 08 ②

01 ①

해설 남자가 글짓기 대회에서 1등을 했다고 하자 여자가 축하해주고 있다.

어휘 win first prize 1등 상을 타다
writing contest 글짓기 대회
Congratulations. 축하해.

W You look happy, Sam. What's up?
M Hi, Susan. I have some good news.
W What is it?
M I won first prize in the writing contest.
W Wow, congratulations.

여 너 행복해 보인다. Sam. 무슨 일 있니?
남 안녕, Susan. 나 좋은 소식이 좀 있어.
여 그게 뭔데?
남 내가 글쓰기 대회에서 1등 상을 탔어.
여 와, 축하해.

02 ②

해설 시험에 통과하지 못한 남자에게 여자는 다음에는 잘할 거라며 위로하고 있다.

어휘 pass the exam 시험에 통과하다
hard [hɑːrd] 열심히
cheer up 기운을 내다
next time 다음에

W You look sad. What's the matter?
M I didn't pass the exam.
W Oh, I'm sorry to hear that.
M I studied hard, but the exam wasn't easy.
W Cheer up. You'll do better next time.

여 너 슬퍼 보인다. 무슨 일 있니?
남 나는 시험을 통과하지 못했어.
여 아, 유감이구나.
남 열심히 공부했는데 시험이 쉽지가 않았어.
여 기운 내. 다음에는 더 잘할 거야.

03 ②

해설 블라우스를 입어 봐도 되는지 묻는 여자에게 남자는 입어도 된다고 허락하였다.

어휘 blouse [blaus] 블라우스
try on 입어 보다

W Hello. I'm looking for a blouse.
M There are many blouses right here. How about this one?
W Oh, I like it. Can I try it on?
M Sure. Go ahead.

여 안녕하세요. 저는 블라우스를 찾고 있어요.
남 여기에 블라우스가 많이 있어요. 이건 어떠세요?
여 아, 마음에 드네요. 입어 봐도 될까요?
남 물론이죠. 입어보세요.

04 ③

해설 새로 생긴 빵집에 같이 가자는 여자의 제안을 남자는 할머니를 뵈러 가야 한다며 거절했다.

어휘 bakery [béikəri] 빵집
near [niər] ~의 근처에
dessert [dizə́ːrt] 디저트, 후식
visit [vízit] 방문하다

W There's a new bakery near my house.
M Really? I like desserts.
W Would you like to go with me after school?
M I'm sorry, but I can't. I have to visit my grandmother.

여 우리 집 근처에 새 빵집이 생겼어.
남 정말? 나는 디저트를 좋아해.
여 학교 끝나고 나하고 같이 갈래?
남 미안하지만, 그럴 수 없어. 할머니를 뵈러 가야 하거든.

05 ③

해설 남자가 스페인 여행에서 찍은 사진을 보면서 감탄하자 여자는 스페인에 가 보라고 제안했다.

어휘 photo [fóutou] 사진

M What are you doing?
W I'm looking at the photos from my trip to Spain.
M Wow, Spain looks amazing.
W Yes, it is. You should go there, too.

남 뭐하고 있니?
여 나는 스페인 여행에서 찍었던 사진들을 보고 있어.
남 와, 스페인은 정말 멋져 보이네.
여 응, 멋진 곳이야. 너도 그곳에 가봐.

06 ②

해설 서울역으로 가는 길을 알려준 여자에게 남자가 감사함을 표현하고 있다.

어휘 turn left 왼쪽으로 돌다
go straight 직진하다
next to ~의 옆에
miss [mis] 놓치다

M Hello. Can you tell me the way to Seoul Station?
W Sure. Turn left and go straight down the street.
M Turn left and go straight?
W Yes. It's next to the bank. You can't miss it.
M Thanks for your help.

남 안녕하세요. 서울역에 가는 길을 알려 주실 수 있나요?
여 물론이죠. 좌회전하셔서 길을 따라 직진하세요.
남 좌회전해서 직진하라고요?
여 네. 그곳은 은행 옆에 있어요. 쉽게 찾으실 겁니다.
남 도와주셔서 고맙습니다.

07 ③

해설 남자는 여자에게 춤 경연대회에서 1등을 한 친구를 학교 축제에 초대하자고 제안했다.

어휘 dance contest 춤 경연대회
invite [inváit] 초대하다
festival [féstivəl] 축제

M Jane, who is dancing in this video?
W It's my friend. He was in a hip-hop dance contest.
M Wow! He is a great dancer.
W Yes. He won first prize at the dance contest.
M Why don't we invite him to our school festival?

남 Jane, 이 영상에서 춤추고 있는 사람이 누구니?
여 내 친구야. 걔는 힙합 춤 경연대회에 나갔었어.
남 와! 정말 춤을 잘 추네.
여 응. 걔는 춤 경연대회에서 1등 상을 탔었어.
남 네 친구를 우리 학교 축제에 초대하는 게 어때?

08 ②

해설 여자는 아이스크림을 받으러 가자는 남자의 제안을 거절했다.

어휘 in front of ~ 앞에
wait for ~을 기다리다
give away 나눠주다
lesson [lésən] 레슨, 수업

M There are many people in front of the store!
W They're waiting for the free ice cream. The new store is giving away free ice cream.
M You like ice cream. Do you want to get some?
W I'd love to, but I can't. I have to go to a swimming lesson now.

남 가게 앞에 사람이 많다!
여 그 사람들은 무료 아이스크림을 기다리는 거야. 그 새로 생긴 가게가 무료로 아이스크림을 나눠주고 있거든.
남 너 아이스크림 좋아하잖아. 같이 좀 얻으러 갈래?
여 그러고 싶은데, 할 수 없어. 나 지금 수영 레슨에 가야 하거든.

STEP 2-3 Listen & Check 01 ① 02 ② 03 ⑤ 04 ④ 05 ④ 06 ③ 07 ③ 08 ②

01 ①

해설 생일 파티를 가도 되는지 묻는 남자의 말에 여자는 약속 시간과 장소를 알려주며 승낙했다.

어휘 surprise party 깜짝 파티
join [dʒɔin] 함께하다

M Those flowers are so beautiful. Who are they for?
W They're for Sujin. Today is her birthday. We're going to have a surprise party for her.
M Can I join you?
W Sure! Come to Tom's Pizza at 6.

남 그 꽃 너무 예쁘다. 누구한테 줄 거니?
여 수진이 줄 거야. 오늘이 걔 생일이거든. 걔를 위해 깜짝 파티를 열 예정이야.
남 나도 가도 되니?
여 물론이지! 6시에 Tom's 피자 가게로 와.

02 ②

해설 여자가 묻는 것에 남자가 모두 대답하자 정말 똑똑하다고 남자를 칭찬했다.

어휘 mountain [máuntən] 산
smart [smaːrt] 똑똑한
everything [évriθìŋ] 모든 것

W Ben, what is the tallest mountain in the world?
M That's easy. It's Mount Everest.
W Okay. What is the longest river in the world?
M It's the Nile.
W Wow, you are so smart. You know everything.

여 Ben, 세계에서 가장 높은 산은 뭐지?
남 그건 쉬워. 에베레스트 산이야.
여 알았어. 세계에서 가장 긴 강은 무엇이니?
남 나일 강이야.
여 와, 넌 정말 똑똑하구나. 모르는 게 없네.

03 ⑤

해설 경기에서 실수를 많이 한 여자를 격려하는 남자의 말에 여자는 고맙다고 했다.

어휘 drop [drɑp] 떨어뜨리다
make a mistake 실수하다
worried [wə́ːrid] 걱정하는
practice [prǽktis] 연습하다
better [bétər] 더 잘; (기분이) 나은

W I'm sorry. I dropped the ball many times.
M It's okay. Everybody makes mistakes.
W But I'm already worried about the next game.
M Don't worry. You'll do better next time.
W Thank you. I feel better now.

여 미안해. 내가 공을 여러 번 떨어뜨렸어.
남 괜찮아. 누구나 실수를 하잖아.
여 하지만 난 벌써 다음 경기가 걱정돼.
남 걱정하지 마. 다음엔 더 잘 할 수 있을 거야.
여 고마워. 기분이 이제 좀 나아졌어.

04 ④

해설 학교 연극에 출연하게 되어 긴장하고 있는 여자에게 남자는 잘할 테니 걱정하지 말라고 격려했다.

어휘 nervous [nə́ːrvəs] 초조해하는
act [ækt] 연기하다
play [plei] 연극; 배역을 맡다, 연기하다

M Lisa, you look worried. What's wrong?
W I'm nervous. I'm going to act in the school play this Friday.
M What are you going to play?
W I'll play a police officer. I'm not sure I can do it.
M Don't worry. I think you'll do well.

남 Lisa, 너 걱정스러워 보여. 무슨 일이야?
여 나 긴장돼. 이번 주 금요일에 학교 연극에 출연하거든.
남 연극에서 넌 어떤 배역을 맡았니?
여 난 경찰을 연기할 거야. 내가 잘 해낼 수 있을지 모르겠어.
남 걱정하지 마. 너는 잘할 거야.

05 ④

해설 일이 많아서 피곤하신 엄마를 위해 특별한 케이크를 만들자고 제안했다.

어휘 tired[táiərd] 피곤한
bake[beik] 빵을 굽다

M Anna, Mom looks very tired these days.
W She came home late yesterday, too.
M I think she has a lot of work.
W I'm worried about her. What can we do for her?
M You're good at baking. So, how about making a special cake for her?

남 Anna, 엄마가 요즘 많이 피곤하신 것 같아.
여 어제도 늦게 귀가하셨잖아.
남 일이 많으신가 봐.
여 난 엄마가 걱정돼. 우리가 엄마를 위해 뭘 할 수 있을까?
남 넌 빵을 잘 만들잖아. 그러니 엄마를 위해 특별한 케이크를 만드는 건 어떨까?

06 ③

해설 이미 가지고 있는 것을 또 사 온 남자에게 여자는 쇼핑 리스트를 만들어야 낭비를 줄일 수 있다고 충고했다.

어휘 buy[bai] 사다 (buy-bought-bought)
vegetable[védʒitəbl] 채소
enough[inʌ́f] 충분한 양, 수
shopping list 쇼핑 리스트, 구입 품목 리스트
waste[weist] 낭비하다

W There are so many shopping bags here. What did you get?
M I bought some fruits and vegetables.
W We have enough of them. Why did you buy them?
M Really? I didn't know that.
W You should make a shopping list. That way, you won't waste money.

여 여기 쇼핑백이 많네요. 뭐 샀어요?
남 과일이랑 채소를 좀 샀거든요.
여 우린 이미 충분히 있는데요. 왜 샀어요?
남 정말요? 전 몰랐어요.
여 당신은 쇼핑 리스트를 만들어야 해요. 그렇게 하면 돈을 낭비하지 않아요.

07 ③

해설 여자는 남자에게 큰 가방은 미술관 안으로 가져갈 수 없다며 금지 사항을 알려 주었다.

어휘 show[ʃou] 전시회
backpack[bǽkpæ̀k] 책가방, 배낭
I'm afraid not. 그럴 수 없습니다.
gallery[gǽləri] 미술관

W How can I help you?
M I'm here to see the Vincent van Gogh show. Where should I go?
W It's on the second floor. Take the elevator over there.
M Thank you. Can I take my backpack with me?
W I'm afraid not. You can't take large bags into the gallery.

여 무엇을 도와드릴까요?
남 빈센트 반 고흐 전을 보려고 왔어요. 어디로 가면 되나요?
여 그건 2층에 있습니다. 저쪽에서 엘리베이터를 타세요.
남 고맙습니다. 제 가방을 가지고 가도 되나요?
여 그럴 수 없습니다. 큰 가방은 미술관 안에 가져가실 수 없어요.

08 ②

해설 햄버거도 건강할 수 있다는 여자의 말에 남자는 지방이 너무 많다고 하면서 반대했다.

어휘 hamburger[hǽmbə̀ːrgər] 햄버거
delicious[dilíʃəs] 맛있는
health[helθ] 건강
healthy[hélθi] 건강에 좋은
inside[insáid] 안에
fat[fæt] 지방

W Why don't we have hamburgers for lunch?
M Again? You eat them too often.
W Well, they're really delicious.
M I know. But hamburgers are not good for your health.
W They can be healthy, too. There are some vegetables inside.
M I don't think so. Hamburgers have too much fat.

여 점심으로 햄버거를 먹는 게 어때?
남 또? 너는 그걸 너무 자주 먹어.
여 글쎄, 정말 맛있잖아.
남 맞아. 하지만 햄버거는 건강에 좋지 않아.
여 햄버거도 건강에 좋은 음식일 수 있어. 안에 야채가 들어 있잖아.
남 난 그렇게 생각하지 않아. 햄버거는 지방이 너무 많아.

유형 05 언급하지 않거나 일치하지 않는 내용 찾기

본문 p.34

1 ④ 2 ③ 3 ① 4 ② 대표 기출 문제 1 ③ 2 ⑤

STEP 1 Mini Exercise 01 ② 02 ① 03 ② 04 ③ 05 ③ 06 ③ 07 ② 08 ②

01 ②

해설 남자의 강아지는 갈색 털을 가지고 있다.

어휘 cute [kjuːt] 귀여운

M This is my dog, Max.
W He's so cute! He has brown hair.
M Yes, he does.
W How old is he?
M He is 2 years old.

남 얘는 우리 집 강아지 Max야.
여 너무 귀엽다! 갈색 털을 가지고 있네.
남 응, 맞아.
여 얘는 몇 살이니?
남 2살이야.

02 ①

해설 외모(키가 크고 안경을 씀), 취미(그림 그리기)에 대해 언급했지만 가족에 대해서는 언급하지 않았다.

어휘 introduce [ìntrədjúːs] 소개하다
draw a picture 그림을 그리다
be good at ~을 잘하다
math [mæθ] 수학

M Hello. Let me introduce my best friend Eric. He is taller than me and wears glasses. He likes to draw pictures. And he is good at math.

남 안녕하세요. 저의 가장 친한 친구 Eric을 소개할게요. 그는 저보다 키가 크고 안경을 썼어요. 그는 그림 그리는 것을 좋아해요. 그리고 수학을 아주 잘해요.

03 ②

해설 여자의 자전거는 초록색이다.

어휘 bike [baik] 자전거
buy [bai] 사 주다 (buy-bought-bought)
basket [bǽskit] 바구니

M Wow! Is this your new bike?
W Yes. My dad bought it for me.
M It's green. I like the color.
W Me, too. It also has a basket.

남 와! 이게 네 새 자전거니?
여 응. 아빠가 사 주셨어.
남 초록색이네. 색깔이 마음에 든다.
여 나도 그래. 바구니도 있어.

04 ③

해설 색깔(파란색과 회색), 단추 개수(6개)에 대해서 언급했지만 가격에 대해서는 언급하지 않았다.

어휘 come in (상품 등이) ~로 나오다
light [lait] 가벼운

W Today, I'm going to introduce this new jacket. It comes in blue and gray. This jacket has 6 buttons on it. It is also very light.

여 오늘 새로 나온 재킷을 소개하려고 해요. 그것은 파란색과 회색으로 나와요. 이 재킷은 단추가 6개 달려 있어요. 또한 아주 가벼워요.

05 ③

해설 연습 시간(매주 금요일), 공연 횟수(1년에 한 번)에 대해 언급했지만 지도 교사에 대해서는 언급하지 않았다.

어휘 activity [æktívəti] 활동
practice [prǽktis] 연습하다
performance [pərfɔ́ːrməns] 공연
once a year 1년에 한 번

W I'd like to introduce our dance club activities. We watch dance videos and practice dancing every Friday. We have a performance at our school once a year.

여 저희 댄스 동아리 활동을 소개하겠습니다. 저희는 춤 영상을 보고 매주 금요일에 춤을 연습합니다. 저희는 1년에 한 번 학교에서 공연을 합니다.

06 ③

해설 여자의 반에는 25명의 학생이 있다고 하였다.

어휘 gym [dʒim] 체육관
swimming pool 수영장

M How is your new school, Ms. Miller?
W It's great. It has a big school gym and a swimming pool.
M How many students do you have?
W I have 25 students in my class.

남 새 학교는 어떠세요, Miller 선생님?
여 아주 좋아요. 큰 체육관이 있고 수영장이 있어요.
남 학생들은 몇 명이나 담당하시나요?
여 저희 반에는 25명의 학생이 있어요.

07 ②

해설 외모(짧은 검은색 머리, 안경을 썼음), 취미(보드게임 하기)에 대해 언급했지만 고향에 대해서는 언급하지 않았다.

어휘 hobby [hábi] 취미
board game 보드게임

M I'd like to introduce my mom to you. She has short black hair and wears glasses. Her hobby is playing board games.

남 여러분에게 우리 엄마를 소개하고 싶어요. 엄마는 짧은 검은색 머리에 안경을 썼어요. 취미는 보드게임을 하는 거예요.

08 ②

해설 여자는 다른 가족도 만났다고 했다.

어휘 hear [hiər] 듣다 (hear-heard-heard)
grandparent [grǽndpɛərənt] 조부(모)
meet [miːt] 만나다 (meet-met-met)
other [ʌ́ðər] 다른
member [mémbər] 구성원

M Jenna, I heard you visited your grandparents in London.
W I did. I had a great time with them.
M What did you do there?
W We met other family members and went to see Big Ben.

남 Jenna, 런던에 계시는 조부모님을 방문했다고 들었어.
여 그랬어. 좋은 시간을 같이 보냈지.
남 그곳에서 뭐 했어?
여 우린 다른 가족도 만났고 Big Ben을 보러 갔었어.

STEP 2-3 Listen & Check 01 ② 02 ② 03 ④ 04 ② 05 ③ 06 ③ 07 ④ 08 ③

01 ②

해설 이름(Henry Jackson), 고향(미국 워싱턴 주, 시애틀), 외모(키가 크고 푸른 색 눈), 취미(기타 연주와 요리하기)에 대해 언급했지만, 나이는 언급하지 않았다.

어휘 introduce [ìntrədjúːs] 소개하다
be from ~에서 오다, ~ 출신이다
guitar [gitáːr] 기타
cook [kuk] 요리하다

W Let me introduce my new English teacher. His name is Henry Jackson. He is from Seattle, Washington, in the United States. He is tall and has blue eyes. He likes playing the guitar and cooking.

여 새로 오신 영어 선생님을 소개할게요. 선생님의 이름은 Henry Jackson이에요. 미국 워싱턴 주, 시애틀에서 오셨어요. 키가 크고 파란 눈을 가졌어요. 선생님은 기타 연주하기와 요리하기를 좋아해요.

02 ②

해설 음악가가 꿈인 남자아이에 대한 영화이다.

어휘 animation [æniméiʃən] 애니메이션, 만화 영화
musician [mju(ː)zíʃən] 음악가
director [diréktər] 감독
win an award 상을 타다
play [plei] 상영되다

W Do you want to watch an animation movie tomorrow?
M Which one?
W It's called *Coco*. The movie is about a boy. He wants to be a musician.
M That sounds interesting.
W Yes. The director won an award for it. It is playing at Dream Cinema.
M How long is the movie?
W About an hour and 40 minutes.

여 내일 애니메이션 영화 볼래?
남 어떤 거?
여 〈코코〉라고 해. 그 영화는 한 남자아이에 대한 거야. 그는 음악가가 되고 싶어 해.
남 재미있겠다.
여 응. 감독이 그 영화로 상을 탔어. Dream 극장에서 상영 중이야.
남 상영 시간은 얼마나 되니?
여 1시간 40분 정도야.

03 ④

해설 이름(세빛섬), 개장 연도(2014년), 생김새(섬처럼 생김), 편의 시설(레스토랑, 카페, 예식장)에 대해 언급했지만 건축가에 대해서는 언급하지 않았다.

어휘 open [óupən] 개장하다
look like ~처럼 생기다
island [áilənd] 섬
wedding hall 예식장, 결혼식장
view [vjuː] 전망

M Let me introduce 3 buildings on the Han River. The name of these buildings is Sevitseom. The buildings opened in 2014 and look like 3 islands. There are restaurants, coffee shops and even a wedding hall. We can also enjoy the beautiful river view there, too.

남 한강 위에 있는 세 건물을 소개할게요. 이 건물들의 이름은 세빛섬이에요. 그 건물들은 2014년에 개장했고 세 개의 섬처럼 생겼어요. 레스토랑과 커피숍, 심지어 예식장도 있어요. 우린 그곳에서 아름다운 강 전망을 즐길 수도 있어요.

04 ②

해설 남자의 여동생은 사진에서의 모습은 5살 때였고, 지금은 10살이다.

어휘 cute [kjuːt] 귀여운
contest [kántest] 경연대회
win first prize 1등을 차지하다
still [stil] 여전히, 지금도

W How cute! Is this your sister Hannah?
M Yes. In this photo, she is 5, but now she's 10.
W She is playing the piano in the picture.
M She was in a piano contest. She won first prize.
W Does she still like to play the piano?
M Yes, but she wants to become a doctor.

여 정말 귀엽구나! 이 애가 네 여동생 Hannah야?
남 응. 이 사진에서 그 애는 5살이지만, 지금은 10살이야.
여 사진에서 피아노를 치고 있네.
남 피아노 대회에 나갔거든. 걔가 1등을 했었어.
여 지금도 피아노 연주하는 걸 좋아하니?
남 응, 하지만 걔는 의사가 되고 싶어 해.

05 ③

해설 용도(등산용), 색깔(빨간색, 파란색, 검은색), 재질(가죽), 가격(80달러)은 언급했지만 무게에 대해서는 언급하지 않았다.

어휘 be good for ~에 좋다
climbing [kláimiŋ] 등산
leather [léðər] 가죽
off [ɔːf] 할인되어

W Hello. I'll show you our new shoes. These are very good for climbing. These shoes have 3 different colors. They're red, blue, and black. These are very strong because we make them with leather. If you buy them now, you can get 20% off and buy them for $80.

여 안녕하세요. 여러분께 저희의 새로 나온 신발을 보여 드릴게요. 이것은 등산용으로 아주 좋습니다. 이 신발은 3가지 다른 색깔이 있습니다. 빨간색, 파란색, 검은색입니다. 가죽으로 만들기 때문에 매우 튼튼합니다. 지금 사시면 20퍼센트 할인해서 80달러에 살 수 있습니다.

06 ③

해설 Nature Land는 매일 연다고 했다.

어휘 festival [féstivəl] 축제
opening hours 개장 시간
expensive [ikspénsiv] 비싼
discount [dískaunt] 할인
until [əntíl] ~까지

W How about going to Nature Land this Saturday? There's a rose festival.
M Okay. What are the opening hours?
W From 9 a.m to 10 p.m. And it's also open every day.
M How much is a ticket?
W It's $20.
M That's too expensive.
W We can get a 10% discount until this weekend.

여 이번 토요일에 Nature Land에 가는 게 어때? 그곳에서 장미 축제가 있어.
남 좋아. 개장 시간은 어떻게 돼?
여 오전 9시부터 밤 10시야. 그리고 매일 개장한대.
남 입장권은 얼마니?
여 20달러야.
남 너무 비싸다.
여 이번 주말까지 10퍼센트 할인해준대.

07 ④

해설 장소(경주), 날짜(9월 10~13일), 교통수단(버스), 준비물(여분의 옷, 모자, 물병)에 대해 언급했지만 숙소에 대해서는 언급하지 않았다.

어휘 fall [fɔːl] 가을
leave for ~로 떠나다
extra [ékstrə] 여분의
water bottle 물병

M I'll tell you about the school trip to Gyeongju this fall. We're going to go from September 10th to 13th. We'll leave for Gyeongju by bus at 9 a.m., so don't be late. Bring extra clothes, a hat, and a water bottle.

남 이번 가을에 경주로 가는 수학여행에 대해서 알려 드리겠습니다. 9월 10일부터 13일까지 갑니다. 우리는 오전 9시에 버스로 경주를 향해 출발할 것이니, 늦지 마세요. 여분의 옷과 모자, 물병을 챙겨오세요.

08 ③

해설 여자의 가방에는 별들이 그려져 있다.

어휘 look for ~을 찾다
pocket [pákit] 주머니
yours [juərz] 당신[너]의 것
mine [main] 나의 것

W Excuse me. I'm looking for my bag. I lost it in the park.
M Okay. Is it black?
W No, it's brown.
M There are 3 brown bags here.
W My bag has stars on it and there are 2 pockets.
M Wait a minute. *[Pause]* Is this yours? There is a camera in it.
W Yes, that's mine. Thank you.

여 실례합니다. 제 가방을 찾고 있어요. 공원에서 잃어버렸어요.
남 네. 그것은 검은색인가요?
여 아니요, 갈색이에요.
남 이곳에 갈색 가방이 세 개 있어요.
여 제 가방에는 별들이 그려져 있고, 주머니가 두 개 있어요.
남 잠시 기다리세요. *[잠시 후]* 이게 당신 것인가요? 안에 카메라가 있네요.
여 네, 그게 제 거예요. 감사합니다.

유형 06 숫자 정보 파악 (시각)

본문 p.40

01 at 5 o'clock **2** until 10:30 **3** before midnight **4** around 7 p.m. 대표 기출 문제 **1** ② **2** ③

STEP 1 Mini Exercise

01 ① 02 ③ 03 ③ 04 ② 05 ③ 06 ③ 07 ② 08 ③

01 ①

해설 쇼핑몰이 9시에 문을 닫아서 두 사람은 7시에 만나기로 했다.

어휘 gift[gift] 선물
join[dʒɔin] 함께 하다
shopping mall 쇼핑몰

W James, I'm going to buy Christmas gifts. Will you join me?
M Sure. What time shall we meet?
W The shopping mall closes at 9 p.m. So how about 7?
M Okay. See you then.

여 James, 나는 크리스마스 선물을 사러 갈 거야. 같이 갈래?
남 좋아. 몇 시에 만날까?
여 쇼핑몰이 오후 9시에 문을 닫아. 7시는 어때?
남 알겠어. 그때 보자.

02 ③

해설 두 사람은 5시에 만나기로 했다.

어휘 math[mæθ] 수학
then[ðen] 그때

W I have a math test tomorrow.
M Me, too. Why don't we study together?
W Sure. What time should we meet?
M How about meeting at 5?
W Great. See you then.

여 나는 내일 수학 시험이 있어.
남 나도 그래. 우리 같이 공부하는 게 어때?
여 그래. 몇 시에 만날까?
남 5시에 만나는 게 어때?
여 좋아. 그때 보자.

03 ③

해설 콘서트는 저녁 8시에 시작한다고 했다.

어휘 free[fri:] 무료의
concert[kánsə(:)rt] 콘서트
dinner[dínər] 저녁 식사
before[bifɔ́:r] ~ 전에

W I have free piano concert tickets. Do you want to go with me?
M Of course. What time does it start?
W The concert starts at 8 p.m. on Friday.
M Okay. How about 6? Let's have dinner before the concert.
W Sure. That sounds great.

여 나는 무료 피아노 콘서트 티켓이 생겼어. 나랑 같이 갈래?
남 물론이지. 그게 몇 시에 시작해?
여 콘서트는 금요일 저녁 8시에 시작해.
남 알겠어. 6시는 어때? 콘서트 보기 전에 저녁을 먹자.
여 그래. 좋은 것 같아.

04 ②

해설 낮 12시까지 끝내야 하는 보고서가 있어서 12시 15분에 출발하기로 했다.

어휘 go out 나가다, 외출하다
leave[li:v] 떠나다, 출발하다
noon[nu:n] 정오, 오후 12시
finish[fíniʃ] 끝내다
report[ripɔ́:rt] 보고서

M Why don't we go out for lunch today?
W Oh, I'd love to. What about leaving home at noon?
M I have to finish my report at noon. How about leaving at 12:15?
W That sounds great.

남 오늘 점심 먹으러 나가는 게 어때요?
여 아, 좋아요. 집에서 정오에 출발하는 게 어때요?
남 정오까지 보고서를 끝내야 해서요. 12시 15분에 나갈까요?
여 좋은 것 같아요.

05 ③

해설 영화는 5시에 시작한다고 했다.

어휘 action movie 액션 영화

M Jina, do you want to watch an action movie tomorrow?
W Sure. When shall we meet?
M The movie starts at 5. How about 4?
W That sounds great. See you tomorrow.

남 지나야, 내일 액션 영화 보러 갈래?
여 좋아. 언제 만날래?
남 영화가 5시에 시작해. 4시에 만나는 것 어때?
여 좋은 것 같아. 내일 보자.

06 ③

해설 학교 버스는 8시 10분에 온다고 했다.

어휘 enough [inʌ́f] 충분한
hurry [hə́:ri] 서두르다

W John, you are going to miss the school bus.
M It's okay, Mom. The school bus comes at 8:10, so I have enough time.
W It's 8 o'clock right now. I think you should hurry.

여 John, 학교 버스를 놓치겠구나.
남 괜찮아요, 엄마. 학교 버스는 8시 10분에 와서 아직 시간이 충분해요.
여 지금은 8시야. 서두르는 게 좋을 것 같구나.

07 ②

해설 남자가 오전 10시에 만나자고 하였으나 여자가 너무 이르다고 해서 두 사람은 10시 30분에 만나기로 했다.

어휘 a little 조금, 약간
early [ə́:rli] 이른

W Why don't we go shopping together?
M Okay. Let's meet tomorrow morning at 10.
W Um... That's a little early for me. Can we meet at 10:30?
M No problem. See you tomorrow.

여 같이 쇼핑하러 가는 게 어때?
남 좋아. 내일 아침 10시에 만나자.
여 음… 그 시간은 나한테는 조금 일러. 10시 30분에 만나도 될까?
남 괜찮아. 내일 보자.

08 ③

해설 요가 수업은 4시 30분에 시작한다고 했다.

어휘 yoga [jóugə] 요가
sign up ~에 등록하다; 등록
begin [bigín] 시작하다

W I'm going to take the yoga class.
M Really? Me, too. When should I sign up?
W Sign up starts at 4 o'clock this afternoon.
M Thanks. What time is the yoga class?
W It begins at 4:30 p.m. every Friday.

여 나는 요가 수업을 들을 거야.
남 정말? 나도 들을 거야. 언제 등록해야 해?
여 등록은 오늘 오후 4시에 시작해.
남 고마워. 요가 수업은 몇 시에 있니?
여 매주 금요일 오후 4시 30분에 시작해.

STEP 2-3 Listen & Check 01 ④ 02 ③ 03 ② 04 ⑤ 05 ③ 06 ③ 07 ② 08 ③

01 ④

해설 여자의 피아노 레슨이 4시에 끝나서 두 사람은 4시 30분에 만나기로 했다.

어휘 finally [fáinəli] 드디어, 마침내
final exam 기말고사
be over 끝나다
finish [fíniʃ] 끝나다

M Finally, the final exams are over.
W Then, would you like to play basketball in the afternoon?
M Great. When shall we meet?
W How about 4:30? My piano lesson finishes at 4.
M Okay. See you then.

남 드디어 기말고사가 끝났어.
여 그럼 오후에 농구할래?
남 좋아. 언제 만날까?
여 4시 30분 어때? 내 피아노 레슨이 4시에 끝나.
남 그래. 그때 보자.

02 ③

해설 오후 1시나 3시에 오면 된다는 남자의 말에 여자는 1시에 가겠다고 했다.

어휘 clinic [klínik] 의원, 진료소
make an appointment 예약을 하다

[Telephone rings.]
M Happy Clinic. How can I help you?
W I want to make an appointment for tomorrow.
M Would you like to come in the morning or in the afternoon?
W In the afternoon.
M You can come at 1 or 3 o'clock.
W I'll come at 1 o'clock.

[전화벨이 울린다.]
남 Happy 의원입니다. 어떻게 도와 드릴까요?
여 내일 진료 예약을 하고 싶은데요.
남 오전에 오시겠어요, 오후에 오시겠어요?
여 오후에요.
남 그럼 1시 또는 3시에 오시면 돼요.
여 1시에 갈게요.

03 ②

해설 정오에 만나서 점심을 먹자는 남자의 제안에 여자가 동의했으므로 두 사람은 12시에 만날 것이다.

어휘 plan [plæn] 계획
a little 약간, 조금
noon [nu:n] 정오

W Daniel, I'm going to go to Gyeongbokgung tomorrow. Do you want to come?
M Of course. What time shall we meet?
W How about meeting at 3?
M That's a little late. How about meeting at noon? Let's have lunch before we go there.
W That sounds great.

여 Daniel, 나는 내일 경복궁에 갈 거야. 같이 갈래?
남 좋아. 몇 시에 만날래?
여 3시에 만나는 거 어때?
남 그건 좀 늦네. 정오에 만나는 거 어때? 그곳에 가기 전에 점심 먹자.
여 좋아.

04 ⑤

해설 비행기는 오전 10시에 출발한다고 했다.

어휘 excited [iksáitid] 신이 난, 들뜬
can't wait to-v ~ 빨리 ~하고 싶다
beach [bi:tʃ] 해변
leave for ~로 떠나다

W Tony, are you excited about going to Hawaii tomorrow?
M Of course, Mom. I can't wait to see the beautiful beach.
W We have to get up early tomorrow. The plane leaves at 10 a.m.
M What time should we leave for the airport?
W Maybe 7 a.m.

여 Tony, 내일 하와이 가는 거 기대되니?
남 물론이죠, 엄마. 아름다운 해변을 빨리 보고 싶어요.
여 우리는 내일 일찍 일어나야 해. 비행기가 오전 10시에 출발하거든.
남 몇 시에 공항으로 가야 하나요?
여 아마도 오전 7시에 떠나야 해.

05 ③

해설 남자가 낚시하러 같이 가겠다고 하자 여자가 6시 10분에 데리러 가겠다고 했다.

어휘 go fishing 낚시하러 가다
fun[fʌn] 재미있는
join[dʒɔin] 함께 하다

M What are you planning to do this weekend?
W I'm going to go fishing with Sarah and her father.
M That sounds fun.
W We'll leave on Saturday morning at 6 a.m. Do you want to join us?
M Yes, I'd like to.
W We'll go to your house at 6:10.
M Okay. I'll see you then.

남 이번 주말에 무엇을 할 계획이니?
여 Sarah와 그녀의 아버지하고 낚시하러 갈 거야.
남 그거 재미있겠다.
여 토요일 아침 6시에 출발할 거야. 우리와 함께 갈래?
남 응, 그러고 싶어.
여 우리가 6시 10분에 너의 집으로 갈게.
남 알겠어. 그때 보자.

06 ③

해설 여자는 요리 수업이 월요일 5시에 시작한다고 했다.

어휘 cooking class 요리 수업
learn[ləːrn] 배우다
easy[íːzi] 쉬운
recipe[résəpi] 요리법
practice[prǽktis] 연습

W I made this in my cooking class yesterday. Try it.
M Wow, it's really good.
W Thanks. I learn many easy recipes in class. It's really fun.
M I want to learn cooking, too. What time does the class start?
W It starts at 5 o'clock on Mondays.
M Oh, I can't go. I have dance practice from 4 to 6.

여 어제 내가 이걸 요리 수업에서 만들었어. 한번 먹어봐.
남 와, 이거 정말 맛있다.
여 고마워. 수업에서 쉬운 요리법을 많이 배우거든. 정말 재미있어.
남 나도 요리 배우고 싶어. 그 수업은 몇 시에 시작해?
여 월요일 5시에 시작해.
남 아, 난 갈 수 없겠다. 4시부터 6시까지 춤 연습이 있거든.

07 ②

해설 6시 30분에 공원 앞에서 만나자는 여자의 제안에 남자는 동의했다.

어휘 exercise[éksərsàiz] 운동하다
these days 요즘
jog[dʒɑg] 조깅하다
in front of ~의 앞에

M I heard you exercise in the morning these days.
W Yes. I get up at 6 and jog for an hour.
M Can I join you?
W Sure. Let's meet in front of the park at 6:30.
M Okay. See you then.

남 너 요즘 아침에 운동한다고 들었어.
여 응. 나는 6시에 일어나서, 한 시간 동안 조깅을 해.
남 내가 함께해도 돼?
여 물론이지. 6시 반에 공원 앞에서 만나자.
남 좋아. 그때 보자.

08 ③

해설 지금 시각은 11시 40분인데 10분 후에 만나기로 했으므로 두 사람은 11시 50분에 만날 것이다.

어휘 meeting[míːtiŋ] 회의
have lunch 점심을 먹다
by[bai] ~ 옆에

M Today's meeting was too long. Why don't we have lunch together?
W Sure. What time is it now?
M It's 11:40.
W Let me get my bag first. Can we meet in 10 minutes?
M Okay. I'll wait for you by the door.
W All right. See you soon.

남 오늘 회의가 너무 길었어요. 같이 점심 먹는 게 어때요?
여 좋아요. 지금 몇 시죠?
남 11시 40분이에요.
여 먼저 제 가방을 좀 가져올게요. 10분 후에 만날까요?
남 그래요. 문 옆에서 기다릴게요.
여 알겠어요. 곧 봐요.

유형 07 장래 희망 · 직업 파악

본문 p.46

1 ① 2 ② 3 ③ 4 ① 대표 기출 문제 1 ⑤ 2 ②

STEP 1 Mini Exercise

01 ③ 02 ② 03 ① 04 ① 05 ② 06 ③ 07 ① 08 ②

01 ③

해설 여자가 남자에게 수학을 아주 잘한다고 칭찬하자 남자는 미래에 수학 교사가 되고 싶다고 했다.

어휘 math [mæθ] 수학
be good at ~을 잘하다

W I have math homework, but it's too difficult. Can you help me?
M Of course. Let's see. I think the answer is 5.
W *[Pause]* Wow! You're very good at math.
M Thanks. I want to be a math teacher in the future.

여 수학 숙제가 있는데, 너무 어려워. 도와줄래?
남 물론이지. 어디 보자. 정답은 5인 것 같아.
여 *[잠시 후]* 와! 너는 수학을 정말 잘하는구나.
남 고마워. 나는 미래에 수학 교사가 되고 싶어.

02 ②

해설 여자가 남자에게 영화 티켓을 구입하는 상황이므로 남자의 직업은 영화관 직원임을 알 수 있다.

어휘 ticket [tíkit] 티켓, 표

W Can I get 2 tickets for *Winter Love Story*?
M Okay. What time do you want?
W 4 o'clock, please.
M That will be $16.
W Here you are.

여 〈Winter Love Story〉 영화 티켓 두 장 구입할 수 있을까요?
남 네. 몇 시를 원하시나요?
여 4시로 부탁드려요.
남 전부 다 해서 16달러입니다.
여 여기 있습니다.

03 ①

해설 남자가 여자의 그림을 보고 칭찬하면서 화가가 되어야 한다고 하자 여자는 그것이 자신의 꿈이라고 했다.

어휘 artist [á:rtist] 화가

M Jenny, what are you drawing?
W I'm drawing my mom. It's for her birthday.
M Wow! It's beautiful. You should be an artist.
W That's my dream.

남 Jenny, 무엇을 그리고 있니?
여 나는 우리 엄마를 그리고 있어. 엄마의 생신 선물을 위한 거야.
남 와! 아름답다. 너는 화가가 되어야 해.
여 그게 바로 내 꿈이야.

04 ①

해설 여자의 엄마가 제빵사이신지 묻는 남자의 말에 여자는 그렇다고 응답하며 빵집에서 일한다고 했다.

어휘 delicious [dilíʃəs] 맛있는
baker [béikər] 제빵사
bakery [béikəri] 빵집

M Wow, this is really delicious. Did you make it?
W No, my mom made it.
M Is your mom a baker?
W Yes, she is. She works at a bakery.

남 와, 이건 아주 맛있네. 네가 만들었니?
여 아니, 우리 엄마가 만들었어.
남 엄마가 제빵사시니?
여 응, 제빵사이셔. 우리 엄마는 빵집에서 일하시거든.

05 ②

해설 남자는 동물을 좋아하고 돕는 데 관심이 있어서 수의사가 되고 싶다고 했다.

어휘 reporter[ripɔ́:rtər] 기자
animal doctor 수의사
be interested in ~에 관심이 있다

W I want to be a reporter in the future. How about you?
M I want to be an animal doctor.
W An animal doctor? Why?
M I love animals, and I'm interested in helping them.

여 나는 미래에 기자가 되고 싶어. 너는 무엇이 되고 싶니?
남 나는 수의사가 되고 싶어.
여 수의사? 왜?
남 나는 동물을 정말 좋아하고 동물들을 돕는 데 관심이 있거든.

06 ③

해설 여자에게 머리를 어떻게 하고 싶은지 묻고 먼저 머리를 감겨주겠다는 것으로 보아 남자의 직업은 미용사임을 알 수 있다.

어휘 get a haircut 이발을 하다, 머리를 자르다
have a seat 자리에 앉다

M How can I help you today?
W I'd like to get a haircut.
M Okay. How short would you like?
W Down to my shoulders, please.
M I understand. I'll wash your hair first.

남 오늘 어떻게 도와드릴까요?
여 머리를 자르고 싶어요.
남 네. 얼마나 짧게 원하세요?
여 어깨까지 부탁드려요.
남 알겠습니다. 먼저 머리 감겨드릴게요.

07 ①

해설 속도를 늦추라고 하고 여자의 운전면허증을 확인하는 것으로 보아 남자의 직업은 교통경찰임을 알 수 있다.

어휘 school zone 어린이 보호 구역
slow down (속도를) 늦추다
sign[sain] 표지판
driver's license 운전 면허증

M It's a school zone here. So, you need to slow down.
W Sorry, I didn't see the sign.
M Can I see your driver's license?
W Here you are.

남 여기는 어린이 보호 구역입니다. 그러니 속도를 늦춰야 합니다.
여 죄송합니다. 표지판을 보지 못했네요.
남 운전자분의 운전 면허증을 봐도 될까요?
여 여기 있습니다.

08 ②

해설 여자가 남자가 쓴 이야기를 읽고 글쓰기에 재능이 있다며 칭찬하자 남자는 미래에 작가가 되고 싶다고 했다.

어휘 work[wə:rk] 작업하다
hard[hɑ:rd] 열심히

W I really liked your story about the boy and his dog.
M I'm glad you liked it. I worked really hard.
W I think you are very good at writing.
M Thank you. I want to be a writer in the future.

여 네가 쓴 소년과 그의 개에 관한 이야기를 정말로 재밌게 읽었단다.
남 재밌게 읽으셨다니 기쁘네요. 정말 열심히 썼거든요.
여 너는 글쓰기에 아주 재능이 있는 것 같아.
남 감사합니다. 저는 미래에 작가가 되고 싶어요.

STEP 2·3 Listen & Check 01 ④ 02 ④ 03 ② 04 ③ 05 ③ 06 ④ 07 ⑤ 08 ⑤

01 ④

해설 남자는 정원 가꾸는 것을 잘하고 좋아해서 정원사가 되고 싶다고 했다.

어휘 plant [plænt] 심다
gardening [gá:rdniŋ] 정원을 가꾸다
spend [spend] (시간을) 보내다
gardener [gá:rdnər] 정원사
come true (소망 등이) 이루어지다, 실현되다

W The flowers are so beautiful!
M Thanks. I planted them.
W You are good at gardening.
M I love gardening, so I spend much time in my garden.
W Do you want to become a gardener?
M Yes. I hope my dream comes true.

여 꽃들이 아주 예쁘구나!
남 고마워. 내가 그것들을 심었어.
여 너는 정원 가꾸는 것을 잘하는구나.
남 나는 정원 가꾸기를 좋아해서, 정원에서 많은 시간을 보내거든.
여 너는 정원사가 되고 싶니?
남 응. 내 꿈이 이루어지면 좋겠어.

02 ④

해설 여자도 동물을 돌보고 싶다고 하면서 남자처럼 되기 위해 무엇을 해야 하는지 묻는 말로 보아, 남자의 직업은 동물 사육사임을 알 수 있다.

어휘 cute [kju:t] 귀여운
touch [tʌtʃ] 만지다
take care of ~을 돌보다

M Good morning, children! These are baby tigers.
W They're very cute. Can I touch them?
M Yes, but don't touch their faces.
W I want to take care of animals like you. What should I do?
M You should love animals and study hard about them.

남 좋은 아침입니다, 어린이 여러분! 이 동물들은 새끼 호랑이입니다.
여 정말 귀엽네요. 만져도 되나요?
남 네. 하지만 얼굴은 만지지 마세요.
여 저도 아저씨처럼 동물들을 돌보고 싶어요. 어떻게 해야 하나요?
남 동물들을 사랑하고 그들에 대해 열심히 공부해야 해요.

03 ②

해설 훌륭한 건축가가 될 것이라고 격려하는 남자의 말에 여자는 자신도 그러길 바란다고 응답했으므로 여자의 장래 희망은 건축가임을 알 수 있다.

어휘 pool [pu:l] 수영장
roof [ru(:)f] 지붕
future [fjú:tʃər] 미래
architect [á:rkətèkt] 건축가
design [dizáin] 설계하다, 디자인하다
someday [sʌ́mdei] 언젠가

M Vicky, what are you doing?
W I'm drawing a house.
M Wow! It's wonderful. There is a pool on the roof.
W This is my future house. I want to be an architect and design nice houses.
M I'm sure you'll become a great architect someday.

남 Vicky, 뭐 하고 있니?
여 나는 집을 그리고 있어.
남 와! 독특하고 멋져. 지붕 위에 수영장이 있구나.
여 이것은 내 미래의 집이야. 나는 건축가가 되어서 멋진 집들을 디자인하고 싶어.
남 너는 언젠가 훌륭한 건축가가 될 거라고 확신해.

04 ③

해설 남자는 농장을 가지고 있으며, 채소를 기른다고 했으므로 남자의 직업은 농부임을 알 수 있다.

어휘 show [ʃou] 쇼
farm [fa:rm] 농장
grow [grou] 기르다, 재배하다
proud [praud] 자랑스러운
healthy [hélθi] 건강한

W Tommy, thanks for coming to our show.
M I'm happy to be here.
W Can you tell me about your job?
M I have farms and grow vegetables there.
W What is your favorite part of the job?
M I feel proud when people become healthy with my vegetables.

여 Tommy, 저희 쇼에 나와주셔서 감사합니다.
남 여기 와서 너무 행복합니다.
여 하시는 일에 대해 말씀해주시겠어요?
남 농장이 있는데요, 그곳에서 채소를 키우고 있습니다.
여 하시는 일에서 가장 좋은 점은 무엇인가요?
남 제 채소로 사람들이 건강해질 때 자랑스럽습니다. .

05 ③

해설 남자는 요리하는 것을 좋아해서 요리사가 되고 싶다고 했다.

어휘 hungry[hʌ́ŋgri] 배가 고픈
delicious[dilíʃəs] 맛있는
cook[kuk] 요리하다; 요리사
already[ɔːlrédi] 이미
chef[ʃef] 요리사

M Are you hungry?
W Yes. Do you have something to eat?
M I made a cheese pizza. Do you want some?
W Sure, thanks. *[Pause]* It's so delicious. You're good at cooking.
M Thanks. I love cooking. So I want to be a cook.
W I think you're already a good chef.

남 너 배고프니?
여 응. 먹을 것 좀 있어?
남 내가 치즈 피자를 만들었어. 좀 먹을래?
여 그래, 고마워. *[잠시 후]* 너무 맛있어. 너 요리를 잘하는구나.
남 고마워. 나는 요리하는 것을 좋아해. 그래서 나는 요리사가 되고 싶어.
여 너는 이미 좋은 요리사인 것 같아.

06 ④

해설 계단에서 떨어진 남자의 여동생의 상태를 살핀 후에 병원에 데려다준다고 했으므로 여자는 구조대원임을 알 수 있다.

어휘 ambulance[ǽmbjuləns] 구급차
fall down 떨어지다
stairs[stɛ́ərz] 계단
broken[bróukən] 부러진
back[bæk] 뒤쪽

W Did you call an ambulance?
M Yes. My sister fell down the stairs.
W I think her leg is broken. I'm going to put her on a bed here and take her to the hospital.
M Can I come, too?
W Yes. You may sit in the back with her.

여 구급차를 부르셨나요?
남 네. 제 여동생이 계단에서 굴러 떨어졌어요.
여 다리가 부러진 것 같네요. 제가 여기 침대 위에 눕히고 병원에 데려다줄게요.
남 저도 같이 가도 되나요?
여 네. 동생과 같이 뒤에 앉아도 됩니다.

07 ⑤

해설 훌륭한 뮤지컬 배우가 될 것 같다는 여자의 말에 남자는 그것이 자신의 꿈이라고 했다.

어휘 play[plei] 연극
perform[pərfɔ́ːrm] 공연하다
festival[féstivəl] 축제
stage[steidʒ] 무대
musical actor 뮤지컬 배우

M Hi, Tiffany. Did you enjoy the play?
W Yes. I loved it.
M I'm happy to hear that. I'll perform in the musical in the school festival this weekend.
W You look happy when you are on the stage. I think you will be a great musical actor.
M That's my dream!

남 안녕, Tiffany. 연극은 좋았니?
여 응. 정말 좋았어.
남 그 말을 들으니 기뻐. 나는 이번 주말에 학교 축제에서 뮤지컬을 공연할 거야.
여 너는 무대에 있을 때 행복해 보여. 너는 훌륭한 뮤지컬 배우가 될 거 같아.
남 그게 내 꿈이야!

08 ⑤

해설 이가 아픈 여자의 상태를 확인하는 걸로 보아 남자는 치과 의사임을 알 수 있다.

어휘 hurt[həːrt] 아프다
a few (수가) 약간의, 몇
bad teeth 충치
X-ray 엑스레이 사진

M What's wrong?
W I can't sleep well because my teeth hurt.
M Let's see. *[Pause]* Oh, you have a few bad teeth.
W I see. How many bad teeth do I have?
M At least 2. But I have to take an X-ray to check first.

남 어디가 불편하신가요?
여 이가 아파서 잠을 잘 수 없어요.
남 어디 봅시다. *[잠시 후]* 아, 충치가 좀 있으시네요.
여 그렇군요. 몇 개나 있어요?
남 적어도 2개는 있어요. 하지만 먼저 확인하기 위해 엑스레이 사진을 찍어야 겠어요.

유형 08 화자의 심정

본문 p.52

1 ② 2 ③ 3 ①   대표 기출 문제 1 ④ 2 ②

STEP 1 Mini Exercise

01 ① 02 ② 03 ① 04 ③ 05 ③ 06 ② 07 ① 08 ③

01 ①

해설 남자는 동물원에 처음 가게 되어 재미있을 거라며 신이 나 있다.

어휘 zoo [zu:] 동물원
can't wait to-v 빨리 ~하고 싶다
look forward to ~을 기대하다
a lot of 많은
fun [fʌn] 재미있는

M It's my first time to go to a zoo!
W Me, too. I can't wait to see the pandas.
M I'm really looking forward to it. It will be fun!

남 동물원에 가는 게 이번이 처음이야!
여 나도 그래. 판다를 빨리 보고 싶어.
남 정말 기대하고 있거든. 아주 재미있을 거야!

02 ②

해설 여자는 할머니가 편찮으셔서 걱정하고 있다.

어휘 answer a call 전화를 받다
get better (병이) 낫다
worry [wə́:ri] 걱정하다

M Mina, why didn't you answer my call last night?
W I'm sorry. I was in the hospital. My grandmother is sick.
M Really? Is she okay?
W I don't know. I hope she gets better soon.
M Don't worry. She'll be okay.

남 미나야, 어젯밤에 내 전화를 왜 받지 않았니?
여 미안해. 나는 병원에 있었어. 할머니가 편찮으시거든.
남 정말? 할머니는 괜찮으시니?
여 모르겠어. 얼른 나아지셨으면 좋겠어.
남 걱정하지 마. 괜찮아지실 거야.

① 행복한 ② 걱정스러운 ③ 슬픈

03 ①

해설 여자는 어제 키우던 개가 죽어서 슬퍼하고 있다.

어휘 die [dai] 죽다
believe [bilí:v] 믿다

M Semi, what's the matter?
W My dog died yesterday. I can't believe it.
M I'm sorry to hear that.

남 세미야, 무슨 일 있니?
여 우리 집 개가 어제 세상을 떠났어. 믿을 수가 없어.
남 유감이구나.

04 ③

해설 여자는 남자가 피아노 경연대회에서 일등상을 타자, 해낼 줄 알았다고 말하며 자랑스러워하고 있다.

어휘 wonderful [wʌ́ndərfəl] 아주 멋진, 훌륭한

W Hi, Philip. You look happy.
M Yes, I am. I won first prize in a piano contest.
W That's wonderful! I knew you could do it!

여 안녕, Philip. 너 행복해 보인다.
남 응, 나 행복해. 나는 피아노 경연대회에서 일등상을 탔거든.
여 정말 멋지다! 나는 네가 해낼 줄 알았어!

① 지루한 ② 속상한 ③ 자랑스러운

05 ③

해설 남자는 비가 와서 밖에 나가지 못하자 집에서는 할 게 없다며 지루해하고 있다.

어휘 outside[àutsáid] 밖에서 (↔ inside[ìnsáid] 안에서)

M Mom, can I go outside and play with my friends?
W It's raining outside. You should stay at home.
M Really? But there's nothing to do at home.

남 엄마, 밖에 나가서 친구들하고 놀아도 되나요?
여 지금 밖에 비가 내리고 있어. 넌 집에 있어야 해.
남 정말요? 하지만 집에서는 아무것도 할 게 없어요.

06 ②

해설 남자는 아끼던 손목시계를 잃어버려서 속상해하고 있다.

어휘 watch[wɑtʃ] 손목시계
terrible[térəbl] 끔찍한

W What's wrong?
M I lost my watch. It was my favorite one.
W That's too bad. How did that happen?
M I think I left it on the bus. I feel so terrible.

여 무슨 일 있니?
남 나 손목시계를 잃어버렸어. 내가 가장 아끼던 거였는데.
여 안됐네. 어쩌다 잃어버렸니?
남 버스에 두고 내린 것 같아. 나는 기분이 안 좋아.

① 슬픈 ② 속상한 ③ 부끄러운

07 ①

해설 남자는 오랫동안 기다려온 소풍이 기대된다고 하는 걸로 보아 남자의 심정으로 설레는 것을 알 수 있다.

어휘 finally[fáinəli] 마침내
picnic[píknik] 소풍

M Mom, it's finally picnic day this Friday!
W Great. I know you waited a long time for it. Do you need to bring lunch?
M Yes. Can you make gimbap for me? I really want to have it.
W Of course.
M Wow, I can't wait!

남 엄마, 이번 주 금요일이 마침내 소풍 가는 날이에요!
여 잘됐네. 네가 오랫동안 기다렸다는 것을 알고 있어. 도시락을 가져가야 하니?
남 네. 김밥을 만들어 주실 수 있나요? 그걸 정말 먹고 싶어요.
여 물론이지.
남 와, 기대되네요!

08 ③

해설 열이 나서 잠을 잘 수가 없었다는 남자의 말에 여자는 병원에는 갔는지 물어보면서 걱정하고 있다.

어휘 fever[fíːvər] 열
Poor you. 안됐구나.
see a doctor 병원에 가다

W You don't look well. Are you all right?
M I couldn't sleep well because I had a fever.
W Oh, poor you. Did you go and see a doctor?

여 너 안 좋아 보이네. 괜찮니?
남 열이 있어서 잠을 잘 수가 없었어요.
여 아, 안됐구나. 병원에는 가봤니?

STEP 2-3 Listen & Check 01 ④ 02 ② 03 ③ 04 ④ 05 ② 06 ② 07 ⑤ 08 ④

01 ④

해설 여자는 뉴욕에 와서 여러 관광지를 돌아볼 생각에 신이 나 있다.

어휘 finally [fáinəli] 드디어
wonderful [wʌ́ndərfəl] 굉장한
tourist [túərist] 여행자
view [vju:] 전망

W I'm finally in New York!
M There are so many good places for tourists here.
W Great! Where are we going to visit first?
M Let's go to the Empire State Building to see a view of the city.
W Wow, I can't wait!

여 내가 드디어 뉴욕에 왔어!
남 여기는 관광객들이 가 볼만한 곳이 정말 많아.
여 좋아! 먼저 어디부터 갈 거니?
남 이 도시의 전망을 보러 Empire State 빌딩에 가자.
여 와, 정말 기대돼!

02 ②

해설 남자의 개가 자신의 물건을 가지고 노는 것을 멈춰야 하고 훈련이 필요하다고 말하는 것으로 보아 남자는 화가 났다는 것을 알 수 있다.

어휘 puppy [pʌ́pi] 강아지
steal [sti:l] 훔치다
sock [sɑ:k] 양말
stand [stænd] 참다, 견디다
training [tréiniŋ] 훈련

W What's wrong, Liam?
M My dog Max played with my favorite shoes again.
W Well, every puppy does that.
M That's not all. He often steals my socks.
W I'm sorry to hear that.
M He must stop doing it. He needs some training.

여 무슨 일 있어, Liam?
남 우리 개 Max가 또 내가 가장 아끼는 신발을 가지고 놀았어.
여 음, 그렇지만 모든 강아지가 그러잖아.
남 그게 다가 아니야. 걔는 자주 내 양말을 훔쳐가.
여 안 됐구나.
남 Max는 그걸 멈춰야 해. 훈련이 좀 필요해.

① 행복한 ② 화가 난 ③ 신이 난
④ 자랑스러운 ⑤ 부끄러운

03 ③

해설 남자는 수학 시험 점수가 안 좋아서 우울해하고 있다.

어휘 down [daun] 우울한
alone [əlóun] 혼자
grade [greid] 성적
cheer up 기운을 내다

W Mike, you look down.
M I'm fine. I just need to be alone for now, Mom.
W Is something wrong?
M I got a bad grade on my math test. I feel so bad about it.
W Cheer up. You'll do better next time.
M I hope so.

여 Mike, 너 기분이 안 좋아 보이는구나.
남 저 괜찮아요. 지금은 그냥 혼자 있고 싶어요, 엄마.
여 무슨 일 있니?
남 수학 시험 점수가 안 좋아요. 그것 때문에 너무 속상해요.
여 힘 내. 다음엔 더 잘 할 수 있을 거야.
남 그랬으면 좋겠어요.

04 ④

해설 여자는 오빠의 카메라를 실수로 떨어뜨려 고장을 내서 걱정하고 있다.

어휘 quiet [kwáiət] 조용한
drop [drɑp] 떨어뜨리다
by mistake 실수로
truth [tru:θ] 사실, 진실

M Julie, what's wrong?
W Well, I broke my brother's camera.
M Oh no. How did it happen?
W I dropped it by mistake. What should I do?
M Tell him the truth. He'll understand.
W I hope you're right.

남 Julie, 무슨 일 있어?
여 음, 내가 우리 오빠의 카메라를 망가뜨렸어.
남 저런. 어쩌다 그랬어?
여 실수로 떨어뜨렸어. 어떡하지?
남 네 오빠한테 사실대로 말해. 이해해 줄 거야.
여 네 말이 맞았으면 좋겠다.

① 지루한 ② 신이 난 ③ 기쁜
④ 걱정스러운 ⑤ 희망 찬

05 ②

해설 남자는 숙제하기 위해 미술관에 왔고 실제로 미술에 관심이 없다며 지루해하고 있다.

어휘 painting [péintiŋ] 그림, 회화
excited [iksáitid] 신이 난
at the same time 동시에
enjoy [indʒɔ́i] 즐기다

W These paintings by Picasso are amazing.
M How many more do we have to see?
W Aren't you excited to see his paintings?
M Not really. We're just here to do homework.
W Yes. But at the same time you can enjoy art.
M Not for me. I'm not interested in art.

여 이 Picasso 그림들은 멋지다.
남 우리 얼마나 더 봐야 해?
여 Picasso 그림들을 보게 되어 신이 나지 않아?
남 별로. 우리 그냥 숙제하러 여기에 온 거잖아.
여 그래. 근데 동시에 미술을 즐길 수 있잖아.
남 난 아니야. 미술에 관심이 없거든.

06 ②

해설 남자가 직접 만든 밸런타인데이 카드와 선물을 여자에게 주자 감사해하고 있다.

어휘 gift [gift] 선물
cool [ku:l] 멋진
sweet [swi:t] 다정한

W Eric, what is that?
M It's a Valentine's Day card. I made it.
W Wow! The hearts on it are really pretty.
M Yes, and there is a gift in the card.
W That's cool. Who is it for?
M It's for you, Sora.
W Thanks. I love it! You're so sweet.

여 Eric, 그게 뭐야?
남 밸런타인데이 카드야. 내가 만들었어.
여 와! 거기에 있는 하트들 정말 예쁘다.
남 그래, 그리고 카드 안에 선물도 있어.
여 멋지다. 누구 줄 건데?
남 널 위한 거야, 소라야.
여 고마워. 정말 맘에 들어! 너는 참 다정하구나.

① 피곤한 ② 감사한 ③ 자랑스러운
④ 부끄러운 ⑤ 속상한

07 ⑤

해설 여자는 반 아이들 앞에서 경주에서 꼴찌로 들어왔다고 하면서 창피해 하고 있다.

어휘 race [reis] 경주
gym [dʒim] 체육관
come in last 꼴찌로 들어오다
do A's best 최선을 다하다

W Dad, I don't want to go to school tomorrow.
M Why? Did something happen?
W Well, my class had a race in the gym, and I came in last.
M That's okay. You did your best.
W But everyone in the class saw me.
M Don't worry. No one will remember it.

여 아빠, 저 내일 학교 가고 싶지 않아요.
남 왜? 무슨 일이 있었니?
여 저, 저희 반이 체육관에서 경주를 했는데요, 제가 꼴찌로 들어왔어요.
남 괜찮단다. 최선을 다했잖니.
여 그래도 저희 반 아이들 모두가 저를 봤단 말이에요.
남 걱정하지 마. 아무도 그걸 기억하지 않을 거야.

08 ④

해설 세계 음식 박람회가 예정보다 일찍 끝났다고 하자 박람회를 기대했었던 남자는 실망하고 있다.

어휘 fair [fɛər] 박람회
guest [gest] 손님
get sick 병이 나다
look forward to ~을 기대하다

W Did you hear about the World Food Fair?
M Yes. I'm going to go there this weekend.
W The fair stopped yesterday because something happened on the first day.
M I didn't know that. What happened?
W One of the guests got sick after he ate the food there.
M I can't believe it. I was looking forward to it.

여 세계 음식 박람회에 대해 들었니?
남 응. 나 이번 주말에 거기에 갈 거야.
여 첫째 날 무슨 일이 있어서 그 박람회는 어제 중단했어.
남 나 몰랐었어. 무슨 일이 있었던 거야?
여 첫째 날에 손님 중 한 명이 그곳에서 음식을 먹고 병이 났대.
남 믿을 수가 없어. 정말 기대하고 있었는데.

유형 09 할 일 · 한 일 파악

본문 p.58

1 I will 2 I ate[had] 3 Let's 4 I will 5 I went

대표 기출 문제 1 ③ 2 ④

STEP 1 Mini Exercise

01 ② 02 ③ 03 ① 04 ② 05 ③ 06 ② 07 ② 08 ③

01 ②

해설 여자는 안과에 가야 한다면서 먼저 병원에 전화하겠다고 했다.

어휘 sign [sain] 표지판
over there 저쪽에
eye doctor 안과 의사
doctor's office 의원, 병원

M Mom, I can't see the sign over there. I think I need glasses.
W Oh, really? You need to go and see an eye doctor.
M Can we go now?
W I'll call the doctor's office and ask.

남 엄마, 저쪽에 있는 표지판이 잘 안보여요. 안경이 필요한 것 같아요.
여 아, 정말이니? 안과에 가야겠구나.
남 오늘 갈 수 있나요?
여 지금 병원에 전화해서 물어볼게.

02 ③

해설 남자는 주말에 자신이 가장 좋아하는 밴드 콘서트에 갔다고 했다.

어휘 exam [igzǽm] 시험
during [djúəriŋ] ~ 동안
band [bænd] 밴드

W Did you study for the exam during the weekend?
M No, I didn't study at all.
W Why not?
M I went to my favorite band's concert.

여 주말 동안에 시험공부 했니?
남 아니, 전혀 하지 않았어.
여 왜 안 했니?
남 내가 가장 좋아하는 밴드의 콘서트에 갔었거든.

03 ①

해설 친구에게 더러운 방을 보여주기 싫은 남자는 방을 바로 청소하겠다고 했다.

어휘 yet [jet] 아직
clean [kliːn] 청소하다

W Bill, did you clean your room?
M Not yet. I didn't have time to do it.
W Your friend will be here in 10 minutes. Do you want to show him your dirty room?
M No. I'll clean it right now.

여 Bill, 네 방을 청소했니?
남 아직요. 그걸 할 시간이 없었어요.
여 네 친구가 10분 안에 올 거잖니. 네 친구에게 너의 더러운 방을 보여주고 싶니?
남 아니요. 지금 바로 청소할게요.

04 ②

해설 남자가 건네준 물병을 여자는 가방 안에 두겠다고 했다.

어휘 put [put] 넣다
everything [évriθìŋ] 모든 것
water bottle 물병
go hiking 등산하러 가다

M Tina, are you ready for the trip tomorrow?
W Yes, I am. I put everything in my bag.
M Take this water bottle with you. You'll need this when you go hiking.
W Thanks, Dad. I'll put it in my bag.

남 Tina, 내일 여행갈 준비 되었니?
여 네, 준비됐어요. 모든 걸 제 가방 안에 넣었어요.
남 이 물병을 가져가렴. 등산 갈 때 이게 필요할 거야.
여 고마워요, 아빠. 제 가방 안에 넣어둘게요.

05 ③

해설 여자는 어제 과학 경시대회에 참가했다고 했다.

어휘 science competition 과학 경시대회
miss school 학교를 빠지다

M Cindy, I didn't see you at school yesterday. Did something happen?
W I went to the science competition yesterday. So I missed school.
M Really? Did you win any prize?
W No, but it was fun.

남 Cindy, 어제 학교에서 널 못 봤어. 무슨 일 있었니?
여 나는 어제 과학 경시대회에 갔었어. 그래서 학교에 못 왔어.
남 정말? 어떤 상이라도 수상했니?
여 아니, 그렇지만 재미있었어.

06 ②

해설 남자는 휴일에 집에서 영화를 봤고 여자는 낚시를 하러 갔다고 했다.

어휘 holiday[hálədèi] 휴일
go fishing 낚시하러 가다

M I watched movies during the holiday. How about you?
W I went to a river with my family.
M What did you do there?
W I went fishing. I really enjoyed it.

남 난 휴일동안 영화를 봤어. 너는 어때?
여 나는 우리 가족과 함께 강에 갔어.
남 거기서 무엇을 했니?
여 나는 낚시를 하러 갔어. 정말 재미있었어.

07 ②

해설 남자는 휴일에 가족들과 함께 가족 사진을 찍었다고 했다.

어휘 dress up (옷을) 갖춰 입다

W Minsu, how was your holiday?
M It was nice.
W What did you do?
M All of my family members dressed up, and we took a family picture together.

여 민수야, 휴일 어떻게 보냈니?
남 아주 좋았어.
여 무엇을 했니?
남 우리 가족 모두가 옷을 갖춰 입고 함께 가족사진을 찍었어.

08 ③

해설 인터넷에서 전화번호를 검색하는 걸 제안하는 여자의 말에 남자는 바로 그렇게 하겠다고 했다.

어휘 cheese[tʃiːz] 치즈
on the Internet 인터넷에서

W Can you order a cheese pizza?
M Yes. But I don't have the phone number.
W Why don't you find it on the Internet?
M Okay, I will do that right now.

여 치즈 피자를 주문해줄래요?
남 네. 그런데 전화번호를 가지고 있지 않아요.
여 인터넷에서 검색해보지 그래요?
남 알겠어요. 지금 바로 할게요.

STEP 2·3 Listen & Check 01 ① 02 ① 03 ④ 04 ② 05 ⑤ 06 ④ 07 ④ 08 ②

01 ①

해설 캠프에서 같은 수업을 듣자고 제안하는 남자의 말에 여자는 동의하면서 가서 수업 등록을 하겠다고 했다.

어휘 choose[tʃuːz] 선택하다 (choose-chose-chosen)
design[dizáin] 디자인; 디자인하다
building[bíldiŋ] 건물
sign up for ~을 신청하다
interested in ~에 관심 있는

W Did you choose a class for the summer camp?
M Yes. I chose the art and design class. I'm interested in designing cars. What about you?
W I'm interested in designing buildings.
M Then you should take the same class with me.
W Okay. I'll sign up for it now.

여 여름 캠프 수업을 골랐니?
남 응. 난 미술과 디자인 수업을 선택했어. 자동차를 디자인하는 데 관심 있거든. 너는?
여 난 건물을 디자인하는 데 관심이 있어.
남 그럼 나랑 같은 수업을 들으면 되겠네.
여 알겠어. 지금 그 수업을 신청할게.

02 ①

해설 여자는 휴일에 가족과 함께 캠핑을 갔다.

어휘 holiday[hálədèi] 휴일
concert[kánsə(ː)rt] 콘서트
fun[fʌn] 재미있는
ride[raid] (탈 것 등에) 타기

W Eric, did you have a good holiday?
M Yes, I went to a concert with my sister. What about you?
W I went camping with my family.
M That sounds fun! What did you do there?
W We went hiking and took a boat ride.

여 Eric, 휴일 잘 보냈어?
남 응, 나는 누나랑 콘서트에 갔어. 너는 어떻게 보냈어?
여 나는 가족과 함께 캠핑을 갔어.
남 재미있었겠다! 거기서 뭐했어?
여 우리는 하이킹도 하고 보트도 탔어.

03 ④

해설 남자가 컴퓨터 게임을 별로 좋아하지 않아서 두 사람은 영화를 보러 가기로 했다.

어휘 something[sʌ́mθiŋ] 어떤 것[일]
enjoy[indʒɔ́i] 즐기다
go to the movies 영화 보러 가다

W Let's do something fun today.
M Do you want to go shopping?
W I went shopping yesterday. How about playing computer games?
M I don't enjoy computer games much.
W Why don't we go to the movies then?
M That's a good idea. Let's go now.

여 오늘 재미있는 거 하자.
남 쇼핑하러 갈래?
여 어제 쇼핑하러 갔었어. 컴퓨터 게임하는 건 어때?
남 나는 컴퓨터 게임은 별로 좋아하지 않아.
여 그럼 영화 보러 가는 게 어때?
남 좋은 생각이야. 지금 가자.

04 ②

해설 남자는 어제 휴대전화를 잃어버려서 경찰서에 가서 찾았다.

어휘 lose[luːz] 잃어버리다 (lose-lost-lost)
police station 경찰서
find[faind] ~을 찾다 (find-found-found)
bookstore[búkstɔ̀ːr] 서점

M I lost my cell phone in the park yesterday afternoon.
W So what did you do?
M I went to the police station and found my cell phone there.
W Good. I called you because I wanted to go to the bookstore with you.
M Then we can go there now.

남 어제 낮에 공원에서 내 휴대전화를 잃어버렸어.
여 그래서 어떻게 했어?
남 경찰서에 가서 휴대전화를 찾았어.
여 다행이네. 너랑 같이 서점에 가고 싶어서 전화했었거든.
남 그럼 우리 지금 거기에 가면 되겠다.

05 ⑤

해설 깨진 접시 조각을 신문지로 치울 수 있다는 여자의 말에 남자는 신문지를 바로 가져오겠다고 했다.

어휘 drop [drɑp] 떨어뜨리다
plate [pleit] 접시
break [breik] 깨지다
(break-broke-broken)
newspaper [njú:zpèipər] 신문지

M Oh no! I dropped a plate and it broke!
W Be careful!
M How do I clean the pieces up?
W Don't worry. You can do it with newspaper.
M With newspaper? How?
W Do you have any newspaper? I'll show you.
M Great! I'll get some newspaper right now.

남 이런! 접시를 떨어뜨려서 깨졌어.
여 조심해!
남 이 조각들을 어떻게 치우지?
여 걱정 마. 신문지를 가지고 치우면 돼.
남 신문지로 한다고? 어떻게?
여 신문지가 좀 있어? 내가 보여줄게.
남 좋아! 지금 당장 신문지를 좀 가져올게.

06 ④

해설 남자는 방콕에 도착한 날인 월요일에 길거리 음식을 맛봤다고 했다.

어휘 arrive [əráiv] 도착하다
street food 길거리 음식
show A around A에게 구경시켜 주다
market [má:rkit] 시장

W James! It's so good to see you here in Bangkok. When did you arrive?
M I got here Monday morning.
W So what did you do on your first day?
M I went to try street food. It was really good.
W All right. Today I'll show you around. Let's go to a market.

여 James! 여기 방콕에서 보니 너무 좋다. 언제 도착했어?
남 월요일 아침에 도착했어.
여 그래서 첫날에 뭐 했어?
남 길거리 음식을 먹으러 갔어. 정말 좋았어.
여 알았어. 오늘은 내가 안내할게. 우리 시장에 가자.

07 ④

해설 남자가 좋아하는 작가를 보러 같이 가자고 하자 여자가 온라인으로 참가 신청을 하겠다고 했다.

어휘 online [ɔnlàin] 온라인으로

[Cell phone rings.]
M Hello.
W Hi, Jim. You like Adam Hall's book, right?
M Yes. I'm reading his book now.
W He's going to come to Seoul Bookstore this weekend. Are you interested?
M Sure. Let's go there together.
W Okay. I'll sign up online now.

[휴대전화가 울린다.]
남 여보세요.
여 안녕, Jim. 너 Adam Hall의 책을 좋아하지?
남 응. 지금 그의 책을 읽고 있어.
여 이번 주말에 그가 서울 서점으로 온대. 너 관심 있니?
남 물론이지. 거기에 같이 가자.
여 그래. 내가 지금 온라인으로 신청할게.

08 ②

해설 여자는 지난 주말에 머리를 잘랐다.

어휘 haircut [héərkʌ̀t] 머리 깎기, 이발; 머리 모양
funny [fʌ́ni] 웃기는, 우스운

M Anna, your hat is so nice. When did you get it?
W I got a haircut last weekend, but it is too short. So I bought this hat because I don't like my haircut.
M Take your hat off and let me see.
W No. My hair still looks funny.

남 Anna, 너 모자 멋지다. 언제 샀니?
여 지난 주말에 머리를 잘랐는데, 머리가 너무 짧아. 머리 자른 게 마음에 안 들어서 이 모자를 샀어.
남 모자를 벗어서 보여 줘봐.
여 안 돼. 아직도 머리가 웃겨 보인단 말이야.

유형 10 주제 추론

본문 p.64

1 ③ 2 ① 3 ④ 4 ② 대표 기출 문제 1 ② 2 ②

STEP 1 Mini Exercise 01 ② 02 ③ 03 ③ 04 ③ 05 ① 06 ② 07 ③ 08 ①

01 ②

해설 여자는 제주도에 갈 것이고 남자는 드럼 레슨을 받을 것이라며, 각자 방학 계획에 관해 대화를 나누고 있다.

어휘 plan [plæn] 계획
drum [drʌm] 드럼

W I'm going to Jeju-do this summer vacation.
M That sounds great.
W Do you have any plans?
M I'm going to take drum lessons.

여 나는 이번 여름 방학에 제주도에 갈 거야.
남 그거 좋네.
여 너는 계획이 있니?
남 나는 드럼 레슨을 받을 거야.

02 ③

해설 남자와 여자가 공통적으로 좋아하는 영화에 대해 대화를 나누고 있다.

어휘 favorite [féivərit] 가장 좋아하는
enjoy [indʒɔ́i] 즐기다
action [ǽkʃən] (영화 속의) 액션

W What movie do you like the most?
M My favorite movie is *Action Kids*.
W Oh, I love that movie, too. Why do you like it?
M I love the action in the movie.

여 너는 어떤 영화를 가장 좋아해?
남 내가 가장 좋아하는 영화는 〈Action Kids〉야.
여 아, 나도 그 영화 좋아해. 너는 왜 좋아하니?
남 그 영화에 등장하는 액션이 정말 좋거든.

03 ③

해설 여자는 사진을 많이 찍을 것이고 남자는 롤러코스터를 탈 것이라며 각자 학교 소풍에 관해 대화를 나누고 있다.

어휘 excited [iksáitid] 신이 난
take a picture 사진을 찍다
ride [raid] 타다
roller coaster 롤러코스터

M Are you excited about our school trip to Dream Land?
W Yes, I am. I'll bring a camera and take many pictures.
M That sounds good. I'm going to ride a roller coaster.
W Me, too. Let's ride it together.

남 Dream Land로 가는 우리 학교 소풍이 기대되니?
여 응, 기대돼. 나는 카메라를 가져가서 사진을 많이 찍을 거야.
남 그거 좋은 생각이네. 나는 롤러코스터를 탈거야.
여 나도 탈래. 우리 같이 타자.

04 ③

해설 일정과 장소를 설명하면서 그리기 대회에 관해 대화를 나누고 있다.

어휘 enter [éntər] (대회 등에) 참가하다
contest [kántest] 대회

M I'm going to enter a drawing contest.
W Really? When is the contest?
M It's the 14th of May.
W Where?
M At the River Park.

남 나는 미술 대회에 참가할 거야.
여 정말? 대회가 언제니?
남 5월 14일이야.
여 어디에서?
남 River 공원에서 해.

05 ①

해설 여자는 여가 시간에 컴퓨터 게임을 하고 남자는 배드민턴을 친다고 하며 각자 취미 생활에 대해 대화를 나누고 있다.

어휘 free time 여가 시간
hobby [hábi] 취미

M Sara, what do you usually do in your free time?
W I play computer games. How about you?
M I play badminton. It's my new hobby.
W That sounds fun.

남 Sara, 여가 시간에 주로 무엇을 하니?
여 나는 컴퓨터 게임을 해. 너는 무엇을 하니?
남 나는 배드민턴을 쳐. 그건 내 새로운 취미야.
여 그거 재미있겠네.

06 ②

해설 남자는 가수가 되고 싶고, 여자는 피아니스트가 되고 싶다고 하면서, 각자 자신의 장래 희망에 대해 대화를 나누고 있다.

어휘 singer [síŋər] 가수
pianist [piǽnist] 피아니스트
come true 이루어지다

W What do you want to do in the future?
M I want to be a singer. I love singing. What about you?
W I want to be a pianist.
M I hope our dreams come true.

여 너는 미래에 무엇을 하고 싶니?
남 나는 가수가 되고 싶어. 노래 부르는 걸 좋아하거든. 너는?
여 난 피아니스트가 되고 싶어.
남 우리 꿈이 이루어지면 좋겠다.

07 ③

해설 부모님이 학교에서 수업을 참관하고 학생들이 공부하는 것을 볼 거라며 공개 수업에 대해 이야기하고 있다.

어휘 sit in on ~을 방청하다, 참관하다

M My school is inviting parents to visit on Friday.
W Oh, there's an open class.
M That's right. You can sit in on a class and watch us study.
W Great. I'd love to come.

남 우리 학교에서 금요일에 부모님을 초대한대요.
여 아, 공개 수업이 있구나.
남 맞아요. 수업을 참관하셔서 우리가 공부하는 것을 보실 거예요.
여 잘됐네. 너무 가고 싶어.

08 ①

해설 여자는 창문을 열고 남자는 칠판을 지우겠다며 두 사람은 음악실 청소하기에 대해 대화를 나누고 있다.

어휘 erase [iréis] 지우다
blackboard [blǽkbɔ̀ːrd] 칠판

M Nahee, we need to clean the music room now.
W Sure, Sungjin. I'll open the windows first.
M All right. Let me erase the blackboard.

남 나희야, 우리는 지금 음악실을 청소해야 해.
여 알겠어, 성진아. 우선 내가 창문을 열게.
남 좋아. 내가 칠판을 지울게.

STEP 2·3 Listen & Check 01 ② 02 ① 03 ⑤ 04 ① 05 ① 06 ④ 07 ⑤ 08 ②

01 ②

해설 얼마나 키가 컸는지 이야기하고, 시력검사를 기다리고 있다는 여자의 말로 보아, 대화는 신체검사에 관한 내용임을 알 수 있다.

어휘 tall [tɔːl] 키가 큰; 키가 …인
centimeter [séntəmìːtər] 센티미터(cm)
grow [grou] 자라다 (grow-grew-grown)
still [stil] 여전히, 아직
line [lain] (차례를 기다리는 사람들의) 줄

M Wow, I am taller than last year. I am now 160 centimeters tall. How about you?
W I grew a little, too. Maybe 2 centimeters.
M Good for you. Did you take the eye exam?
W No. There is still a long line. So, I'm waiting.

남 와, 나 작년보다 키가 더 크네. 지금 160센티미터야. 너는 어때?
여 나도 조금 컸어. 2센티미터 정도.
남 잘됐다. 시력검사는 했어?
여 아니. 아직 줄이 길어. 그래서 기다리고 있어.

02 ①

해설 포스터 대회에서 그릴 포스터 주제에 관해 대화를 나누고 있다.

어휘 in danger 위험에 처한
poster [póustər] 포스터
contest [kántest] 대회
smoke [smouk] 연기

M I'll draw animals in danger for the poster contest.
W I don't know what to draw.
M How about 2 different pictures of the earth?
W 2 different pictures?
M Add flowers and trees to the first one. On the second one, draw cars and smoke.
W That sounds great. Thanks.

남 난 포스터 대회에서 위험에 처한 동물을 그릴 거야.
여 난 뭘 그려야 할지 모르겠어.
남 두 개의 다른 지구 그림을 그리는 건 어때?
여 두 개의 다른 그림?
남 첫 번째 지구에는 꽃이랑 나무를 추가해. 두 번째 것에는, 차랑 연기를 그려봐.
여 그거 좋은 것 같아. 고마워.

03 ⑤

해설 운동회에 필요한 준비물을 하나씩 확인하는 상황으로 보아 교내 운동회 준비에 관한 내용임을 알 수 있다.

어휘 Sports Day 운동회 날
check [tʃek] 확인하다
microphone [máikrəfòun] 마이크
forget [fərgét] 잊어버리다 (forget-forgot-forgotten)

M I can't believe tomorrow is Sports Day.
W Me, too. Let's check the list. Is the microphone ready?
M Yes. I put it outside.
W Good. Where are the gifts for the winners?
M They are here. We should keep them inside.
W Good idea. What about the balls?
M Oh, I forgot. They are still in the gym. I'll get them.

남 내일이 벌써 운동회 날이라니 믿어지지 않아요.
여 저도 그래요. 목록을 확인해봅시다. 마이크는 준비되었나요?
남 네. 제가 밖에 두었어요.
여 좋아요. 우승자들을 위한 선물은 어디에 있나요?
남 그건 여기 있어요. 안에 둬야 할 것 같아요.
여 좋은 생각이에요. 공은요?
남 아, 깜빡했네요. 아직 체육관 안에 있어요. 제가 가지고 올게요.

04 ①

해설 깨끗하게 손을 씻는 방법을 설명하는 내용이다.

어휘 follow [fálou] 따르다
wet [wet] 적시다
soap [soup] 비누
cover [kʌ́vər] 바르다, 뒤덮다
rub [rʌb] 문지르다, 맞비비다
rinse [rins] 헹구다, 씻어 내다

W Did you wash your hands?
M Yes. Look. They're clean.
W They are not clean enough. Follow me. Wet your hands with clean water.
M Okay. What's next?
W Use the soap and cover your hands. Rub your hands for 30 seconds. Then rinse your hands with water.

여 손을 씻었니?
남 응. 봐. 깨끗하잖아.
여 충분히 깨끗하지 않아. 날 따라 해봐. 깨끗한 물로 손을 적셔.
남 알겠어. 그다음엔?
여 비누를 사용해서 손에 발라. 30초 동안 손을 문질러. 그러고 나서 물로 손을 헹궈.

05 ①

해설 여자가 남자에게 개를 맡기면서 무엇을 해야 하는지 설명하는 상황으로 보아 개 돌보기에 관한 내용임을 알 수 있다.

어휘 walk[wɔːk] 산책
give A a bath A를 목욕시키다
feed[fiːd] 먹이를 주다

M So what should I do with your dog?
W First, take him out for a walk. Give him some water, too.
M Okay. Should I give him a bath after?
W No, but you should feed him after the walk.
M Where is his food?
W It's in the kitchen.

남 그래서 내가 너네 개랑 뭘 하면 돼?
여 먼저 산책하러 데리고 나가줘. 물도 좀 줘야 해.
남 알겠어. 그 후에 목욕시켜야 하니?
여 아니, 근데 산책 후에는 먹이를 줘야 해.
남 먹이는 어디에 있어?
여 부엌 안에 있어.

06 ④

해설 새해 연휴에 받은 세뱃돈을 어떻게 사용할 것인지에 대한 내용이다.

어휘 New Year's holiday 새해 연휴
save[seiv] 저축하다
all[ɔːl] 다, 모두
bank[bæŋk] 은행
backpack[bǽkpæ̀k] 책가방, 배낭
rest[rest] 나머지

M Mina, how was your New Year's holiday?
W I had a great time with my family. The best part was getting money for the new year.
W I got some, too. What are you going to do with it?
M I'm going to save it all in the bank. What about you?
W I'm going to buy a new backpack and save the rest.

남 미나야, 새해 연휴는 어땠어?
여 가족들이랑 좋은 시간을 보냈어. 가장 좋았던 것은 세뱃돈을 받는 거였어.
여 나도 좀 받았어. 그걸로 넌 뭘 할 거야?
남 그걸 전부 은행에 저축할 거야. 너는?
여 나는 새 책가방을 하나 사고 나머지를 저축할 거야.

07 ⑤

해설 남자가 댄스 동아리에 가입하기 위해 목요일에 있을 오디션에 참가한다는 내용이다.

어휘 member[mémbər] 회원
sign up for ~을 신청하다
pass[pæs] 합격하다
audition[ɔːdíʃən] 오디션

W John, the school dance club is looking for more members.
M Really? I'll sign up for it.
W But you have to pass the audition this Thursday first.
M Where is the audition?
W It's in Classroom 201.

여 John, 학교 댄스 동아리에서 회원을 더 모집한대.
남 정말? 나 신청할래.
여 근데 먼저 이번 주 목요일에 있을 오디션에 합격해야 해.
남 오디션은 어디서 해?
여 201호 교실에서 해.

08 ②

해설 남자는 엄마의 생일 파티를 하고, 여자는 사촌들과 동물원에 갈 계획이라면서 각자의 주말 계획에 관해 대화를 나누고 있다.

어휘 have a party 파티를 열다
the day before 그 전날
zoo[zuː] 동물원
cousin[kʌ́zən] 사촌

W What are you going to do this weekend?
M I'll have a birthday party for my mom.
W When is her birthday?
M This Sunday. So I'll go shopping the day before. What about you?
W I'm going to go to the zoo with my cousins. They are excited about it.

여 너 이번 주말에 뭘 할 거니?
남 엄마를 위해 생일 파티를 열 거야.
여 엄마 생신이 언제야?
남 이번 주 일요일이야. 그래서 그 전날에 쇼핑하러 갈 거야. 너는?
여 난 사촌들이랑 동물원에 갈 거야. 사촌들이 기대하고 있어.

유형 11 교통수단 찾기

본문 p.70

1 took a taxi 2 by train 3 on foot

대표 기출 문제 1 ② 2 ①

STEP 1 Mini Exercise

01 ③ 02 ② 03 ③ 04 ① 05 ② 06 ① 07 ③ 08 ②

01 ③

해설 오후에 비가 와서 남자는 버스를 타기로 했다.

어휘 ride a bike 자전거를 타다

W Jeremy, are you going to go to school by bus today?
M No. I'll ride my bike. Why?
W It's going to rain in the afternoon. I think you should take the bus.
M All right, Mom.

여 Jeremy, 오늘 버스로 학교에 갈 거니?
남 아니요, 자전거를 탈거예요. 왜 그러세요?
여 오후에 비가 올 거래. 너는 버스를 타야 할 것 같아.
남 알겠어요, 엄마.

02 ②

해설 남자는 피곤해서 더 이상 못 걷겠다며 택시를 타자고 하였고 여자가 동의했다.

어휘 tired[táiərd] 피곤한

M Sejin, I can't walk any more.
W What's wrong?
M I'm tired. Why don't we take a taxi?
W Sure. I'll call a taxi.

남 세진아, 나 더 이상 못 걷겠어.
여 무슨 일 있어?
남 나 피곤해. 택시를 타는 게 어떠니?
여 그래. 내가 택시를 부를게.

03 ③

해설 쇼핑몰에 가는 데 자전거가 더 빠를 것이라는 남자의 말에 여자는 동의하며 자전거를 타겠다고 했다.

어휘 drive[draiv] (차로) 태워다 주다
take[teik] 가지고 가다; ~을 타다
ride[raid] 타다

W Dad, can you drive me to the mall?
M I'm afraid I can't. Your mom took my car in the morning.
W Oh, okay. I will take the bus then.
M Why don't you ride my bike? It'll be faster.
W Okay. Thanks, Dad.

여 아빠, 쇼핑몰까지 차로 태워다 주실 수 있어요?
남 안 될 것 같구나. 너희 엄마가 아침에 차를 가져갔거든.
여 아, 알겠어요. 그럼 버스를 탈게요.
남 내 자전거를 타는 게 어떠니? 더 빨리 갈 거야.
여 알겠어요. 고마워요, 아빠.

04 ①

해설 두 사람은 날씨가 좋아서 도서관까지 걸어가기로 했다.

어휘 get to ~에 도착하다
on foot 걸어서, 도보로

W Bill, how long does it take to get to the library?
M It'll take 10 minutes by bus and 25 minutes on foot.
W The weather is so nice. Let's walk to the library.
M That's a good idea.

여 Bill, 도서관에 가는 데 얼마나 걸리니?
남 버스로 10분 걸리고 걸어서는 25분 걸릴 거야.
여 날씨가 너무 좋다. 도서관까지 걸어가자.
남 좋은 생각이야.

05 ②

해설 차가 막히는 시간이어서 두 사람은 콘서트홀에 지하철을 타고 가기로 했다.

어휘 concert hall 콘서트홀
traffic [trǽfik] 교통(량)

M How can we get to the concert hall?
W We can get there by bus or subway.
M I think we should take the subway. The traffic is really bad at this time.
W You're right.

남 콘서트홀까지 어떻게 가지?
여 버스나 지하철로 갈 수 있어.
남 지하철을 타야 할 것 같아. 이 시간에는 차가 많이 막히거든.
여 네 말이 맞아.

06 ①

해설 부산에 가는 기차표가 매진되어서 여자는 버스를 타고 가기로 했다.

어휘 sold out (표가) 매진된
instead [instéd] 대신
bus terminal 버스 터미널

W Hello. Can I get a train ticket to Busan?
M I'm sorry, but the tickets are sold out.
W Oh no. What should I do?
M You can take a bus instead. The bus terminal is next to the station.
W Okay. Thank you.

여 안녕하세요. 부산에 가는 기차표를 구할 수 있을까요?
남 죄송하지만 기차표가 매진되었습니다.
여 이런. 어떻게 하죠?
남 대신 버스를 타실 수 있어요. 버스 터미널은 역 옆에 있습니다.
여 알겠어요. 감사합니다.

07 ③

해설 밖에 비가 와서 여자는 남자를 차로 데려다준다고 하였다.

어휘 museum [mju:zí:əm] 박물관
far [fa:r] 거리가 먼
outside [àutsáid] 밖에
take [teik] 데려다주다

M See you later, Mom. I'm going to the museum.
W How are you getting there, Joe?
M I'll walk there. It's not far.
W But it's raining outside. I'll take you by car.
M Thanks. That will be great.

남 나중에 봐요, 엄마. 저는 박물관에 갈 거예요.
여 거기에 어떻게 갈 거니, Joe?
남 거기에 걸어서 갈 거예요. 멀지 않거든요.
여 하지만 밖에는 비가 오고 있어. 내가 차로 데려다줄게.
남 고마워요. 그게 좋겠네요.

08 ②

해설 버스 카드를 가져가라는 여자의 말에 남자는 자전거를 타고 갈 거라고 했다.

어휘 forget [fərgét] 잊어버리다

W John. Can you get this food to your grandmother?
M Okay, Mom. Should I go now?
W Yes. Don't forget your bus card. It's on the table.
M Well, I don't need it, Mom. I'm going to ride my bicycle.

여 John, 이 음식을 할머니께 가져다 드릴 수 있니?
남 네, 엄마. 지금 가면 되나요?
여 그래. 버스 카드 가져가는 것을 잊지 마. 테이블 위에 있단다.
남 음, 저는 필요 없어요, 엄마. 제 자전거를 타고 갈 거예요.

01 ③

해설 남자는 친구의 엄마가 차로 도서관에 데려다 준다고 했다.

어휘 pick up (차에) 태우러 가다
drive[draiv] (차로) 태워다 주다

W John, are you going to go out? Today is Sunday.
M I'll go to the library.
W How are you getting there?
M Sam will pick me up. His mother will drive us to the library.
W That's good.

여 John, 나갈 거니? 오늘은 일요일이잖니.
남 도서관에 갈 거예요.
여 그곳에 어떻게 가니?
남 Sam이 절 데리러 올 거예요. Sam의 어머니가 차로 우리를 도서관에 태워다 주실 거예요.
여 잘됐구나.

02 ②

해설 자전거를 타자는 남자의 제안에 여자가 동의했으므로 두 사람은 자전거를 이용할 것이다.

어휘 any more 더 이상
tired[táiərd] 피곤한
hurt[hə:rt] 아프다
ride a bike 자전거를 타다
borrow[bárou] 빌리다

W I can't walk any more. I feel tired.
M We only walked for about 20 minutes.
W Yes, but my legs hurt.
M Then, why don't we ride bikes around the lake?
W That's a good idea.
M We can borrow bikes over there. Let's go.

여 나는 더 이상 못 걷겠어. 피곤해.
남 우리 겨우 20분 정도 걸었잖아.
여 그래, 하지만 다리가 아파.
남 그럼 호수 주변을 자전거를 타고 돌아다닐래?
여 좋은 생각이야.
남 저기서 자전거를 빌릴 수 있어. 가보자.

03 ④

해설 박물관에 더 빨리 도착할 수 있다는 남자의 말에 여자는 지하철을 이용할 것이라 했다.

어휘 subway[sʌ́bwèi] 지하철
near[niər] ~의 근처에
faster[fǽstər] 더 빨리

M What are you going to do this weekend?
W I'm going to visit the City Museum.
M Nice. How are you getting there?
W I'll take a bus.
M Why don't you take the subway? There is a subway station near the museum. So you can get there faster.
W Okay. Then I'll take the subway.

남 너는 이번 주말에 무엇을 할 거니?
여 시립 박물관에 방문할 거야.
남 좋네. 거기에 어떻게 갈 거니?
여 버스를 탈 거야.
남 지하철을 타는 게 어때? 박물관 근처에 지하철역이 있잖아. 그래서 더 빨리 거기 갈 수 있을 거야.
여 좋아. 그럼 지하철을 탈게.

04 ①

해설 남자가 날씨가 좋으니 쇼핑몰까지 걸어가자고 하자 여자가 동의했다.

어휘 mall[mɔ:l] 쇼핑몰
just[dʒʌst] 방금, 막
leave[li:v] 떠나다, 출발하다 (leave-left-left)
another[ənʌ́ðər] 더, 또; 또 하나(의)
weather[wéðər] 날씨

W How can we get to the mall from here?
M We can take a bus or walk. The bus comes every 15 minutes.
W The bus just left. Do you want to wait another 15 minutes?
M Well, the weather today is really nice. Let's walk.
W Good idea.

여 우리 여기서 쇼핑몰까지 어떻게 가지?
남 버스를 타거나 걸어가면 돼. 버스는 15분마다 와.
여 버스가 막 떠났어. 15분 더 기다릴래?
남 글쎄, 오늘 날씨가 정말 좋네. 걸어가자.
여 좋은 생각이야.

05 ②

해설 택시를 대신 잡아주겠다는 여자의 말에 남자가 고맙다고 응답하는 것으로 보아 남자는 택시를 이용할 것이다.

어휘 happen[hǽpən] 일어나다, 발생하다
while[hwail] ~하는 동안
wait for ~을 기다리다
catch[kætʃ] 잡다

W Jack, what happened?
M I broke my arm while playing baseball yesterday.
W I'm sorry to hear that. Are you going to the hospital now?
M Yes. I'm waiting for the bus.
W Taking the bus is not a good idea. How about taking a taxi? I'll catch one for you.
M Thanks.

여 Jack, 무슨 일 있어?
남 어제 야구 경기를 하다가 팔이 부러졌어.
여 안됐구나. 지금 병원에 가는 거니?
남 응. 버스를 기다리고 있어.
여 버스를 타는 건 좋은 생각이 아니야. 택시를 타는 게 어때? 내가 하나 잡아 줄게.
남 고마워.

06 ⑤

해설 여자가 기차표가 매진이니 비행기로 부산에 가자고 하자 남자가 동의했으므로 두 사람은 비행기를 이용할 것이다.

어휘 remember[rimémbər] 기억하다
book[buk] 예약하다
sold out 매진된, 다 팔린
fly[flai] 비행기로 가다

W Honey, we are going to go to Busan this weekend, right?
M Of course. Did you get the train tickets?
W Not yet. *[Pause]* Oh no! All the tickets are sold out.
M What should we do?
W Then, shall we fly to Busan? We can still buy plane tickets.
M Okay.

여 여보, 이번 주말에 부산에 가는 거죠, 맞나요?
남 그럼요. 기차표를 구매했나요?
여 아직요. *[잠시 후]* 이런! 표가 매진되었네요.
남 어떻게 하죠?
여 그럼 부산에 비행기로 갈까요? 아직 비행기 표를 살 수 있거든요.
남 좋아요.

07 ②

해설 남자는 비가 많이 오니 버스를 타라고 했고, 여자가 그러겠다고 했다.

어휘 go out 외출하다
outside[àutsáid] 밖에
far from ~에서 먼
get wet (물에) 젖다
instead[instéd] 대신에

W Dad, I'm going out for a movie now.
M Are you going to take the bus?
W No. It's not far from here, so I'll walk.
M But it's raining a lot. Your clothes will get wet, so take the bus instead.
W Okay, I will.

여 아빠, 저 지금 영화 보러 나갈 거예요.
남 너 버스를 타고 갈 거니?
여 아니요. 여기서 멀지 않아서, 걸어가려고요.
남 하지만 비가 많이 오고 있어. 옷이 젖을 테니 대신에 버스를 타렴.
여 네, 그럴게요.

08 ③

해설 남자는 여자의 기차표도 구하겠다고 했으므로, 두 사람은 기차를 이용할 것이다.

어휘 be planning to-v ~할 계획이다
exciting[iksáitiŋ] 신나는, 흥미진진한
already[ɔːlrédi] 벌써
buy[bai] 사다 (buy-bought-bought)
join[dʒɔin] 함께 하다

M I'm planning to go to the Boryeong Mud Festival this year.
W That sounds exciting. How will you get there?
M By train. I already bought a ticket.
W Can I join you?
M Okay. I will get your ticket, too.

남 올해 보령 머드 축제에 갈 계획이야.
여 재밌을 것 같네. 거기에 어떻게 갈 거니?
남 기차로. 이미 표를 샀어.
여 내가 함께 가도 될까?
남 그래. 내가 네 표도 구할게.

이유 파악

본문 p.76

1 Why did you 2 I have to 3 I have 4 I went there to

대표 기출 문제 1 ① 2 ⑤

STEP 1 Mini Exercise

01 ③ 02 ③ 03 ① 04 ② 05 ② 06 ③ 07 ② 08 ③

01 ③

해설 남자는 일주일 전에 자전거에서 떨어져서 다리가 부러졌다고 했다.

어휘 break[breik] (뼈를) 부러뜨리다 (break-broke-broken)
fall off 떨어지다 (fall-fell-fallen)

W Jihun, what happened to your leg?
M I broke it a week ago.
W How did that happen?
M I fell off a bike.

여 지훈아, 다리가 왜 그렇게 됐니?
남 일주일 전에 부러졌어.
여 어쩌다 그렇게 됐어?
남 자전거에서 떨어졌거든.

02 ③

해설 여자는 색상이 마음에 들지 않아 바지를 반품하려고 한다.

어휘 return[ritə́ːrn] 반품하다

W Excuse me, I'd like to return these pants.
M Okay. Are they too small?
W The size is okay, but I don't like the color.
M I see.

여 실례합니다만 이 바지를 반품하고 싶습니다.
남 알겠습니다. 그것이 너무 작나요?
여 사이즈는 괜찮은데, 색상이 마음에 들지 않아요.
남 그렇군요.

03 ①

해설 남자는 숙제 때문에 책이 필요해서 지금 빌려줄 수 없다고 했다.

어휘 lend[lend] 빌려주다
week[wiːk] 일주일

W Henry, you have the book *The Last Lesson*, right?
M I do. I have it at home.
W Can you lend it to me for a week? My sister wants to read it.
M I'm sorry, but I need it for my homework this week.

여 Henry, 너 〈마지막 수업〉이라는 책을 가지고 있지, 그렇지?
남 그래. 집에 있어.
여 일주일 동안 나한테 좀 빌려줄 수 있어? 내 여동생이 읽고 싶어 하거든.
남 미안하지만, 이번 주는 내가 숙제를 해야 해서 그게 필요해.

04 ②

해설 여자는 몸이 아파서 조퇴를 허락받기 위해 남자를 찾아갔다.

어휘 sick[sik] 아픈

W Excuse me, Mr. Smith. May I speak with you?
M Hello, Lina. Please come in. What can I do for you?
W I feel really sick now. May I go home?
M Okay. Let me call your mom first.

여 실례합니다, Smith 선생님. 이야기 좀 할 수 있을까요?
남 안녕, Lina. 어서 들어오렴. 무엇을 도와주면 될까?
여 지금 제가 몸이 너무 안 좋아서요. 집에 가도 될까요?
남 알겠다. 먼저 네 어머니께 전화해볼게.

05 ②

해설 여자는 우산을 되찾기 위해서 도서관에 간다고 했다.

어휘 leave [li:v] ~을 두고 오다

M Rose, where are you going now?
W I'm going to the library.
M Are you going to borrow some books?
W No, I left my umbrella there. I need to get it back.

남 Rose, 지금 어디에 가니?
여 나는 도서관에 가고 있어.
남 책을 빌리려고 하니?
여 아니, 내가 그곳에 우산을 두고 왔거든. 그걸 되찾아야 해.

06 ③

해설 남자는 전철에서 잠이 드는 바람에 내릴 곳을 지나쳐서 약속에 늦었다.

어휘 fault [fɔ:lt] 잘못
fall asleep 잠이 들다
miss [mis] 놓치다
stop [stɑp] 정거장, 정류장

W Jaemin, you're 30 minutes late.
M I'm so sorry about that. It's my fault.
W Why are you late?
M I fell asleep on the subway and missed my stop.

여 재민아, 너 30분 늦게 왔네.
남 정말 미안해. 내 잘못이야.
여 왜 늦었니?
남 지하철에서 잠이 들어서 정거장을 놓쳐 버렸어.

07 ②

해설 남자는 사촌 결혼식에 입기 위해 옷을 구입했다고 했다.

어휘 buy [bai] 사다, 구입하다 (buy-bought-bought)
suit [su:t] 정장
cousin [kʌ́zən] 사촌
wedding [wédiŋ] 결혼식

W Hi, Kyle. Did you buy something? What's in the bag?
M Hi, Lisa. Yes, I bought a new suit.
W Oh, why did you buy it?
M I'm going to wear it to my cousin's wedding.

여 안녕, Kyle. 너 무얼 샀니? 가방 안에 그게 뭐야?
남 안녕, Lisa. 응, 나 새 정장을 샀어.
여 아, 왜 그걸 샀니?
남 사촌 결혼식에 입을 거야.

08 ③

해설 남자는 학교 노래 대회 참가를 신청하기 위해 여자를 찾아왔다.

어휘 minute [mínit] 잠깐
audition [ɔ:díʃən] 오디션

M Excuse me, Ms. Baker. Do you have a minute?
W Sure. What is it?
M I'd like to join the school singing contest.
W Okay. Write your name here and come to the auditions.

남 실례합니다, Baker 선생님. 잠깐 시간 있으신가요?
여 물론이지. 무슨 일이니?
남 학교 노래 대회에 참가하고 싶어요.
여 알겠어. 여기에 네 이름을 적고 오디션에 오렴.

01 ④

해설 여자는 어제 동물 보호소에서 봉사 활동을 해서 피곤한 것이다.

어휘 tired[táiərd] 피곤한
actually[ǽktʃuəli] 사실
volunteer[vὰləntíər] 자원 봉사를 하다; 자원 봉사
animal shelter 동물 보호소
hard[hɑːrd] 힘든
be proud of ~을 자랑스러워하다

W I'm so tired today.
M What did you do yesterday?
W I volunteered at an animal center yesterday.
M Right. You are in a volunteer club. Was it hard?
W Yes. But after the volunteer work, I was proud of myself.

여 오늘 정말 피곤해.
남 어제 뭘 했는데?
여 어제 내가 동물센터에서 봉사활동을 했거든.
남 맞다. 너 봉사활동 동아리지. 힘들었니?
여 힘들었지. 근데 봉사활동을 한 후에, 내 자신이 자랑스러웠어.

02 ⑤

해설 남자는 시장에 가서 엄마를 도와 드리기로 해서 야구를 할 수 없다고 했다.

어휘 shopping bag 장바구니

W Noah, let's play baseball.
M Sorry, I can't. I have to go to the market now.
W Why do you have to go there?
M I have to meet my mom there. I'll help her with her shopping bags.

여 Noah, 야구하러 가자.
남 미안해, 갈 수 없어. 지금 시장에 가야 해.
여 왜 거기에 가야 해?
남 거기서 엄마를 만나야 해. 엄마의 장바구니를 들어 드릴거야.

03 ④

해설 여자는 한복에 관심이 있어서 직접 만들어 보기 위해 한복 박물관에 갔다.

어휘 be interested in ~에 관심이 있다
interesting[íntərestiŋ] 재미있는
have a good time 즐거운 시간을 보내다

M Michelle, what did you do last weekend?
W I went to the Hanbok Museum.
M Why did you go there?
W I am interested in hanbok. So I went there to make one myself.
M Was it interesting?
W Yes. It was not easy to make hanbok, but I had a good time.

남 Michelle, 너는 지난 주말에 뭘 했니?
여 나는 한복 박물관에 갔어.
남 왜 거기에 갔니?
여 한복에 관심이 있거든. 그래서 한 벌을 직접 만들려고 갔었어.
남 재미있었니?
여 응. 한복을 만드는 게 쉽지 않았지만, 즐거운 시간을 보냈어.

04 ⑤

해설 남자는 오늘 체육관이 청소 때문에 문을 닫아서 가지 않았다.

어휘 gym[dʒim] 체육관
cleaning[klíːniŋ] 청소
stay home 집에 머물다
go jogging 조깅하러 가다

W Nate, are you going to go to the gym today?
M No, I won't go there today.
W What's the matter? You go to the gym every day.
M It is closed today for cleaning.
W So, are you going to stay home?
M No, I'll go jogging at the park.

여 Nate, 오늘 체육관 가니?
남 아니요, 오늘 안 갈 거예요.
여 무슨 일 있니? 너는 체육관에 매일 가잖아.
남 오늘 청소 때문에 체육관이 문을 닫았어요.
여 그럼 집에 있을 거니?
남 아니요, 공원에서 조깅을 할 거예요.

05 ⑤

해설 여자는 새로 맞춘 안경이 멀리 있는 것이 안 보이는 문제점이 있다고 알리기 위해 전화했다.

어휘 get new glasses 안경을 새로 맞추다
far away 멀리 떨어진
check [tʃek] 확인하다

[Telephone rings.]
M Star Glasses. How can I help you?
W Hello. My name is Ann Baker. I got new glasses there last week.
M Oh, I remember. Is there something wrong?
W I can't see things far away.
M If you visit here tomorrow, I'll check your glasses.
W Okay. See you tomorrow.

[전화벨이 울린다.]
남 Star Glasses입니다. 어떻게 도와 드릴까요?
여 안녕하세요. 제 이름은 Ann Baker인데요. 지난주에 거기서 안경을 새로 맞췄어요.
남 아, 기억해요. 무슨 문제가 있나요?
여 멀리 있는 것이 잘 안 보여요.
남 내일 여기 방문해 주시면, 안경을 확인해 드릴게요.
여 알겠습니다. 내일 뵙겠습니다.

06 ⑤

해설 여자는 다른 친구에게 기타를 팔았기 때문에 남자에게 빌려줄 수 없다고 했다.

어휘 any longer 이제는, 더 이상
sell [sel] 팔다 (sell-sold-sold)
borrow [bárou] 빌리다
school festival 학교 축제

M Kate, you have a guitar, right?
W No. I don't have one any longer.
M What did you do with it?
W I sold it to another friend. Why?
M I wanted to borrow your guitar for the school festival.
W I think Jenny has a guitar. Why don't you ask her?
M Okay.

남 Kate, 너 기타를 가지고 있지, 그렇지?
여 아니, 이제는 없어.
남 기타를 어쨌니?
여 그걸 다른 친구에게 팔았어. 왜?
남 내가 학교 축제 때문에 네 기타를 빌리고 싶었거든.
여 Jenny가 기타를 가지고 있는 것 같아. 걔한테 물어보는 게 어떠니?
남 알았어.

07 ③

해설 여자는 새로 산 모자를 공원에서 잃어버려서 속상하다고 했다.

어휘 take a walk 산책하다
happen [hǽpən] 일어나다, 발생하다
upset [ʌpsét] 속상한
lost and found 분실물 보관소

W I took a walk in the park. But something bad happened to me.
M What is it?
W I lost my new hat. I'm so upset.
M That's too bad. Did you go to the lost and found?
W Yes. But it wasn't there.

여 공원에서 산책을 했어. 그런데 안 좋은 일이 일어났어.
남 그게 뭔데?
여 새로 산 모자를 잃어버렸어. 너무 속상해.
남 안됐구나. 분실물 보관소에 가봤니?
여 응. 하지만 그곳에 없었어.

08 ⑤

해설 남자는 휴대전화 배터리에 문제가 있어서 켜지지 않는다고 했다.

어휘 turn off 전원을 끄다
cell phone 휴대전화
battery [bǽtəri] 배터리
off [ɔːf] 전원이 꺼진
repair shop 수리점
work [wəːrk] 작동하다

W Why did you turn off your cell phone yesterday?
M Oh, did you call me?
W Yes. I wanted to ask you something.
M There was a problem with the battery. So my phone was off all day yesterday.
W Then did you take it to the repair shop?
M Yes, but it still doesn't work. I'll get a new one tomorrow.

여 너 어제 왜 휴대전화 전원을 꺼두었니?
남 아, 나한테 전화했었어?
여 그래. 뭐 좀 물어보고 싶었거든.
남 배터리에 문제가 생겼어. 그래서 어제 온종일 꺼져있었어.
여 그러면 수리점에 가져갔었어?
남 그랬는데, 여전히 작동하지 않아. 내일 새로 하나 살려고.

유형 13 장소 · 관계 추론

본문 p.82

1 ③ 2 ① 3 ① 4 ③ 5 ② 대표 기출 문제 1 ⑤ 2 ⑤

STEP 1 Mini Exercise

01 ② 02 ③ 03 ② 04 ③ 05 ② 06 ② 07 ③ 08 ③

01 ②

해설 여자가 음식을 주문하고 남자가 주문을 받는 상황으로 대화의 장소는 레스토랑임을 알 수 있다.

어휘 salad[sǽləd] 샐러드
coke[kouk] 콜라

M May I take your order?
W Yes, I'll have a pepperoni pizza and a salad, please.
M What would you like to have to drink?
W Coke, please.
M Okay. I'll be back with your order.

남 주문하시겠어요?
여 네, 페퍼로니 피자와 샐러드 주세요.
남 마실 것은 무엇으로 하시겠습니까?
여 콜라로 주세요.
남 알겠습니다. 주문하신 음식을 가져다 드리겠습니다.

02 ③

해설 여자가 새로운 곡을 들려주며 남자의 다음 앨범에 수록되었으면 좋겠다고 한 것으로 보아 두 사람의 관계는 작곡가와 가수임을 알 수 있다.

어휘 make[meik] 만들다 (make-made-made)
hear[hiər] 듣다
add[æd] 추가하다
album[ǽlbəm] 앨범
fan[fæn] 팬

W I made a new song for you. Do you want to hear it?
M Yes, of course. *[Pause]* Wow! It's amazing.
W Would you like to add the song to your next album?
M Sure. My fans will love it.

여 제가 새로운 곡을 만들었어요. 들어보실래요?
남 네, 물론이죠. *[잠시 후]* 와! 대단하네요.
여 그 노래를 다음 앨범에 수록하시겠어요?
남 네. 제 팬들이 좋아할 거예요.

03 ②

해설 남자는 여자에게 사진기를 보고 웃으라고 하며, 사진이 완성되는 데 10분 걸린다고 하는 걸로 보아 두 사람은 사진사와 고객임을 알 수 있다.

어휘 smile[smail] 미소 짓다

M Please look here in the camera and smile a little.
W Okay. Is this okay?
M Yes. One, two, three. *[Pause]* It's perfect.
W How long is it going to take?
M Your picture will be ready in 10 minutes.

남 카메라 안에 여기를 봐주시고 조금만 웃어주세요.
여 알겠어요. 이렇게 괜찮나요?
남 네. 하나, 둘, 셋. *[잠시 후]* 완벽하네요.
여 사진을 받는 데 얼마나 걸릴까요?
남 고객님 사진은 10분 후면 완성될 거예요.

04 ③

해설 남자가 여자한테 토마토 한 상자를 구입하고 있으므로 대화의 장소는 식료품점임을 알 수 있다.

어휘 next to ~ 바로 옆에
onion[ʌnjən] 양파

W Hello. Can I help you?
M Yes, please. Where are the tomatoes?
W They're over there, next to the onions.
M Thanks. How much is a box?
W It's $8 a box.
M Okay. I'll take one box.

여 안녕하세요. 도와드릴까요?
남 네. 토마토는 어디에 있나요?
여 그것들은 저쪽 양파 바로 옆에 있어요.
남 감사합니다. 한 상자에 얼마인가요?
여 상자당 8달러예요.
남 알겠습니다. 한 상자 살게요.

05 ②

해설 남자는 자신의 증상에 대해 설명하고 여자가 남자에게 진단을 내리는 것으로 보아 두 사람의 관계는 의사와 환자임을 알 수 있다.

어휘 problem [prábləm] 문제
cough [kɔ(:)f] 기침
sore throat 인후염
check A's temperature 체온을 재다
fever [fíːvər] 열
flu [fluː] 독감
medicine [médisn] 약
rest [rest] 휴식

W What's the problem?
M I have a cough and a sore throat.
W Okay. Let me check your temperature. *[Pause]* You have a high fever.
M Really? What is wrong with me?
W I think you have the flu. Take some medicine and get some rest.

여 어디가 안 좋으신가요?
남 기침이 나고 목이 아파요.
여 네. 체온을 잴 게요. *[잠시 후]* 열이 높으시네요.
남 정말요? 무엇이 문제인가요?
여 독감에 걸리신 것 같네요. 약을 좀 드시고 쉬세요.

06 ②

해설 남자는 여자가 구입할 티셔츠를 고르도록 도와주는 것으로 보아 두 사람이 대화하는 장소는 옷 가게임을 알 수 있다.

어휘 popular [pápulər] 인기 있는
cost [kɔːst] (값이) ~이다[들다]

M Hello. How may I help you?
W Hi. I'm looking for a T-shirt.
M How about this pink one? This T-shirt is very popular.
W It looks pretty. How much does it cost?
M It's $30.

남 안녕하세요. 무엇을 도와드릴까요?
여 안녕하세요. 저는 티셔츠를 찾고 있어요.
남 이 분홍색 티셔츠는 어떠세요? 이 티셔츠는 아주 인기가 있어요.
여 예쁘네요. 얼마인가요?
남 30달러입니다.

07 ③

해설 남자가 여자의 자동차를 수리하는 데 얼마나 걸리는지 설명하고 있으므로 두 사람은 자동차 정비사와 고객임을 알 수 있다.

어휘 hole [houl] 구멍
tire [taiər] 타이어
fix [fiks] 수리하다

M Let me check your car.
W Is there any problem?
M Well, there is a small hole in the tire.
W How long will it take to fix the tire?
M It'll take about one hour.

남 고객님의 차를 점검하겠습니다.
여 무슨 문제가 있나요?
남 음, 타이어에 작은 구멍이 있네요.
여 그걸 수리하려면 얼마나 걸릴까요?
남 한 시간 정도 걸릴 겁니다.

08 ③

해설 여자가 남자에게 과학 책을 권하고 있는 것으로 보아 두 사람이 대화하는 장소는 서점임을 알 수 있다.

어휘 present [prézənt] 선물
history [hístəri] 역사
actually [ǽktʃuəli] 사실은
interesting [íntərestiŋ] 재미있는

M I'm looking for a present for my son.
W How about this? It's a book about history.
M Hmm... He actually likes science more.
W Then your son will enjoy this book, *Amazing Science*.
M It looks interesting. I'll buy it.

남 제 아들에게 줄 선물을 찾고 있어요.
여 이건 어떠세요? 역사에 관한 책이에요.
남 음… 사실 걔는 과학을 더 좋아해요.
여 그럼 아드님이 이 책 〈Amazing Science〉를 좋아할 거예요.
남 재미있겠네요. 그걸로 살게요.

STEP 2·3 # Listen & Check 01 ③ 02 ④ 03 ⑤ 04 ④ 05 ① 06 ② 07 ② 08 ②

01 ③

해설 남자는 여자에게 컴퓨터 제품을 소개하고 있으므로 컴퓨터 판매점에서 나누는 대화이다.

어휘 latest[léitist] 최근의
model[mádl] 모델
gram[græm] 그램(무게의 단위)
discount[dískaunt] 할인

M May I help you?
W Oh, this computer looks nice.
M Yes, it's the latest model. It is only 800 grams.
W Wow, it's very light.
M And if you buy it today, you can get a 20% discount.
W Great! I'll take it.

남 도와드릴까요?
여 아, 이 컴퓨터 좋아 보이네요.
남 네, 최신 모델입니다. 무게는 800그램밖에 나가지 않아요.
여 와, 아주 가볍네요.
남 그리고 오늘 사시면 20% 할인받을 수 있어요.
여 좋아요. 이거 살게요.

02 ④

해설 여자의 지시에 따라 요가 동작을 배우는 것으로 보아 요가 강사와 수강생의 대화이다.

어휘 pose[pouz] 자세, 포즈
straight[streit] 똑바로
raise[reiz] 올리다
follow[fálou] 따라하다
yoga[jóugə] 요가

W Let's start with a simple pose. Stand up straight.
M Okay.
W Next, raise your hands above your head. Just follow me.
M Like this?
W That's right. You're doing great. Did you learn yoga before?
M No, it's my first time.

여 간단한 자세부터 시작해보죠. 똑바로 서세요.
남 알겠어요.
여 다음, 손을 머리 위로 드세요. 저를 따라하세요.
남 이렇게요?
여 맞아요. 잘하고 있어요. 전에 요가를 배웠나요?
남 아니요, 처음이에요.

03 ⑤

해설 자신의 장래희망에 대해 언급하면서 어느 방으로 가야 할지 대화하는 내용으로 보아 두 사람은 직업체험관에 있음을 알 수 있다.

어휘 reporter[ripɔ́ːrtər] 기자, 리포터
be interested in ~에 관심이 있다
cool[kuːl] 멋진

W Tom, which room are you going to go?
M I'll go to the reporter room.
W Do you want to be a reporter?
M Yes. I'm interested in sports, so I want to be a sports reporter.
W That's cool. I'm interested in robots.
M Then you should go to the scientist room.

여 Tom, 어느 방으로 갈 거니?
남 기자 방에 갈 거야.
여 너는 기자가 되고 싶니?
남 응. 난 스포츠에 관심이 많아서 스포츠 기자가 되고 싶어.
여 멋지다. 나는 로봇에 관심이 있어.
남 그럼 과학자 방으로 가야겠네.

04 ④

해설 남자가 진료를 예약하고 있고 여자가 예약을 접수하고 있으므로 병원 접수원과 고객의 대화이다.

어휘 office[ɔ́(ː)fis] 진료실, 의원
see the doctor 진찰을 받다

[Telephone rings.]
W Dr. Smith's office. How can I help you?
M Hi. I want to see the doctor next Friday at 2:00.
W Okay. May I have your name, please?
M My name is Liam Clark.
W Okay. See you next Friday, Mr. Clark.

[전화벨이 울린다.]
여 Smith 의원입니다. 무엇을 도와드릴까요?
남 안녕하세요. 다음 주 금요일 2시에 진료를 받고 싶은데요.
여 알겠습니다. 성함이 어떻게 되시죠?
남 제 이름은 Liam Clark입니다.
여 알겠습니다. 다음 주 금요일에 뵙겠습니다, Clark 씨.

05 ①

해설 한옥마을에 처음 온 사람이 마을에 대한 정보와 지도를 얻고 있으므로 관광 안내소에서 나누는 대화로 적절하다.

어휘 place [pleis] 곳, 장소
traditional [trədíʃənəl] 전통적인
guided tour 안내원이 딸린 여행

M Welcome to Hanok Village. How may I help you?
W Well, it's my first time here. Can you tell me about this place?
M You can see traditional Korean houses.
W That's nice. Can I get a map?
M Sure. *[Pause]* Here is the map. We also have guided tours every hour.

남 한옥마을에 온 것을 환영합니다. 무엇을 도와드릴까요?
여 음, 저는 여기 처음 왔는데요. 이곳에 대해 설명해 주시겠어요?
남 한국 전통 가옥을 볼 수 있어요.
여 그거 좋네요. 지도를 얻을 수 있을까요?
남 물론이지요. *[잠시 후]* 지도 여기 있습니다. 매 시간 가이드 투어도 있습니다.

06 ②

해설 남자는 여자의 카메라를 살펴본 후, 고치는 데 시간이 걸린다고 말하는 것으로 보아 수리 기사와 의뢰인의 대화임을 알 수 있다.

어휘 turn on 켜다
change [tʃeindʒ] 바꾸다
part [pɑːrt] 부품, 부속
fix [fiks] 고치다

M May I help you?
W I bought this camera a week ago, but it won't turn on.
M Okay. Let me see. *[Pause]* I think I need to change some parts in it.
W Okay. How long will it take?
M It'll take 2 days to fix it. Can you come back next Thursday?
W All right.

남 도와드릴까요?
여 이 카메라를 일주일 전에 샀는데 켜지지 않아요.
남 알겠습니다. 좀 볼게요. *[잠시 후]* 안에 있는 몇 가지 부품을 바꿔야 할 것 같아요.
여 그렇군요. 얼마나 걸릴까요?
남 고치려면 이틀 걸릴 겁니다. 다음 목요일에 다시 오시겠습니까?
여 알겠습니다.

07 ②

해설 여자가 3일 밤을 예약을 했지만, 하룻밤 더 머물겠다는 내용으로 보아 두 사람이 대화하는 장소는 호텔 접수처임을 알 수 있다.

어휘 check in (호텔에) 체크인하다
passport [pǽspɔːrt] 여권
reservation [rèzərvéiʃən] 예약

M Hello. May I help you?
W Hi, I'd like to check in. Here's my passport.
M *[Pause]* Okay, I found your reservation for 3 nights.
W Actually, can I stay one more night?
M Sure, no problem.

남 안녕하세요. 무엇을 도와드릴까요?
여 안녕하세요. 체크인하려고요. 여기 제 여권입니다.
남 *[잠시 후]* 네, 3박을 예약하셨네요.
여 저, 하룻밤 더 묵어도 될까요?
여 네, 그러세요.

08 ②

해설 복통을 호소하는 남자에게 여자가 약을 처방해 주고 낫지 않으면 병원에 가라고 했으므로 약사와 환자의 대화이다.

어휘 stomachache [stʌ́məkeik] 복통
medicine [médisn] 약

W Hello. How may I help you?
M Hi. I have a stomachache.
W When did it begin?
M After lunch. I think I ate too much for lunch.
W Hmm... Take this medicine. If you don't feel better, see a doctor.

여 안녕하세요. 무엇을 도와드릴까요?
남 안녕하세요. 배가 아파서요.
여 언제부터 아프기 시작했나요?
남 점심 먹고 나서요. 점심을 너무 많이 먹은 것 같아요.
여 음… 이 약을 드세요. 몸이 낫질 않으면 병원에 가세요.

유형 14 길 찾기, 위치 찾기

본문 p.88

1 under 2 next to 3 between

대표 기출 문제 1 ① 2 ③

STEP 1 Mini Exercise

01 ① 02 ① 03 ② 04 ② 05 ② 06 ③ 07 ③ 08 ②

01 ①

해설 여자가 찾고 있는 병원은 두 블록 가서 좌회전하면 약국 옆에 있다고 했다.

어휘 straight[streit] 똑바로
block[blɑk] 블록, 구역
turn left 좌회전하다
next to ~ 옆에
drugstore[drʌ́gstɔ̀ːr] 약국

W Excuse me. Can you tell me the way to Happy Hospital?
M Sure. Go straight for two blocks and turn left.
W Turn left? Okay.
M Then walk for about one minute. You'll find the hospital on your right. It's next to the drugstore.

여 실례합니다. Happy 병원으로 가는 길을 좀 알려주시겠어요?
남 네. 두 블록을 직진해서 좌회전하세요.
여 좌회전이요? 알겠습니다.
남 그리고 1분 정도 걸으세요. 오른편에 병원을 찾으실 수 있습니다. 약국 옆에 있습니다.

02 ①

해설 여자가 찾고 있는 공책은 책상 위에서 본 것 같다고 했지만, 침대 밑에서 발견했다.

어휘 notebook[noutbuk] 공책
under[ʌ́ndər] ~ 아래에

M What are you looking for?
W I can't find my notebook.
M I think I saw it on your desk.
W It's not there. *[Pause]* Oh, I found it. It's under the bed.

남 뭘 찾고 있니?
여 제 공책을 찾을 수가 없어요.
남 네 책상 위에서 본 것 같은데.
여 거기에 없어요. *[잠시 후]* 아, 찾았어요. 침대 밑에 있네요.

03 ②

해설 직진해서 우회전하면 교회 맞은편에 있다고 했다.

어휘 street[striːt] –가, 거리

M How can I get to the bookstore?
W Go straight and turn right at the corner.
M Turn right?
W Yes. It will be on your left. It's across from the church.

남 서점까지 어떻게 가나요?
여 직진하시다가 모퉁이에서 우회전하세요.
남 우회전이요?
여 네. 왼편에 있을 겁니다. 신발 가게와 가게 사이에 있어요.

04 ②

해설 여자가 찾는 휴대폰은 테이블 위에는 없었고 TV 옆에 있었다.

어휘 cell phone 휴대전화

W Did you see my cell phone?
M Your cell phone? I don't know. Did you check on the table?
W I already checked, but I couldn't find it.
M *[Pause]* Oh, there it is. It's next to the TV.

여 제 휴대전화를 보셨어요?
남 네 휴대전화? 모르겠는데. 테이블 위를 확인했니?
여 이미 확인했는데, 찾을 수 없었어요.
남 *[잠시 후]* 아, 저기에 있네. TV 옆에 있어.

05 ②

해설 남자가 찾는 우체국은 두 블록 직진해서 우회전하면 왼편에 있고 옆에 서점이 있다고 했다.

어휘 across from ~의 맞은편에
miss[mis] (못 보고) 놓치다, 지나치다

M Excuse me. Where is the post office?
W The post office? Go straight two blocks and turn right.
M Turn right? Okay.
W You will see the post office on your left. It's next to the bookstore. You can't miss it.

남 실례합니다. 우체국이 어디에 있나요?
여 우체국이요? 두 블록 직진해서 우회전하세요.
남 우회전이요? 알겠습니다.
여 왼편에서 우체국을 보실 거예요. 서점 옆에 있어요. 쉽게 찾으실 겁니다.

06 ③

해설 여자가 야구 모자를 책상 위에 올려놓았다고 했으나 남자의 가방 안에서 찾았다.

어휘 closet[klάzit] 옷장

M Mom, did you see my baseball cap?
W I put it on your desk.
M Are you sure? I didn't see it on my desk.
W Really? Did you look in your closet?
M Yes. *[Pause]* Oh, wait. I found it in my bag.

남 엄마, 제 야구 모자 보셨어요?
여 내가 네 책상 위에 올려놨어.
남 정말이세요? 제 책상 위에서 못 봤는데요.
여 정말이니? 옷장 안에 확인해 봤니?
남 네. *[잠시 후]* 아, 잠시만요. 제 가방 안에서 찾았어요.

07 ③

해설 여자가 찾는 휴대전화는 의자 아래에 있었다.

어휘 call[kɔːl] 전화하다

W I can't find my cell phone.
M I think I saw it next to the computer this morning.
W But it's not there.
M Then why don't you use my cell phone to call yours?
W That's a good idea. *[Pause] [Phone rings.]* Oh... It's under the chair.

여 내 휴대전화를 찾을 수가 없어.
남 오늘 아침에 컴퓨터 옆에 있는 걸 보았던 것 같아.
여 근데 거기엔 없었어.
남 그러면 내 휴대전화로 네 것을 전화하는 게 어때?
여 그거 좋은 생각이야. *[잠시 후] [전화 벨이 울린다.]* 아··· 그건 의자 아래에 있네.

08 ②

해설 미술관은 두 블록 직진해서 우회전하면 왼편에 있는 선물 가게와 장난감 가게 사이에 있다고 했다.

어휘 art museum 미술관

M Excuse me. Where is the art museum?
W The art museum? Go straight two blocks. Then, turn right.
M Turn right?
W Yes. And then walk about 20 meters. You can see the museum on your left. It is between the gift shop and the toy shop.

남 실례합니다. 미술관이 어디에 있나요?
여 미술관이요? 두 블록 직진하세요. 그리고 우회전하세요.
남 우회전이요?
여 네. 그리고 20미터 정도 걸으세요. 왼편에 미술관이 보이실 겁니다. 선물 가게와 장난감 가게 사이에 있어요.

STEP 2·3 Listen & Check 01 ② 02 ③ 03 ② 04 ⑤ 05 ② 06 ① 07 ③ 08 ⑤

01 ②

해설 병원은 Main 가에서 우회전하면 왼편에 은행과 교회 사이에 있다.

어휘 straight[streit] 똑바로
between A and B A와 B 사이에

M Excuse me. Is there a hospital around here?
W Go straight to Main Street and turn right.
M Turn right on Main Street?
W Yes. It'll be on your left. It's between the bank and the church.

남 실례합니다. 여기 근처에 병원이 있나요?
여 Main 가로 직진하셔서 우회전하세요.
남 Main 가에서 우회전하라고요?
여 네. 병원은 왼쪽에 있을 거예요. 은행과 교회 사이에 있어요.

02 ③

해설 여자의 안경은 책 위에 있지 않고 램프 옆에 있었다.

어휘 glasses[glǽsiz] 안경
put[put] ~에 놓다
without[wiðáut] ~없이
lamp[læmp] 램프, 등

W Ben, did you see my glasses?
M No, I didn't. Where did you put them?
W I'm not sure. I can't see anything without them.
M Did you check on the books?
W Yes. But I couldn't find them there.
M Oh, there they are. They are next to the lamp.

여 Ben, 제 안경 봤어요?
남 아뇨, 못 봤어요. 어디에 뒀는데요?
여 잘 모르겠어요. 그게 없으면 아무것도 안 보이는데요.
남 책 위에 살펴봤어요?
여 네. 그런데 거기에 없었어요.
남 아, 저기에 있네요. 램프 옆에 있어요.

03 ②

해설 Grand 호텔은 Maple 가에서 우회전해서 꽃집을 지나서 그 옆에 있다.

어휘 map[mæp] 지도
past[pæst] 지나서
flower shop 꽃집

W Excuse me. I can't find Grand Hotel on my map.
M Grand Hotel? That's on Maple Street.
W How can I get there?
M Go straight for two blocks and turn right. Then walk past the flower shop. The hotel is next to the flower shop.

여 실례합니다만, 제 지도에서 Grand 호텔을 찾을 수 없네요.
남 Grand 호텔이요? 그건 Maple 가에 있어요.
여 어떻게 가면 되지요?
남 두 블록 곧장 가서 우회전하세요. 그러고 나서 꽃집을 지나가세요. 그 호텔은 그 꽃집 옆에 있어요.

04 ⑤

해설 남자는 과학 잡지를 책상 위가 아닌 서랍 안에서 찾았다.

어휘 magazine[mæ̀gəzíːn] 잡지
remember[rimémbər] 기억하다
drawer[drɔːr] 서랍

M I can't find my science magazine. Did you see it, Mom?
W I think I put it on the desk.
M No, it's not there.
W Oh, I think I put it in the drawer.
M *[Pause]* Yes, I see it there.

남 내 과학 잡지를 찾을 수 없어요. 그거 보셨어요, 엄마?
여 내가 책상 위에 올려놓았던 것 같아.
남 아니, 거기 없어요.
여 아, 내가 서랍 안에 둔 것 같아.
남 *[잠시 후]* 네, 그곳에 보이네요.

05 ②

해설 서점은 에스컬레이터를 타고 3층에 가서 왼편에서 빵집 옆에 있다.

어휘 bookstore [búkstɔ̀ːr] 서점
escalator [éskəlèitər] 에스컬레이터
floor [flɔːr] 층
bakery [béikəri] 빵집

W May I help you?
M Yes. Can you tell me where the bookstore is?
W Sure. Take the escalator and go to the third floor.
M The third floor? Okay.
W Then, you'll see it on your left. It's next to the bakery.

여 도와드릴까요?
남 네. 서점이 어디인지 알려주시겠어요?
여 네. 에스컬레이터를 타셔서 3층으로 가세요.
남 3층이요? 알겠습니다.
여 그러고 나서 왼편에 보일 거예요. 빵집 옆에 있어요.

06 ①

해설 여자는 평소 화분 옆에 두었던 우산을 문 뒤에서 찾았다.

어휘 umbrella [ʌmbrélə] 우산
plant [plænt] 식물, 화분
over there 저쪽에
behind [biháind] ~ 뒤에

M Kate, it's raining outside. Take your umbrella with you.
W Okay, Dad. Can you get it for me? It's next to the plant.
M Really? It's not there.
W Oh no. Where is it?
M Look over there! It's behind the door.

남 Kate, 밖에 비가 오네. 우산을 가지고 가렴.
여 네, 아빠. 저한테 가져다주실래요? 우산은 식물 옆에 있어요.
남 그래? 거기 없는데.
여 이런. 어디 있지?
남 저길 봐! 문 뒤에 있구나.

07 ③

해설 Star 쇼핑몰은 한 블록 가서 왼쪽으로 돌면 은행과 버스 정류장 사이에 있다.

어휘 look for ~을 찾다
mall [mɔːl] 쇼핑몰

M Excuse me, I'm looking for Star Mall.
W It's on Second Street.
M How do I get there?
W Go straight one block and turn left. It'll be on the right. It's between the bank and the bus stop.

남 실례합니다만, Star 쇼핑몰을 찾고 있는데요.
여 2번가에 있어요.
남 어떻게 가죠?
여 한 블록 가서 왼쪽으로 도세요. 오른편에 있을 거예요. 은행과 버스 정류장 사이에 있어요.

08 ⑤

해설 남자는 신문을 의자 위에서 찾았다.

어휘 newspaper [njúːzpèipər] 신문
see [siː] 보다 (see-saw-seen)

M Jessie, where's the newspaper?
W Hmm... I think I saw it on the sofa.
M It's not there.
W Did you look on the chair?
M Oh, I see it there. Thanks, Jessie.

남 Jessie, 오늘 신문 어디 있니?
여 음… 소파 위에서 그걸 본 것 같아요.
남 거기에 없단다.
여 의자 위는 찾아 보셨어요?
남 아, 그곳에 보이는구나. 고마워, Jessie.

유형 15 부탁 · 제안 파악

본문 p.94

1 Can I borrow 2 Would you pass 3 Let's join 4 Why don't you

대표 기출 문제 1 ① 2 ③

STEP 1 Mini Exercise

01 ② 02 ③ 03 ② 04 ② 05 ③ 06 ① 07 ② 08 ②

01 ②

해설 남자는 여자에게 파티에 필요한 음료수를 더 사다 달라고 부탁했다.

어휘 invite[inváit] 초대하다
drink[driŋk] 음료

M Honey, how many people are going to come to our party?
W We invited 10 people.
M I think we need more drinks. Can you buy some more?
W Sure. No problem.

남 여보, 우리 파티에 몇 명이 오나요?
여 우리는 10명을 초대했어요.
남 음료수가 더 필요한 것 같아요. 좀 더 사다 줄래요?
여 네. 물론이죠.

02 ③

해설 남자는 여자에게 도서관에서 같이 공부하자고 제안했다.

어휘 exam[igzǽm] 시험
not at all 전혀 ~아닌
library[láibrèri] 도서관

M Jane, are you ready for the exam tomorrow?
W Not really. I didn't have time to study at all.
M Then why don't we study at the library together?
W That sounds great.

남 Jane, 내일 시험 볼 준비는 다 됐니?
여 아니. 공부할 시간이 전혀 없었어.
남 그럼 우리 도서관에서 같이 공부하는 게 어때?
여 그거 좋은 것 같아.

03 ②

해설 잠을 잘 자지 못한다는 남자에게 여자는 자기 전에 뜨거운 목욕을 할 것을 제안했다.

어휘 these days 요즘
take a hot bath 뜨거운 목욕을 하다

W Jack, you look very tired. What's the matter?
M I can't sleep very well these days.
W How about taking a hot bath before bed? You'll sleep better.
M Really? Okay. I'll do it.

여 Jack, 너 아주 피곤해 보이네. 무슨 일 있니?
남 요즘 잠을 잘 자지 못하거든.
여 잠을 자기 전에 뜨거운 목욕을 하는 게 어때? 더 잘 자게 될거야.
남 정말? 알겠어. 그렇게 할게.

04 ②

해설 여자는 남자에게 과학 숙제에 필요하다며 카메라를 빌려달라고 요청했다.

어휘 science[sáiəns] 과학
borrow[bárou] 빌리다

W James, do you have a camera?
M Yes, I have one at home. Why?
W I need a camera for my science homework. Can I borrow your camera?
M Of course. I'll bring it tomorrow.

여 James, 너 카메라 가지고 있니?
남 응. 집에 하나 있어. 왜?
여 내 과학 숙제에 사용할 카메라가 필요하거든. 네 카메라를 빌려줄 수 있니?
남 물론이지. 내일 그걸 가져올게.

05 ③

해설 기타 치는 법을 배우고 싶어 하는 남자에게 여자는 음악 동아리에 가입하라고 제안했다.

어휘 learn [ləːrn] 배우다
join [dʒɔin] 가입하다

M I want to learn how to play the guitar.
W Okay. Why don't you join our music club?
M That's a good idea. How can I join the club?
W You should ask Mr. Brown.

남 나는 기타 치는 법을 배우고 싶어.
여 그래. 우리 음악 동아리에 가입하는 게 어때?
남 그거 좋은 생각이다. 어떻게 가입하면 돼?
여 Brown 선생님께 여쭤봐야 해.

06 ①

해설 여자는 나가야 한다며 남자에게 설거지를 대신 해달라고 부탁했다.

어휘 do the dishes 설거지를 하다
leave [liːv] 떠나다
brush A's teeth 양치질을 하다

W Honey, I need your help.
M Sure. What is it?
W Can you do the dishes for me? I have to leave now.
M Okay, I'll do them after I brush my teeth.

여 여보, 도움이 좀 필요해요.
남 그래요. 뭔데요?
여 제 대신 설거지 좀 해주실래요? 저는 지금 나가야 하거든요.
남 알겠어요. 양치질 하고 나서 할게요.

07 ②

해설 남자의 열렬한 팬인 여자는 함께 사진을 찍어달라고 요청했다.

어휘 big fan 열혈 팬
lucky [lʌ́ki] 운이 좋은

W Wow! I'm a big fan of your songs.
M Thank you. I'm happy to hear that.
W I'm so lucky to meet you. Could I take a picture with you?
M Sure. No problem.

여 와! 저는 당신 노래의 열렬한 팬이에요.
남 감사합니다. 그 말을 들으니 기쁘네요.
여 당신을 만나다니 정말 운이 좋네요. 저하고 같이 사진을 찍어 주실래요?
남 네. 물론이죠.

08 ②

해설 남자는 여자에게 같이 중국어를 배우기를 제안했다.

어휘 Chinese [tʃàiníːz] 중국어

M Can you speak Chinese?
W No, but I want to learn.
M Really? Then, why don't we learn Chinese together?
W That's a great idea!

남 중국어를 할 줄 아니?
여 못하는데, 배우고 싶어.
남 정말? 그럼 우리 같이 중국어를 배우는 게 어때?
여 아주 좋은 생각이야!

STEP 2·3 Listen & Check 01 ④ 02 ② 03 ② 04 ⑤ 05 ② 06 ⑤ 07 ④ 08 ②

01 ④

해설 여자는 남자에게 자신의 그림을 그려달라고 부탁했다.

어휘 draw[drɔː] 그림을 그리다

W What are you drawing?
M I'm drawing my mother with a picture of her.
W Then, can you draw me, too? I'll give you my picture.
M Okay. I'll draw your picture and give it to you next week.

여 너 뭘 그리는 거야?
남 우리 엄마 사진을 보면서 그리고 있어.
여 그럼 나도 그려줄래? 내가 내 사진을 줄게.
남 좋아. 네 그림을 그리고 나서 다음 주에 너에게 줄게.

02 ②

해설 남자는 여자에게 거리에서 같이 연주하자고 제안했다.

어휘 weekend[wíːkènd] 주말
drum[drʌm] 드럼
fun[fʌn] 재미있는
guitar[gitáːr] 기타

W What are you going to do this weekend?
M I'm going to play the drums on the street.
W Oh, that sounds fun.
M Can you play the drums?
W No, but I can play the guitar.
M Really? Then, why don't we play together?
W That's a good idea!

여 너는 이번 주말에 무엇을 할 거니?
남 나는 거리에서 드럼을 연주할 거야.
여 아, 그거 재미있을 것 같아.
남 너는 드럼을 연주할 수 있니?
여 아니, 하지만 기타를 연주할 수 있어.
남 정말? 그러면, 함께 연주하는 게 어때?
여 좋은 생각이야!

03 ②

해설 여자는 퍼즐을 완성하는 것을 도와달라고 부탁했다.

어휘 500-piece puzzle 500조각 퍼즐
finish[fíniʃ] 끝내다

M How was your weekend?
W It was good. I did a 500-piece puzzle.
M Did you finish it?
W No. It'll take 2 hours. Oh, can you help me?
M Sure, I can do that.

남 주말 어땠니?
여 잘 지냈어. 나는 500조각의 퍼즐 맞추기를 했어.
남 그거 완성했니?
여 못했어. 두 시간 걸릴 거야. 아, 나를 좀 도와줄래?
남 물론이지, 그건 할 수 있지.

04 ⑤

해설 여자는 남자에게 인터넷에서 감자 요리법을 찾아보라고 제안했다.

어휘 salad[sǽləd] 샐러드
potato[pətéitou] 감자
send[send] 보내다 (send-sent-sent)
recipe[résəpi] 요리법
look for ~을 찾아보다

M Yesterday, I made salad and pizza with potatoes.
W Potatoes? Where did you get the potatoes?
M My uncle sent me a box of them. But I still have a lot. Do you know other potato recipes?
W I don't know much about cooking. How about looking for recipes on the Internet?
M That's a good idea.

남 어제 나는 감자로 샐러드랑 피자를 만들었어.
여 감자? 그 감자들은 어디서 났어?
남 우리 삼촌이 한 상자 보내주셨어. 근데 아직도 많이 있거든. 다른 감자 요리법 아는 거 있니?
여 나는 요리에 대해서 잘 몰라. 인터넷에서 요리법을 찾아보는 게 어때?
남 좋은 생각이야.

05 ②

해설 남자는 여자에게 자신의 방을 청소해 달라고 부탁했다.

어휘 dirty[dɔ́ːrti] 더러운
clean[kliːn] 청소하다
club meeting 동아리 모임
last[læst] 마지막의
next time 다음번에

W Mike, your room is dirty.
M I don't have time to clean today.
W Then do it tomorrow, please.
M I have a club meeting tomorrow. Would you clean it for me, Mom?
W This is the last time. You have to do it yourself next time.

여 Mike, 네 방이 더럽구나.
남 저는 오늘 청소할 시간이 없어요.
여 그럼 내일 청소를 하렴.
남 내일은 동아리 모임이 있어요. 엄마, 저 대신 청소해 주실래요?
여 이번이 마지막이야. 다음번엔 네 스스로 해야 해.

06 ⑤

해설 여자는 남자의 여행 사진들로 온라인 사진첩 만들기를 제안했다.

어휘 family trip 가족 여행
take photos 사진을 찍다
during[djúəriŋ] ~ 동안
look like ~처럼 보이다
online album 온라인 사진첩

W How was your family trip?
M It was great! I took many photos during the trip. I have them here. Look.
W *[Pause]* It looks like you had a wonderful time. How about making an online album with these?
M Okay. I'll try that.

여 네 가족 여행 어땠니?
남 좋았어! 나는 여행에서 사진을 많이 찍었어. 여기에 있어. 봐.
여 *[잠시 후]* 좋은 시간을 보냈구나. 이 사진들로 온라인 사진첩을 만드는 게 어때?
남 좋아. 그거 해봐야겠다.

07 ④

해설 남자는 여자에게 손전등을 빌려 달라고 부탁했다.

어휘 go camping 캠핑을 가다
seafood[síːfùːd] 해산물
need[niːd] 필요로 하다
lend[lend] 빌려주다
flashlight[flǽʃlàit] 손전등

M I'm going to go camping this weekend.
W Where are you going to go camping?
M To Sokcho. I'll enjoy the beautiful sea and eat seafood.
W That sounds fun.
M But I need one more thing. Can you lend your flashlight to me?
W Sure.

남 나 이번 주말에 캠핑하러 갈 거야.
여 캠핑을 어디로 가는데?
남 속초로. 나는 아름다운 바다를 즐기고, 해산물을 먹을 거야.
여 재미있겠다.
남 근데 하나 더 필요한 게 있어. 나한테 네 손전등을 빌려줄 수 있을까?
여 물론이지.

08 ②

해설 아픈 게 나아지긴 했지만 여전히 귀가 울린다고 하자 여자는 병원에 가볼 것을 제안했다.

어휘 hurt[həːrt] 아프다
still[stil] 여전히
ring[riŋ] (귀가) 울리다
see a doctor 병원에 가다

W Henry, I didn't see you in swimming class yesterday.
M That's right. I stayed home because my ears hurt.
W I'm sorry to hear that.
M I'm better now, but my ears are still ringing.
W Why don't you see a doctor?
M I think I should. Thanks.

여 Henry, 어제 수영 수업에서 못 봤네.
남 맞아. 귀가 아파서 집에 있었어.
여 정말 안됐구나.
남 지금은 나아지긴 했는데, 귀가 여전히 울려.
여 병원에 가보는 게 어때?
남 그래야겠어. 고마워.

유형 16 이어질 응답 찾기

본문 p.100

1 I'm sorry to hear that. 2 It's next to the bank. 3 Sure, no problem.

대표 기출 문제 1 ③ 2 ③

STEP 1 Mini Exercise

01 ② 02 ③ 03 ① 04 ① 05 ① 06 ① 07 ③ 08 ②

01 ②

해설 남자에게 빌린 자전거를 내일 돌려줘도 되는지 묻는 여자의 말에 이어서 괜찮다는 응답이 이어져야 적절하다.

어휘 heavy[hévi] 무거운
borrow[bárou] 빌리다
easier[íziər] 더 쉬운
carry[kǽri] 옮기다, 운반하다
return[ritə́ːrn] 돌려주다

W There are too many books. They are really heavy.
M Do you want to borrow my bike? It'll be easier to carry them.
W Thanks. Can I return it tomorrow?
M Yes, that's fine.

여 책이 너무 많아. 정말 무거워.
남 내 자전거를 빌릴래? 책을 옮기는 게 더 쉬울 거야.
여 고마워. 내일 돌려줘도 될까?
남 그래, 괜찮아.

① 내 잘못이야.
③ 유감이야.

02 ③

해설 여자가 남자의 아빠가 언제 오는지 물었으므로 오는 시간을 알려주는 응답이 이어져야 한다.

어휘 pick up ~를 (차에) 태우러 가다[오다]

W Jimin, are you waiting for someone?
M Yes. My dad is coming to pick me up.
W When is he going to be here?
M He'll be here in 5 minutes.

여 지민아, 누구 기다리니?
남 응. 우리 아빠가 나를 데리러 오시는 중이야.
여 아빠가 언제 여기로 오시는데?
남 5분 후에 여기로 오실 거야.

① 잠시만 기다려줄래?
② 모든 게 다 잘 될 거야.

03 ①

해설 숙제를 도와달라는 부탁에 대한 응답으로 이를 수락하거나 거절하는 말이 이어져야 자연스럽다.

어휘 after school 방과 후에
difficult[dífikʌ̀lt] 어려운

M Lucy, are you free after school?
W Yes. Do you need something?
M Can you help me with my homework?
W Sure. I'll help.

남 Lucy, 방과 후에 시간 있니?
여 응. 뭐 필요한 것 있어?
남 내 숙제 좀 도와줄래?
여 물론이지. 내가 도와줄게.

② 믿을 수가 없어.
③ 그것에 대해 걱정하지 마.

04 ①

해설 얼마나 머무를지 묻는 여자의 말에 이어서 방을 예약하고 싶은 기간에 대해 알려주는 응답이 이어져야 한다.

어휘 single room 1인용 객실
stay[stei] 머무르다
[선택지]
bathroom[bǽθrù(ː)m] 화장실

[Telephone rings.]
W Pine Tree Hotel. How may I help you?
M Hello. I'd like a single room for this Friday.
W Sure. How long will you stay here?
M I'll stay for 3 nights.

[전화벨이 울린다.]
여 Pine Tree 호텔입니다. 무엇을 도와드릴까요?
남 안녕하세요. 이번 주 금요일에 1인용 객실을 예약하고 싶습니다.
여 알겠습니다. 얼마나 머무르실 건가요?
남 3일 밤 머무를 겁니다.

② 죄송합니다. 저는 지금 가야 합니다.
③ 화장실을 사용해도 될까요?

05 ①

해설 영화 동아리를 가입하라고 제안하는 남자의 말에 이를 수락하거나 거절하는 응답이 이어져야 적절하다.

어휘 look for ~을 찾다
member [mémbər] 회원
join [dʒɔin] 가입하다

M Jina, my movie club is looking for a new member.
W Really? I love watching movies.
M Why don't you join the movie club?
W Sure, I'd love to.

남 지나야, 우리 영화 동아리에서 새로운 회원을 찾고 있어.
여 정말? 나는 영화 보는 것을 아주 좋아해.
남 영화 동아리에 가입하는 게 어때?
여 물론이지, 그렇게 할게.

② 나는 음악을 듣는 것을 좋아해.
③ 아니, 나는 기타를 칠 줄 몰라.

06 ①

해설 얼마나 자주 요가 수업에 가는지 알려주는 응답이 이어져야 한다.

어휘 yoga [jóugə] 요가
how often 얼마만큼 자주, 몇 번

M Hi, Grace. Where are you going?
W I'm going to a yoga class.
M That's nice. How often do you go there?
W Twice a week.

남 안녕, Grace. 어디에 가고 있니?
여 나는 요가 수업에 가고 있어.
남 그거 좋네. 얼마나 자주 거기에 가니?
여 일주일에 두 번 가.

② 아니, 나는 요가를 안 해.
③ 정말 고마워.

07 ③

해설 발을 다쳐서 집에 걸어갈 수 없다는 남자의 말에 위로의 말이 이어져야 자연스럽다.

어휘 leave [liːv] 떠나다, 출발하다 (leave-left-left)
still [stil] 아직도 (계속해서), 여전히
yet [jet] 아직 (안 했거나 못 했을 때)
hurt [həːrt] 다치다 (hurt-hurt-hurt)

W You left school early. Why are you still here at the bus stop?
M The bus didn't come yet.
W Really? Why don't you just walk home?
M I want to, but I hurt my foot yesterday.
W Oh, I'm sorry to hear that.

여 너 일찍 학교에서 나왔잖아. 왜 아직도 여기 버스 정류장에 있어?
남 아직 버스가 오지 않았거든.
여 정말? 그럼 집에 그냥 걸어가는 게 어때?
남 그렇고 싶은데, 어제 내 발을 다쳤거든.
여 아, 그것 참 안됐구나.

① 그렇고 싶지만, 갈 수 없어.
② 조언해줘서 고마워.

08 ②

해설 사진 동아리에 가입하는 게 어떤지 묻는 여자의 말에 이어서 남자의 의견을 나타내는 응답이 이어져야 자연스럽다.

어휘 learn [ləːrn] 배우다
photo [fóutou] 사진

M I want to join the drum club, but I can't play drums.
W That's okay. You can learn about it in the club.
M What about you, Mina? Do you want to join a club?
W Yeah, I'm going to join the photo club. What do you think?
M That's a good idea.

남 난 드럼 동아리에 가입하고 싶은데, 드럼을 칠 수 없어.
여 괜찮아. 동아리에서 배우면 되잖아.
남 미나, 너는? 동아리에 가입하고 싶어?
여 응, 난 사진 동아리에 가입할거야. 어떤 것 같아?
남 좋은 생각인 거 같아.

① 그건 내 실수야.
③ 여기서 드시겠어요 아님 포장하시겠어요?

STEP 2·3 Listen & Check 01 ③ 02 ⑤ 03 ① 04 ④ 05 ① 06 ④ 07 ③ 08 ⑤

01 ③

해설 여자는 가격에 대해 묻고 있으므로 가격을 알려주는 응답이 이어져야 적절하다.

어휘 expensive[ikspénsiv] 비싼

M Hello. May I help you?
W Yes, please. I'm looking for a shirt.
M How about this red one?
W It looks nice. How much is it?
M It's $40.
W Well, it's a little expensive. Then how much is that blue one?
M It's $25. It's on sale.

남 안녕하세요. 도와드릴까요?
여 네. 셔츠를 사려고 해요.
남 이 빨간 건 어때요?
여 좋은데요. 얼마인가요?
남 40달러입니다.
여 음, 좀 비싸네요. 그럼 저 파란색은 얼마인가요?
남 그건 25달러입니다. 세일 중이거든요.

① 좋습니다. 이거 살게요.
② 와, 멋져 보여요.
④ 그건 할인이 안 됩니다.
⑤ 그 케이크는 20달러에 살 수 있어요.

02 ⑤

해설 새로 생긴 음식점에 금요일에 가자고 제안하는 남자의 말에 이어서 승낙하거나 거절하는 응답이 가장 적절하다.

어휘 Indian[índiən] 인도의
spicy[spáisi] 매운
curry[kə́:ri] 카레 요리
[선택지]
can't wait to-v 빨리 ~하고 싶다

M Do you like Indian food, Amy?
W Yes, I like it a lot. I enjoy spicy curry.
M Me, too. There's a new Indian restaurant near my house.
W Really? Let's go there someday.
M Shall we go there this Friday?
W I'm sorry, but I have other plans that day.

남 Amy, 너 인도 음식 좋아하니?
여 응, 아주 좋아해. 나는 매운 카레 먹는 걸 즐겨.
남 나도 그래. 우리 집 근처에 새 인도 음식점이 생겼어.
여 정말? 언제 한번 가보자.
남 이번 주 금요일에 갈까?
여 미안한데, 그날 다른 일이 있어.

① 마음에 든다니 나도 기뻐.
② 나는 인도로 여행을 가고 싶어.
③ 좋아. 그녀를 빨리 보고 싶어.
④ 나는 인도 음식을 별로 좋아하지 않아.

03 ①

해설 음악 캠프를 다녀온 남자에게 여자가 캠프 기간을 물었으므로 기간을 말하는 응답이 적절하다.

어휘 performance[pərfɔ́:rməns] 공연
musician[mju(:)zíʃən] 음악가
skill[skil] 기술

W Jacob, how was the music camp?
M It was great. I watched performances of famous musicians.
W That sounds interesting.
M I also learned new skills from the musicians.
W Great. How long was the camp?
M For 4 days. It was too short.

여 Jacob, 음악 캠프는 어땠어?
남 정말 좋았어. 유명한 음악가들의 공연을 관람했어.
여 재미있었겠다.
남 나는 음악가들한테 새로운 기술도 배웠어.
여 좋았겠다. 캠프 기간은 얼마나 됐니?
남 4일이었어. 너무 짧았어.

② 나도 그 캠프 등록해야겠다.
③ 우리는 밤에 별을 봤어.
④ 캠프는 7월 20일에 시작되었어.
⑤ 우리는 뮤지컬 박물관도 방문했어.

04 ④

해설 등산을 하자고 제안하는 남자의 말에 이어서 그 제안을 수락하거나 거절하는 응답이 이어지는 것이 적절하다.

어휘 amusement park 놀이공원
go hiking 등산하다
instead [instéd] 대신에

M Honey, where do you want to go this weekend?
W I'm not sure. Where should we go?
M Why don't we go to the amusement park?
W That is a fun place, but we went there last month.
M Then how about going hiking instead?
W That sounds good. Hiking is exciting.

남 여보, 이번 주말에 어디 가고 싶어요?
여 잘 모르겠어요. 어디로 가는 게 좋을까요?
남 놀이공원에 가는 게 어때요?
여 그곳은 재미있는 곳이긴 하지만, 지난 달에 갔잖아요.
남 그럼 대신 등산가는 건 어때요?
여 좋은 생각이에요. 등산은 재미있죠.

① 저는 그렇게 생각하지 않아요. 그건 재미있어요.
② 새로운 놀이공원이 생겼어요.
③ 제가 내일 그 레스토랑에 전화할게요.
⑤ 맞아요. 근데 그건 건강에 좋지 않아요.

05 ①

해설 오늘 밤에 뜨는 달에 대한 설명을 듣고, 기대를 표현하는 응답이 이어져야 가장 자연스럽다.

어휘 full moon 보름달
supermoon 슈퍼문 (평소보다 훨씬 크게 관측되는 보름달)
close [klous] 가까운
earth [əːrθ] 지구

W Eric, why don't we go and see the moon tonight?
M Sure. But is there anything special about today's moon?
W Yes. Today's full moon is this year's biggest supermoon.
M Why does it look bigger today than any other day?
W Because it's closer to the earth.
M Wow, I can't wait to see it.

여 Eric, 오늘 밤에 우리 달 보러 가지 않을래?
남 그래. 근데 오늘 달은 뭔가 특별한 게 있니?
여 응. 오늘 뜨는 보름달이 올해 가장 큰 슈퍼문이야.
남 왜 그것은 다른 날보다 오늘 더 커 보이는 거야?
여 지구에 더 가깝기 때문이야.
남 와, 빨리 보고 싶다.

② 미안하지만, 오늘 밤은 바빠.
③ 나는 별보다 달을 더 좋아해.
④ 나는 4시까지 숙제를 끝내야 해.
⑤ 정말? 그럼 내일 달을 보자.

06 ④

해설 운동화를 사러 가는 중인 남자에게 여자가 세일하는 곳을 알려줬으므로 거기에 가야겠다는 응답이 어울린다.

어휘 a pair of 한 쌍의
sneaker [sníːkər] 운동화
sale [seil] 세일, 할인 판매

W Hi, Justin. Where are you going?
M Hi, Suji. I'm going to ABC Mall.
W What are you going to buy?
M I'll buy a pair of sneakers.
W Go to FC Shoes instead. The shop is having a big sale now.
M Really? I should go there then.

여 안녕, Justin. 어디 가니?
남 안녕, 수지야. ABC 몰에 가는 중이야.
여 뭘 살 예정이니?
남 운동화를 살 거야.
여 그곳 대신 FC Shoes로 가 봐. 거기서 지금 대대적인 세일을 하고 있어.
남 정말? 그러면 그곳으로 가야겠다.

① 봐! 나는 이 신발 맘에 들어.
② 나는 배낭을 사려고 해.
③ 이 운동화는 얼마입니까?
⑤ 그것도 좋긴 하지만, 그건 다음에 살게요.

07 ③

해설 일요일에는 어떻게 보내는지 묻는 여자의 말에 남자가 일요일에 무엇을 하는지 설명하는 응답이 이어져야 한다.

어휘 go jogging 조깅하러 가다
active[ǽktiv] 활동적인
[선택지]
relax[rilǽks] 휴식을 취하다

M Katie, what do you do in your free time?
W I usually go jogging and swimming. But I do something else on Sundays.
M What do you do on Sundays?
W I usually play badminton in the morning.
M Wow, you are really active.
W So, what about you? How do you enjoy Sunday?
M I stay home and relax on Sundays.

남 Katie, 너는 여가 시간에 뭐 해?
여 보통 조깅이랑 수영하러 가. 근데 일요일에는 다른 걸 해.
남 일요일에는 뭐 하는데?
여 보통 아침에 배드민턴을 쳐.
남 와, 너 정말 활동적이구나.
여 그래서, 너는 어때? 너는 일요일을 어떻게 즐기니?
남 난 일요일에 집에 있으면서 휴식을 취해.

① 이번 주 토요일은 바빠.
② 나는 TV 보는 것을 좋아하지 않아.
④ 나는 친구들과 영화를 볼 거야.
⑤ 일찍 일어나는 것은 건강에 좋아.

08 ⑤

해설 화가 난 친구가 전화를 받을지 묻는 남자의 말에 여자는 기다리고 있을 거라는 위로의 말이 이어지는 것이 자연스럽다.

어휘 upset[ʌpsét] 속상한
borrow[bárou] 빌리다
lose[luːz] 잃어버리다 (lose-lost-lost)
answer a call 전화를 받다

M My best friend Junsu is upset with me.
W What happened?
M I borrowed his favorite book. But I lost it.
W Why don't you call and talk to him?
M Will he answer my call?
W Yes. I'm sure he's waiting for your call.

남 제일 친한 친구인 준수가 나한테 화가 났어.
여 무슨 일이 있었어?
남 내가 그 애가 가장 좋아하는 책을 빌렸었어. 근데 내가 그걸 잃어버렸어.
여 걔한테 전화해서 얘기해보는 게 어때?
남 그 애가 내 전화를 받을까?
여 응. 분명히 걔도 네 전화를 기다릴 거야.

① 아니, 그가 좋아할 것 같지 않아.
② 고마워 기분이 훨씬 좋아졌어.
③ 걱정하지 마. 너는 잘 할 수 있을 거야.
④ 물론이지. 내 컴퓨터 사용해도 돼.

실전 모의고사 01

p. 108

01 ②	02 ④	03 ③	04 ⑤	05 ④	06 ④	07 ③
08 ②	09 ③	10 ②	11 ②	12 ③	13 ③	14 ④
15 ③	16 ②	17 ③	18 ③	19 ①	20 ②	

01 ②

해설 보통 동그란 모양이고 달콤해서 디저트로 많이 먹으며 생일에 먹는 것은 케이크이다.

어휘 come in (상품이) ~로 나오다
round [round] 동그란, 둥근
different [dífərənt] 다른
shape [ʃeip] 모양
usually [júːʒuəli] 보통
sweet [swiːt] 달콤한
a piece of ~ 한 조각
dessert [dizə́ːrt] 디저트, 후식

M This can come in many different shapes, but it is usually round. This is very sweet, so many people like to eat a piece of this as a dessert. You also eat this on your birthday. What is this?

남 이것은 여러 가지 모양으로 나오지만, 보통 동그란 모양이에요. 매우 달콤해서 많은 사람들이 디저트로 이것을 먹는 것의 조각을 좋아해요. 여러분의 생일에도 이것을 먹어요. 이것은 무엇일까요?

02 ④

해설 쿠키가 그려진 앞치마이다.

어휘 apron [éiprən] 앞치마
cookie [kúki] 쿠키

M Did you make this apron, Jenny?
W Yes, I did. I made it for my mom.
M Did you also draw this cookie?
W Yes. I actually wanted to draw a rose, but I couldn't.
M It still looks good!
W Thank you, Hojun.

남 이 앞치마 네가 만들었니, Jenny?
여 응, 내가 만들었어. 엄마한테 드리려고 만들었지.
남 이 쿠키도 네가 그렸니?
여 응. 사실 장미 한 송이를 그리고 싶었지만, 그릴 수가 없었어.
남 그래도 근사해 보여!
여 고마워, 호준아.

03 ③

해설 내일은 비는 오지 않지만 흐리다고 했다.

어휘 warm [wɔːrm] 따뜻한
windy [wíndi] 바람이 많이 부는
sunshine [sʌ́nʃàin] 햇빛, 햇살
cloudy [kláudi] 흐린, 구름이 많은

W Good morning, everyone. It's sunny and warm right now, but in the evening, it will be very windy. Tomorrow, we won't have any sunshine. It won't be raining, but it will be very cloudy.

여 안녕하세요, 여러분. 지금은 화창하고 따뜻하지만 저녁에는 바람이 많이 불겠습니다. 내일은 해가 나지 않을 겁니다. 비는 오지 않겠지만 매우 흐리겠습니다.

04 ⑤

해설 남자가 티셔츠를 입어도 되냐고 묻자 여자는 안 된다고 거절했다.

M Mom, is this T-shirt for me?
W No, James. That's for your older sister.
M I want a new T-shirt, too.

남 엄마, 이 티셔츠 제 거예요?
여 아니야, James. 그건 네 누나 거야.
남 저도 새 티셔츠가 필요해요.

어휘 older sister 누나, 언니
already[ɔːlrédi] 이미
present[prézənt] 선물

W You already have too many T-shirts.
M Then, can I just wear this tomorrow?
W No, you can't. It is her birthday present.

여 넌 이미 티셔츠가 너무 많잖아.
남 그럼, 이거 내일만 입어도 돼요?
여 아니, 안 돼. 그건 네 누나 생일 선물이거든.

05 ④

해설 이름(Michael Lee), 나이(35세), 직업(요리사), 사는 곳(파리)에 대해 언급하였지만 직장명에 대해서는 언급하지 않았다.

어휘 famous[féiməs] 유명한
cook[kuk] 요리사
French[frentʃ] 프랑스의
restaurant[réstərənt] 식당

W I'd like to tell you about my uncle. His name is Michael Lee, and he is 35 years old. He's a famous cook, and he lives in Paris right now. He wants to come to Korea and open a French restaurant next year.

여 우리 삼촌에 대해 말해 줄게요. 이름은 Michael Lee이고 35세예요. 삼촌은 유명한 요리사인데, 지금 파리에 살고 계세요. 내년에 한국에 와서 프랑스 레스토랑을 열고 싶어 하세요.

06 ④

해설 남자는 4시 30분에 집을 나와서 5시에 도서관에 도착했다.

어휘 angry[ǽŋgri] 화난
answer the phone 전화를 받다
promise[prámis] 약속하다
library[láibrèri] 도서관
late[leit] 늦은
get[get] 도착하다
leave[liːv] 떠나다, 출발하다
arrive[əráiv] 도착하다

W What's the matter, honey?
M Susan is angry at me. She isn't answering her phone.
W Why is she angry?
M We promised to meet at 3:30 at the library, but I was really late.
W Oh no. When did you get there?
M I left home at 4:30, and I arrived there at 5 o'clock.

여 무슨 일 있니, 얘야?
남 Susan이 저한테 화가 났어요. 전화를 받지 않아요.
여 걔가 왜 화났는데?
남 저희가 도서관에서 3시 30분에 만나기로 약속했었는데, 제가 많이 늦었어요.
여 이런. 언제 거기에 도착했는데?
남 4시 30분에 집을 떠나서 5시에 도착했어요.

07 ③

해설 남자는 축구선수가 되고 싶다고 했다.

어휘 early[ə́ːrli] 일찍
practice[prǽktis] 연습하다
every morning 매일 아침
become[bikʌ́m] ~이 되다

W Are you going to school, Tim?
M Yes, Mrs. Taylor.
W Why are you going to school so early?
M I practice soccer every morning.
W Wow, you really like to play soccer.
M Yes. I want to be a soccer player.

여 너 학교 가는 길이니, Tim?
남 네, Taylor 아주머님.
여 왜 그렇게 일찍 학교에 가니?
남 매일 아침에 축구 연습을 하거든요.
여 와, 넌 축구하는 걸 정말 좋아하는구나.
남 네. 저는 축구선수가 되고 싶어요.

08 ②

해설 장마철이라서 밖에서 놀지 못하는 남자가 집에서는 할 일이 없다고 지루해하고 있다.

W Chris, you look tired.
M No, I'm not tired at all.
W Then, what's the matter?

여 Chris, 너 피곤해 보인다.
남 아니, 난 전혀 안 피곤해.
여 그럼, 무슨 일있니?

어휘 tired[táiərd] 피곤한
outside[àutsáid] 밖에서
anything[éniθiŋ] 아무것도

M I want to play outside, but I can't.
W Oh, I see. It's raining a lot now.
M I don't have anything to do at home.

남 밖에서 놀고 싶은데, 나갈 수가 없어.
여 아, 그렇구나. 지금 비가 많이 오고 있지.
남 집에서는 할 일이 없어.

① 신이 난 ② 지루한 ③ 걱정스러운
④ 자랑스러운 ⑤ 편안한

09 ③

해설 여자가 전통시장에 같이 가자고 했고 남자는 동의했다.

어휘 go to the movies 영화 보러 가다
cousin[kʌ́zən] 사촌
traditional market 전통 시장, 재래시장

M What are we going to do today, Mom?
W I have to help your grandmother today.
M Oh, you have to cook a lot today, right?
W Yes. You should go to the movies with your cousins.
M They're going to watch a comedy movie. I don't want to see it.
W Then, how about going to the traditional market with me?
M Okay. I'll do that.

남 우리 오늘 뭐해요, 엄마?
여 나는 오늘 네 할머니를 도와드려야 해.
남 아, 오늘 요리 많이 하셔야죠, 그렇죠?
여 그래. 너는 사촌들이랑 영화보러 가렴.
남 걔네들은 코미디 영화를 본대요. 전 그거 보고 싶지 않아요.
여 그럼 나랑 같이 전통 시장에 가는 게 어때?
남 알겠어요. 그럴게요.

10 ②

해설 어떤 여름 캠프를 선택할 것인지 의논하는 대화 내용이다.

어휘 camp[kæmp] 캠프
choose[tʃuːz] 선택하다
be interested in ~에 관심이 있다
decide between A and B A와 B에서 결정하다
lesson[lésən] 레슨, 수업
pick[pik] 고르다

M What is that on your desk?
W It's a list of the summer camps. I need to choose one for this summer.
M Okay. Let me see. There are 3 camps to choose from.
W Well, I'm interested in space and music. But I can't decide between the space camp and the music camp.
M You are taking violin lessons now. So why don't you pick the space camp?
W That's a good idea.

남 네 책상 위에 있는 게 뭐니?
여 여름 캠프 목록이에요. 이번 여름에 하나를 선택해야 해요.
남 그렇구나. 한번 보자. 선택할 수 있는 캠프가 세 개 있네.
여 음, 전 우주와 음악에 관심이 있어서요. 우주 캠프와 음악 캠프 중에 결정할 수가 없네요.
남 너는 지금 바이올린 레슨을 받고 있잖아. 우주 캠프를 고르는 게 어떠니?
여 그거 좋은 생각이네요.

11 ②

해설 목포까지 차를 타고 가려고 했으나 기차로 가기로 했다.

어휘 excited[iksáitid] 신이 난
remember[rimémbər] 기억하다
drive[draiv] 자동차 여행; 운전하다

M Are you excited to see your grandfather this Saturday?
W Of course, I am, Dad.
M It'll take a long time to get to Mokpo by car.
W You don't have to drive this weekend. Mom already bought train tickets online.
M Oh, that's good to hear.

남 이번 토요일에 할아버지를 만나서 좋니?
여 물론이죠, 아빠.
남 차로 목포에 가는 데 긴 시간이 걸릴 거야.
여 이번 주말에 운전 안 하셔도 돼요. 엄마가 이미 온라인으로 기차표를 사셨어요.
남 아, 그거 반가운 소리네.

12 ③

해설 남자는 신발이 너무 작다며 다른 사이즈로 교환해 달라고 했다.

어휘 exchange[ikstʃéindʒ] 교환하다
pair[pεər] 한 쌍
problem[prábləm] 문제

M Welcome to Best Shoes. How can I help you?
W Can I exchange these shoes for another pair?
M Sure, what's the problem with these?
W They are too small for me.
M These are size 6. Do you want them in size 7?
W Yes, please.

여 Best Shoes에 오신 걸 환영합니다. 무엇을 도와 드릴까요?
남 이 신발을 다른 신발로 교환할 수 있을까요?
여 물론이죠. 이 신발에 무슨 문제가 있나요?
남 저한테 너무 작아요.
여 이것들은 사이즈 6이네요. 사이즈 7로 드릴까요?
남 네, 그렇게 해주세요.

13 ③

해설 케이크를 사려다가 품절됐다고 하자 흰 빵과 쿠키를 사겠다는 대화 내용으로 보아 두 사람은 빵집에 있음을 알 수 있다.

어휘 expensive[ikspénsiv] 비싼
sell[sel] 팔다
last[læst] 마지막의

W How much is this?
M It's $35.
W That's a little expensive. Do you have any chocolate cakes?
M I'm sorry, but we sold the last one about an hour ago.
W Then, I'll just get this white bread and these cookies.
M Okay. It is $12.

여 이건 얼마죠?
남 35달러입니다.
여 좀 비싸네요. 초콜릿 케이크 있나요?
남 죄송하지만, 한 시간 전에 다 팔렸습니다.
여 그럼, 이 흰 빵이랑 쿠키들만 살게요.
남 알겠습니다. 12달러입니다.

14 ④

해설 남자가 찾고 있는 일기장은 의자 밑에 있었다.

어휘 diary[dáiəri] 일기장
check[tʃek] 확인하다
backpack[bǽkpæ̀k] 가방, 배낭

M Mom, where is my diary?
W Did you check your desk?
M I did. It's not on my desk.
W Why don't you check your backpack?
M I already did, but it's not there, either.
W Oh, I found it. It's under the chair.

남 엄마, 제 일기장 어디 있어요?
여 책상을 확인해 봤니?
남 했어요. 책상 위에 없어요.
여 네 가방을 확인해 보지 그러니?
남 이미 해봤는데, 가방 안에도 없어요.
여 아, 찾았어. 의자 밑에 있구나.

15 ③

해설 남자는 여자에게 방 불을 꺼 달라고 부탁했다.

어휘 ready for ~에 대해 준비된
job interview 취업 면접
nervous[nə́:rvəs] 긴장한, 초조한
do A's best 최선을 다하다
turn off ~을 끄다
light[lait] 불

W Those shoes look very good on you, Ben.
M Thanks, Mom.
W Are you ready for the job interview?
M I'm a little nervous, but I think I'm ready.
W You'll be fine. Just do your best.
M I will. Oh, can you turn off the lights in my room?
W Sure, no problem.

여 그 신발이 너한테 정말 잘 어울리는구나, Ben.
남 고마워요, 엄마.
여 면접 준비는 다 됐니?
남 좀 긴장되지만, 준비된 것 같아요.
여 넌 잘할 거야. 그냥 최선을 다하면 돼.
남 그럴게요. 아, 제 방 불 좀 꺼주실래요?
여 그래, 그럴게.

16 ②

해설 개가 신발을 물어뜯는다고 하자 남자는 개랑 자주 놀아 주라고 제안했다.

어휘 problem[prɑ́bləm] 문제
bite[bait] 물어뜯다
often[ɔ́(:)fən] 자주, 종종

M Emma, how are you doing with your new dog?
W We're doing well. But there is one problem.
M What is that?
W He bites my shoes.
M Why don't you play with him more often?
W I'll try.

남 Emma, 새로 온 개와 어떻게 지내니?
여 우리는 잘 지내고 있어. 근데 문제가 하나 있어.
남 그게 뭔데?
여 걔가 내 신발을 물어뜯는 거야.
남 걔랑 더 자주 놀아주는 게 어때?
여 노력해 볼게.

17 ③

해설 남자는 주말에 삼촌과 함께 탁자를 만들었다고 했다.

어휘 go shopping 쇼핑하러 가다
spend[spend] (시간을) 보내다 (spend-spent-spent)
cool[ku:l] 멋진

M Did you have a good weekend, Sara?
W Yes, I did. I went shopping. How about you?
M I spent some time with my uncle.
W Really? What did you do with him?
M We made a table together. It was fun.
W That's cool!

남 Sara, 주말 잘 보냈니?
여 응, 잘 보냈어. 나는 쇼핑하러 갔어. 너는 어때?
남 삼촌이랑 시간을 좀 보냈어.
여 그래? 삼촌이랑 뭐 했니?
남 우린 같이 탁자를 만들었어. 정말 재미있었어.
여 멋지다!

18 ③

해설 남자는 환자를 본다고 했으므로 직업이 의사이고, 여자는 새 소설을 쓰기 시작했다고 했으므로 소설가이다.

어휘 amazing[əméiziŋ] 굉장한
work[wəːrk] 일, 업무
patient[péiʃənt] 환자
can't wait to-v 빨리 ~하고 싶다
fan[fæn] 팬

M You look amazing, Cindy.
W You, too. How's work?
M Work is fine. I see about 20 patients a day. How about you?
W I just started writing a new book.
M I can't wait to read it. I loved your last book.
W Thanks. It's always nice to have a fan.

남 너 멋져 보여, Cindy.
여 너도, 그래. 일은 어때?
남 일은 괜찮아. 하루에 20명 정도의 환자를 보고 있어. 너는 어때?
여 난 이제 막 새로운 책을 쓰기 시작했어.
남 그거 빨리 읽고 싶어. 너의 마지막 책이 정말 좋았거든.
여 고마워. 팬이 있다는 것은 언제나 기분 좋아.

19 ①

해설 쓰레기가 계속 쌓이는 곳에 '쓰레기 금지' 표지판을 게시하자고 제안했으므로 이 제안에 찬성하거나 반대하는 응답이 적절하다.

어휘 trash[træʃ] 쓰레기
clean up (~을) 치우다, 청소하다
post[poust] (안내문 등을) 게시하다
sign[sain] 표지판
[선택지]
plant[plænt] (나무 등을) 심다

W Look at all the trash here.
M We cleaned it all up yesterday.
W We need to do something about this.
M I agree. We can't just keep cleaning it up.
W What should we do?
M Why don't we post a sign, "No Trash"?
W That's a great idea.

여 여기 쓰레기 좀 봐.
남 어제 다 치웠는데.
여 우리는 이거에 대해 뭔가 조치를 취해야 해.
남 나도 동의해. 계속 청소만 할 수는 없잖아.
여 우리가 뭘 해야 할까?
남 '쓰레기 금지'라는 표지판을 붙이면 어떨까?
여 좋은 생각이야!

② 저 표지판은 제자리에 있는 게 맞니?
③ 그만 좀 해.
④ 좋아. 내가 거기에 꽃을 심을게.
⑤ 어제는 왜 청소를 안했어?

20 ②

해설 각자 필요한 곳에 갔다가 다시 만나기로 하고 몇 시에 만날지 물었으므로 시간을 정하는 응답이 적절하다.

어휘 shopping mall 쇼핑몰
floor[flɔːr] ~층
men's clothing 남성복
[선택지]
clothes[klouðz] 옷

W Wow, this place is big.
M This is the biggest shopping mall in the city.
W There are so many different stores. Let's go to the second floor.
M Oh, I wanted to go to the third floor. That's for men's clothing.
W How about meeting back here later?
M Okay. What time should we meet again?
W Why don't we meet at 5:30 p.m.?

여 와, 여기 정말 크다.
남 여기는 이 도시에서 가장 큰 쇼핑몰이야.
여 정말 다양한 가게들이 있구나. 2층으로 가자.
남 아, 나는 3층에 가려고 했어. 남성복 매장이거든.
여 나중에 여기서 다시 만나는 건 어때?
남 좋아. 우리 몇 시에 다시 만날까?
여 오후 5시 30분에 만나면 어떨까?

① 다시 만나서 반가워.
③ 나는 오늘 아침 7시에 일어났어.
④ 새 옷이 마음에 드니?
⑤ 나는 이 쇼핑몰에 처음 왔어.

실전 모의고사 02

p. 116

01 ③	02 ④	03 ②	04 ⑤	05 ⑤	06 ④	07 ④
08 ②	09 ①	10 ③	11 ④	12 ②	13 ①	14 ②
15 ⑤	16 ⑤	17 ③	18 ②	19 ⑤	20 ④	

01 ③

해설 동굴에 살고 날개를 가진 쥐와 비슷하며 거꾸로 매달려 자는 것은 박쥐이다.

어휘 cave[keiv] 동굴
mouse[maus] 쥐
wing[wiŋ] 날개
hunt[hʌnt] 사냥하다
upside down 거꾸로

W I usually live in a cave. I look like a mouse with wings. I fly well. I come out at night and hunt for food. I like sleeping upside down. What am I?

여 나는 주로 동굴에 살아요. 나는 날개를 가진 쥐처럼 보여요. 나는 잘 날아요. 나는 밤에 나와서 먹이를 사냥해요. 나는 거꾸로 매달려 자는 것을 좋아해요. 나는 누구일까요?

02 ④

해설 지도 그림이 있는 큰 가방을 사겠다고 했다.

어휘 travel bag 여행 가방
map[mæp] 지도

M Good afternoon. May I help you?
W Yes. I'm looking for a travel bag for me.
M How about this one with stars?
W Well, I need a bigger one.
M Then, how about that one with a map?
W Oh, I like it. I'll take it.

남 안녕하십니까, 도와드릴까요?
여 네. 제가 쓸 여행 가방을 찾고 있어요.
남 별이 있는 이건 어때요?
여 음, 더 큰 게 필요해요.
남 그러면 지도가 있는 저것은 어때요?
여 아, 마음에 들어요. 그걸로 살게요.

03 ②

해설 금요일에는 비가 올 거라고 예보했다.

어휘 weekly[wíːkli] 주간의
weather report 일기 예보

W Good morning! This is the weekly weather report. It'll be sunny from today to Thursday. However, it'll rain on Friday. The rain will stop on Saturday night, and it'll be windy on Sunday.

여 안녕하세요! 주간 일기 예보입니다. 오늘부터 목요일까지는 화창할 것입니다. 하지만, 금요일에는 비가 올 겁니다. 비는 토요일 밤에 그치고, 일요일에는 바람이 불겠습니다.

04 ⑤

해설 여자는 음악 캠프에 갈 때 필요한 큰 가방을 빌려달라고 했고 남자는 승낙했다.

어휘 ask A a favor A에게 부탁하다
borrow[bárou] 빌리다

[Cell phone rings.]
M Hello.
W Hi, Uncle Ben. Can I ask you a favor?
M Hi, Amy. What is it?
W Well, you have a big backpack, right?
M Yes, I do.
W Can I borrow it? I'm going to go to a music camp this weekend.
M Sure. No problem.

[휴대전화가 울린다.]
남 여보세요.
여 안녕하세요, Ben 삼촌. 부탁 하나 해도 될까요?
남 안녕, Amy. 그게 뭐니?
여 저, 삼촌께서 큰 가방 하나 가지고 있죠, 그렇죠?
남 응, 가지고 있지.
여 그것 좀 빌릴 수 있을까요? 이번 주말에 음악 캠프에 갈 예정이라서요.
남 물론이지. 그렇게 해.

05 ⑤

해설 이름(Nikita), 국적(러시아), 전학 온 때(3개월 전), 특기(농구)에 대해 언급하였으나 가족 관계에 대해서는 언급하지 않았다.

어휘 introduce[intrədjú:s] 소개하다
shy[ʃai] 수줍어하는
close[klous] (사이가) 가까운
captain[kǽptən] 주장

M Let me introduce my friend Nikita. She's from Russia. When she first came to our school 3 months ago, she was a little shy. However, she became very close to us because she is friendly. She plays basketball well and is captain of the team.

남 내 친구 Nikita를 소개할게요. 그녀는 러시아에서 왔어요. 3개월 전에 우리 학교에 처음 왔을 때, 그녀는 약간 수줍어했어요. 하지만, 그녀는 친절해서 우리와 아주 친해졌어요. 그녀는 농구를 잘하고, 팀의 주장이에요.

06 ④

해설 두 사람은 11시 전에 역에 도착하여 11시 15분에 출발하는 기차를 탈 것이다.

어휘 in time 제시간에
leave[li:v] 떠나다
train station 기차역
catch[kætʃ] (버스, 기차 등을 시간 맞춰) 타다

M Can we arrive in time?
W Of course. The train leaves at 11:15 in the morning.
M But it's already 10:30.
W The train station isn't far from here. We'll be there before 11 o'clock.
M Are you sure we can catch the 11:15 train?
W Yeah. Don't worry.

남 우리 제시간에 도착할 수 있을까?
여 물론이지. 열차는 오전 11시 15분에 출발해.
남 하지만 벌써 10시 30분이야.
여 기차역이 여기서 멀지 않아. 우리는 11시 전에 거기 도착할 거야.
남 정말 11시 15분 기차를 탈 수 있다는 거지?
여 그래. 걱정하지 마.

07 ④

해설 만화를 잘 그리는 남자에게 여자가 만화가가 되고 싶은지 묻자 남자는 게임 디자이너가 될 거라고 답했다.

어휘 cartoon[ka:rtú:n] 만화
be good at ~을 잘 하다
cartoonist[ka:rtú:nist] 만화가
creative[kriéitiv] 창의적인

W You're drawing cartoons, Alex. Can I take a look at them?
M No problem.
W Wow! You're really good at drawing. Do you want to be a cartoonist?
M Not really. I want to be a game designer.
W You're creative, so you'll be a great game designer.
M Thank you.

여 너 만화 그리고 있구나, Alex. 내가 좀 봐도 돼?
남 그래.
여 와! 너 그림 정말 잘 그린다. 만화가가 되고 싶니?
남 그렇진 않아. 나는 게임 디자이너가 되고 싶어.
여 넌 창의적이라서 뛰어난 게임 디자이너가 될 거야.
남 고마워.

08 ②

해설 봉사자가 더 필요하다고 했다.

어휘 volunteer[vàləntíər] 자원봉사로 하다
hospital[háspitəl] 병원

W Henry, what are you going to do this Saturday?
M Nothing special. Why?
W Our club is going to volunteer at ABC Hospital. But we need more people.
M Okay. I'll help. What can I do?
W You can read some books to the children and sing together.
M Okay. No problem.

여 Henry, 이번 주 토요일에 뭐 할 거니?
남 특별한 건 없는데. 왜?
여 우리 동아리가 ABC 병원에서 봉사 활동할 예정이야. 그런데 우리는 더 많은 사람이 필요하거든.
남 알겠어. 나도 도울게. 내가 뭘 하면 될까?
여 아이들에게 책을 몇 권 읽어주고 같이 노래를 하면 돼.
남 좋아. 할 수 있어.

09 ①

해설 여자가 불을 줄여달라고 했고 남자가 알겠다고 했다.

어휘 seafood[sifud] 해산물
sweet[swi:t] 상냥한, 다정한
cut[kʌt] 자르다
boil[bɔil] 끓다
heat[hi:t] (조리용) 불

M Mom, what are you making for dinner?
W Seafood pasta. What do you think?
M That sounds nice. Can I help you?
W You're so sweet. Can you cut the tomatoes?
M Sure. *[Pause]* Oh, Mom! The water is boiling.
W Just turn down the heat.
M Okay, Mom.

남 엄마, 저녁으로 뭘 만드세요?
여 해물 파스타. 어때?
남 좋아요. 제가 도와드릴까요?
여 정말 착하구나. 토마토를 잘라 주겠니?
남 그럴게요. *[잠시 후]* 아, 엄마! 물이 끓고 있어요.
여 불만 좀 줄여다오.
남 알았어요, 엄마.

10 ③

해설 지붕에 올라가서 내려오지 못하는 고양이를 구조해달라고 요청하는 내용이다.

어휘 roof[ru(:)f] 지붕
street[stri:t] ~가, 도로

[Telephone rings.]
W Hello. Animal Help. How may I help you?
M My cat is on the roof, and he can't get down.
W When did he go up there?
M He went up 3 hours ago. Can you come and help?
W Sure. Where are you?
M On Elm Street near the park.
W Okay. We'll be there in 10 minutes.

[전화벨이 울린다.]
여 안녕하세요. Animal Help입니다. 무엇을 도와드릴까요?
남 우리 고양이가 지붕에 있는데 내려오질 못해요.
여 언제 거기에 올라갔나요?
남 3시간 전에 올라갔어요. 도와주러 오실 수 있나요?
여 물론이죠. 어디죠?
남 공원 부근 Elm 가예요.
여 알겠어요. 10분 후에 그곳에 가겠습니다.

11 ④

해설 경주로 여행 간다는 여자에게 남자가 자전거로 다닐 것을 권했고 여자가 그렇게 하겠다고 했다.

어휘 go on a trip 여행을 가다
get around 돌아다니다
rent[rent] (사용료를 내고 단기간) 빌리다
information[infərméiʃən] 정보

W I'm going to go on a trip to Gyeongju this weekend.
M Great. How are you going to get there?
W By bus.
M Okay. Why don't you ride a bike to get around Gyeongju?
W That's a good idea!
M There are many places to rent a bike.
W Okay. Thank you for the information.

여 나 이번 주말에 경주로 여행 갈 거야.
남 좋겠다. 거기에 어떻게 갈 건데?
여 버스로.
남 그런데, 경주에서는 자전거를 타고 다니는 건 어떨까?
여 좋은 생각이야!
남 거기는 자전거를 빌릴 수 있는 곳이 많거든.
여 알았어. 정보 고마워.

12 ②

해설 여자는 Broadway에서 하는 뮤지컬을 보러 뉴욕에 간다고 했다.

어휘 musical[mjú:zikəl] 뮤지컬

M Aunt Susan, where are you planning to go this vacation?
W I'm going to go to New York.
M New York? Why are you going to go there?
W I'm going to see a musical on Broadway. I always wanted to see one.

남 Susan 이모, 이번 휴가에 어디로 가실 예정이세요?
여 뉴욕에 가려고 해.
남 뉴욕이요? 거기로 왜 가세요?
여 Broadway에서 하는 뮤지컬을 볼거야. 언제나 한 편 보고 싶었거든.

M That sounds fun.
W Yeah, I can't wait to see it.
M Have a nice trip!

남 재밌겠어요.
여 그래, 빨리 보고 싶네.
남 즐거운 여행 하세요!

13 ①

해설 남자가 소설책을 찾고 있고 여자가 이번 주에는 모든 책을 할인받을 수 있다고 하는 것으로 보아 서점에서 나누는 대화이다.

어휘 just a minute 잠깐만 (기다리세요)
fiction [fíkʃən] 소설, 허구
section [sékʃən] 구역
discount [dískaunt] 할인

M Excuse me. I'm looking for a book.
W What book are you looking for?
M It's *River Boy*.
W Just a minute. *[Pause]* Oh, I found it. You should go straight to the fiction section.
M Thanks.
W You can get a 20% discount on all books this week.
M Great. Thanks a lot.

남 실례합니다만, 책을 찾고 있는데요.
여 어떤 책을 찾으세요?
남 〈River Boy〉입니다.
여 잠깐만요. *[잠시 후]* 아, 찾았어요. 소설 코너로 곧장 가세요.
남 고맙습니다.
여 이번 주에는 모든 책을 20% 할인받을 수 있어요.
남 잘됐네요. 정말 고맙습니다.

14 ②

해설 버스 정류장은 두 블록 직진해서 우회전하면 왼쪽 은행과 공원 사이에 있다고 했다.

어휘 National Gallery 국립 미술관
between A and B A와 B 사이에

W Excuse me. How can I get to the National Gallery?
M You can take bus number 94.
W Where is the bus stop?
M Go straight for two blocks and turn right.
W Okay.
M It's on your left between the bank and the park.
W Thank you.

여 실례합니다. 국립 미술관은 어떻게 가나요?
남 94번 버스를 타면 돼요.
여 버스 정류장이 어디인가요?
남 두 블록 직진해서 우회전하세요.
여 알겠어요.
남 왼쪽에 은행과 공원 사이 있어요.
여 고마워요.

15 ⑤

해설 남자는 여자에게 할머니한테 전화해서 폭풍우에 대해 말씀드리라고 부탁했다.

어휘 storm [stɔːrm] 폭풍우
stay [stei] 머물다

M Kate, can you do me a favor?
W What is it, Dad?
M Did you hear that a storm is coming tonight?
W Yes. So I brought in my bike from outside.
M Good. Can you call your grandmother and tell her about the storm?
W Okay. I'll tell her to stay home.

남 Kate, 부탁 좀 들어줄래?
여 뭔데요, 아빠?
남 오늘밤에 폭풍우가 온다는 얘기 들었니?
여 네. 그래서 밖에 있던 자전거를 안으로 들여놨어요.
남 잘했다. 할머니한테 전화해서 폭풍우에 대해 말씀드려 줄래?
여 그럴게요. 집에 계시라고 할게요.

16 ⑤

해설 여자의 컴퓨터가 바이러스에 감염된 것 같다고 하자 남자는 컴퓨터 서비스 센터에서 도움을 받으라고 제안했다.

M You look worried. What's wrong?
W I think my computer has a virus.

남 너 걱정스러워 보인다. 무슨 일 있어?
여 내 컴퓨터가 바이러스에 감염된 것 같아.

어휘 virus[váiərəs] 바이러스
work[wəːrk] (기계 등이) 작동되다

M Why?
W I opened an e-mail and then my computer stopped working.
M You should get help from a computer service center right now.
W Okay, I will.

남 어쩌다가?
여 이메일을 열었는데 컴퓨터가 멈췄어.
남 지금 당장 컴퓨터 서비스 센터에서 도움을 받는 게 좋겠다.
여 알았어, 그럴게.

17 ③

해설 주말에 남자는 친구들과 캠핑 여행을 갔고 여자는 조부모님 댁에 가서 감자를 심었다.

어휘 camping[kǽmpiŋ] 캠핑
go hiking 등산 가다
grandparent[grǽndpɛərənt] 조부(모)
plant[plænt] 심다
potato[pətéitou] 감자

W Hi, Kevin. How was your weekend?
M It was nice. I went on a camping trip with my friends.
W That sounds great! Did you go hiking?
M Of course. What about you?
W I visited my grandparents with my family.
M What did you do with them?
W We planted potatoes. It was really fun.

여 안녕, Kevin. 주말은 잘 보냈니?
남 좋았어. 친구들과 캠핑 여행을 갔거든.
여 좋았겠다! 등산했니?
남 물론이지. 너는 어땠어?
여 나는 가족과 함께 조부모님을 방문했어.
남 그분들과 뭐 했는데?
여 우리는 감자를 심었어. 정말 재미있었어.

18 ②

해설 여자의 신곡이 성공했고, 노래를 만들 때 책에서 아이디어를 얻는다고 하는 것으로 보아 여자는 작곡가임을 알 수 있다.

어휘 magazine[mæ̀gəzíːn] 잡지
big hit 큰 성공
lucky[lʌ́ki] 운 좋은
idea[aidíə] 아이디어, 발상

M Hello, Julie King. I'm Sam Lee from *Music Week* magazine.
W Nice to meet you, Sam.
M Your new song is a big hit.
W Yes. I think I am lucky.
M You wrote many good songs. Where do you get the ideas for your songs?
W I read books a lot. My ideas usually come from them.

남 안녕하세요, Julie King. 〈Music Week〉 잡지의 Sam Lee입니다.
여 만나서 반가워요, Sam.
남 당신의 신곡이 크게 성공했어요.
여 맞아요. 제가 운이 좋은 것 같아요.
남 당신은 좋은 노래를 많이 만들었어요. 노래에 대한 아이디어는 어디서 얻나요?
여 저는 책을 많이 읽어요. 제 아이디어는 주로 거기에서 나와요.

19 ⑤

해설 여자가 전기가 나갔다고 했으므로 정전 상황에 대처하는 내용의 응답이 적절하다.

어휘 scared[skɛərd] 무서워하는
take it easy 진정해라, 걱정 마라
stormy[stɔ́ːrmi] 폭풍우가 몰아치는
break[breik] 깨지다
power[páuər] 전기, 에너지
go out (전깃불이) 나가다, 꺼지다
[선택지]
turn off (전기 등을) 끄다
light[lait] 전등; 불을 붙이다
candle[kǽndl] 양초

W Dad, I'm scared.
M It's okay, Jane.
W But it's stormy outside.
M It's just the wind and rain.
W Dad, won't the window break?
M Don't worry. I closed all the windows, so they'll be okay.
W *[Pause]* Oh, Dad, the power went out.
M Stay here. I'll light a candle.

여 아빠, 무서워요.
남 괜찮단다, Jane.
여 하지만 밖에는 폭풍우가 몰아치고 있어요.
남 그냥 바람과 비일 뿐이야.
여 아빠, 창문이 깨지지 않을까요?
남 걱정하지 마. 창문을 다 닫았으니 괜찮을 거야.
여 *[잠시 후]* 아, 아빠, 전기가 나갔어요.
남 여기 있으렴. 내가 촛불을 켤게.

① 마침 잘 됐다.
② 미안하지만, 난 바빠.
③ 전등을 좀 꺼 줄래?
④ 내일 날씨는 어때?

20 ④

해설 여자가 좋은 소식을 들은 후 나쁜 소식은 무엇이냐고 물었으므로 나쁜 소식에 해당하는 내용이 와야 어울린다.

어휘 first prize 1등상
writing contest 글짓기 대회
[선택지]
do well on ~을 잘 보다

W Eric, how was school?
M Well, I have good news and bad news.
W What's the good news?
M I won first prize in the writing contest.
W That's great! I'm so happy to hear that.
M Thanks, Mom.
W Okay. Now, what's the bad news?
M I didn't do well on the science test.

여 Eric, 학교는 어땠니?
남 음, 좋은 소식과 나쁜 소식이 있어요.
여 좋은 소식은 뭔데?
남 글짓기 대회에서 1등을 했어요.
여 대단하다! 그 말을 들으니 정말 기쁘네.
남 고마워요, 엄마.
여 그럼, 이제 나쁜 소식은 뭐지?
남 과학 시험을 망쳤어요.

① 저도 정말 기뻐요.
② 어제 개가 새로 생겼어요.
③ 우리 팀이 농구 경기에서 이겼어요.
⑤ 다음 시험은 잘 볼 거야.

실전 모의고사 03

p. 124

01 ⑤	02 ⑤	03 ①	04 ⑤	05 ⑤	06 ⑤	07 ⑤
08 ④	09 ④	10 ③	11 ⑤	12 ③	13 ③	14 ③
15 ①	16 ⑤	17 ③	18 ②	19 ③	20 ①	

01 ⑤

해설 어두운 곳에서 필요하고 빛을 내며, 휴대전화로 대신할 수 있는 것은 손전등이다.

어휘 dark[dɑːrk] 어두운
give off (빛을) 내다
get lost 길을 잃다
forest[fɔ́(ː)rist] 숲
instead of ~ 대신에

M You need this in the dark. This gives off light. You can use this when you get lost in the forest at night. Also, you can use your cell phone instead of this. What is this?

남 당신은 어둠 속에서 이것이 필요해요. 이것은 빛을 내요. 당신이 밤에 숲에서 길을 잃었을 때 이것을 사용할 수 있어요. 또한, 이것 대신에 휴대전화를 사용할 수 있어요. 이것은 무엇일까요?

02 ⑤

해설 여자가 두고 온 가방은 땡땡이 무늬가 있는 하트 모양 가방이다.

어휘 dot[dɑt] 점
square[skwɛər] 정사각형
round[raund] 둥근
heart[hɑːrt] 하트
shape[ʃeip] 모양

W I think I left my bag at your home yesterday. Did you see it?
M No. What does it look like?
W Well, it has dots on it.
M Is it square or round?
W It's a heart shape.
M Okay. I'll go home and look for it.

여 어제 너네 집에 내 가방을 두고 온 것 같아. 그걸 봤니?
남 아니. 어떻게 생겼는데?
여 음, 그 위에 땡땡이가 있어.
남 가방이 정사각형 모양이야, 아니면 원형 모양이야?
여 하트 모양이야.
남 알았어. 집에 가서 찾아볼게.

03 ①

해설 수요일은 하늘이 맑을 거라고 했다.

어휘 expect[ikspékt] 기대
strong winds 강풍
clear[kliər] 맑은

W Good morning, everyone. This is Kate with the weather report. It's Monday, and we expect rain and strong winds. This rain will stop tomorrow afternoon. On Wednesday, we'll have nice weather with clear skies. Thank you.

여 안녕하세요, 여러분. 기상 예보의 Kate입니다. 오늘은 월요일이고, 비와 강풍이 예상됩니다. 이 비는 내일 오후에 멈출 것입니다. 수요일에는 맑은 하늘로 날씨가 좋을 것입니다. 감사합니다.

04 ⑤

해설 남자가 미술 대회에서 1등을 했다고 하자 여자가 잘했다고 축하의 말을 하고 있다.

어휘 be good at ~을 잘하다
enter a contest 대회에 나가다
actually[ǽktʃuəli] 사실
win first prize 1등 상을 받다

W Minho, you are good at drawing.
M Thanks. My hobby is drawing.
W How about entering an art contest?
M Actually, I did. And today, I heard that I won first prize.
W Wow! Good job. Congratulations!

여 민호야, 넌 그림을 잘 그리는구나.
남 고마워. 내 취미가 그림 그리기야.
여 미술 대회에 나가 보는 게 어때?
남 사실, 나갔었어. 그리고 오늘 내가 1등을 했다는 연락을 받았어.
여 와! 잘했구나. 축하해!

05 ⑤

해설 이름(거북선), 제작자(이순신 장군), 제작 연도(1590년), 재료(소나무)는 언급했으나 용도에 대해서는 언급하지 않았다.

어휘 introduce[ìntrədjú:s] 소개하다
Joseon Dynasty 조선시대
famous[féiməs] 유명한
build[bild] 짓다, 건축하다 (build-built-built)
pine tree 소나무
get on ~을 타다

W Let me introduce a famous ship from the Joseon Dynasty. The name of it was the Turtle Ship. General Yi Sun Shin built it in 1590. He used pine trees to make the ship. 150 people could get on the ship.

여 조선시대의 유명한 배를 소개하겠습니다. 배의 이름은 거북선이었습니다. 이순신 장군이 1590년에 그것을 제작했습니다. 그는 그 배를 만들기 위해 소나무를 사용했습니다. 그 배에 150명이 탑승할 수 있었습니다.

06 ⑤

해설 여자가 컴퓨터 수리를 맡겼고 남자는 4시 반에 수리가 끝나니 그때 다시 오라고 했다.

어휘 broken[bróukən] 고장 난
fix[fiks] 수리하다
busy[bízi] 바쁜
ready[rédi] 준비가 된

M Good morning. How can I help you?
W My computer is broken. Could you fix it now?
M Well, I'm busy right now. I will have time to look at it after 2 p.m.
W When will it be ready?
M It will be ready at 4:30. You should come then.
W That's great. I'll come back at 4:30.

남 안녕하세요. 어떻게 도와 드릴까요?
여 제 컴퓨터가 고장 났어요. 지금 그것을 수리해 주시겠어요?
남 음, 제가 지금 당장은 바빠요. 오후 2시 이후에 그것을 살펴볼 시간이 날 거예요.
여 수리가 언제 될까요?
남 4시 반에 될 거예요. 그때 오시면 돼요.
여 좋아요. 4시 30분에 다시 올게요.

07 ⑤

해설 남자는 컴퓨터에 관심이 있었고 유용한 프로그램을 만들고 싶어서 프로그래머가 되고 싶다고 했다.

어휘 be interested in ~에 관심이 있다
create[kriéit] 만들어 내다
useful[jú:sfəl] 유용한
come true 이루어지다

W What do you want to be in the future?
M When I was a child, I was always interested in computers.
W Computers? Then do you want to be a computer programmer?
M Yes, I want to create useful programs.
W I hope your dream comes true.

여 미래에 넌 무엇이 되고 싶니?
남 내가 어렸을 때, 항상 컴퓨터에 관심이 있었어.
여 컴퓨터? 그러면 너는 컴퓨터 프로그래머가 되고 싶니?
남 응, 나는 유용한 프로그램을 만들고 싶어.
여 네 꿈이 이루어졌으면 좋겠다.

08 ④

해설 남자는 가수들과 함께 사진을 찍지 않았고 대신에 그들의 사진을 좀 샀다고 했다.

어휘 exciting[iksáitiŋ] 신나는
take a photo[picture] 사진을 찍다
instead[instéd] 대신에
dance to ~에 맞추어 춤추다

W Did you go to the rock concert?
M Yes, it was exciting! I went with my older sister. We took photos of the singers on the stage.
W Did you take a picture with them?
M No. Instead, I bought some pictures of them.
W What else did you do?
M I danced to the music.

여 너 록 콘서트에 갔었니?
남 응, 재미있었어! 우리 누나와 갔었거든. 우리는 무대 위의 가수들 사진을 찍었어.
여 가수들과 함께 사진을 찍었니?
남 아니. 대신에, 나는 그들의 사진을 몇 장 샀어.
여 다른 건 뭘 했니?
남 나는 음악에 맞춰 춤을 췄어.

09 ④

해설 여자는 계단으로 내려가서 팝콘을 사러 가겠다고 했다.

어휘 how to use 사용법
push [puʃ] (버튼 등을) 누르다
button [bʌ́tən] 버튼, 단추
stairs [stɛərz] 계단

W Excuse me. Do you know how to use this machine?
M Sure. First, push the button for your phone number.
W What should I do after that?
M Push the "print" button. And then, you can get the tickets.
W *[Pause]* Oh, here are the tickets. Where can I buy popcorn?
M Go down the stairs over there. Hurry. There is a long line.
W Oh, okay. I'll go down the stairs now and get popcorn.

여 실례합니다. 이 기계 사용법을 아시나요?
남 물론이죠. 먼저, 당신의 전화번호를 누르세요.
여 그 다음에 무엇을 해야 하나요?
남 '인쇄' 버튼을 누르세요. 그런 다음, 티켓을 받으시게 됩니다.
여 *[잠시 후]* 아, 여기 티켓이 나왔네요. 팝콘을 사려면 어디로 가야 하나요?
남 저쪽 계단을 내려가세요. 서두르세요. 줄이 길거든요.
여 아, 알겠습니다. 지금 계단으로 내려가서 팝콘을 살게요.

10 ③

해설 밀가루와 달걀, 우유를 섞어서 프라이팬에 굽고 시럽이나 잼을 더하면 팬케이크가 완성될 거라는 내용이므로 팬케이크 조리법에 대한 내용이다.

어휘 delicious [dilíʃəs] 맛있는
flour [fláuər] 밀가루
bowl [boul] 그릇, 사발
mix [miks] 섞다
pour [pɔːr] 붓다
fry [frai] 굽다
add [æd] 더하다, 첨가하다
syrup [sírəp] 시럽
jam [dʒæm] 잼

W How delicious! Can you tell me how to make this food?
M It's easy. First, put flour into a bowl.
W What do I do next?
M Add 2 eggs and some milk, and mix them together.
W And then?
M Pour it into a pan and then fry it. When it is done, add some syrup or jam. Delicious pancakes will be ready.

여 아주 맛있네! 이 음식 만드는 법을 나에게 알려줄래?
남 그건 쉬워. 먼저, 밀가루를 그릇에 넣어.
여 다음에 뭘 해야 돼?
남 달걀 두 개와 우유를 좀 넣고 함께 섞어.
여 그 다음에?
남 프라이팬에 부은 다음에 구워. 다 익으면 시럽이나 잼을 넣어봐. 맛있는 팬케이크가 완성될 거야.

11 ⑤

해설 여자는 부산에서 배를 타고 제주도에 갔다.

어휘 trip [trip] 여행
ship [ʃip] 배
interesting [íntərestiŋ] 재미있는
event [ivént] 행사
enough [inʌ́f] 충분한

M What did you do last weekend?
W I went on a trip to Jeju-do.
M How did you get there?
W I took a ship from Busan on Friday night. There were many interesting events on the ship.
M How long did it take?
W About 12 hours. I think one time is enough. I'm going to take the plane next time.

남 너 지난 주말에 뭐 했니?
여 나는 제주도로 여행을 갔었어.
남 그곳에 어떻게 갔어?
여 금요일 밤에 부산에서 배를 탔어. 배에는 재미있는 이벤트가 많았어.
남 얼마나 걸렸니?
여 12시간 정도. 한 번이면 충분한 것 같아. 다음에는 비행기를 탈 거야.

12 ③

해설 남자는 버스가 제시간에 오지 않아서 동아리 모임에 늦었다.

어휘 almost [ɔ́ːlmoust] 거의

W You are almost an hour late.
M Sorry. Is the club meeting over already?
W Yes, it was over 30 minutes ago. Why are you late?

여 너 거의 1시간 늦었어.
남 미안해. 동아리 모임은 벌써 끝났어?
여 응, 30분 전에 끝났어. 너 왜 늦은 거야?

over[óuvər] 끝이 난
already[ɔːlrédi] 벌써
festival[féstivəl] 축제
arrive[əráiv] 도착하다
on time 제시간에

M There was a festival on the street, so the bus didn't arrive on time.
W Why didn't you take the subway?
M The subway station isn't near my house.

남 도로에서 축제가 있어서, 버스가 제시간에 오지 않았어.
여 왜 지하철을 타지 않았어?
남 지하철역이 우리 집 근처에 없어.

13 ③

해설 여자는 남자가 보내려는 소포의 무게를 재면서 소포를 보낼 방법을 묻고 있으므로, 두 사람의 관계는 우체국 직원과 고객이다.

어휘 send[send] 보내다
package[pǽkidʒ] 소포
weigh[wei] 무게가 나가다
express mail 빠른우편

W How may I help you?
M I'd like to send this package to Kingston town.
W What is in it?
M Some books and toys for children.
W Okay. Put the package here, please. *[Pause]* It weighs 5 kilograms. How would you like to send this?
M By express mail.
W Okay, that's $10.

여 어떻게 도와 드릴까요?
남 이 소포를 Kingston town에 보내려고 합니다.
여 그 안에 무엇이 들어있나요?
남 어린이용 책과 장난감입니다.
여 알겠습니다. 그 소포를 여기에 올려놓으세요. *[잠시 후]* 무게는 5킬로그램입니다. 이것을 어떻게 보내고 싶으세요?
남 빠른우편으로요.
여 네, 10달러입니다.

14 ③

해설 두 사람은 캣타워를 두 창문 사이의 벽에 기대어 두기로 했다.

어휘 behind[biháind] ~의 뒤에
against the wall 벽에 기대어
mean[miːn] 의미하다
between[bitwíːn] ~의 사이에
look out the window 창밖을 내다보다

W Where should we put the cat tower?
M How about putting it behind the sofa?
W No. It's too dark there.
M Let's put it against the wall, then.
W Which wall?
M I mean the wall between the 2 windows. The cats can look out the windows.
W That's a good idea.

여 캣타워를 어디에 놓을까?
남 소파 뒤에 놓는 거 어때?
여 아니. 거긴 너무 어두워.
남 그럼 벽에 기대서 놓자.
여 어느 벽?
남 두 창문들 사이의 벽 말이야. 고양이들이 창문 밖을 볼 수 있어.
여 좋은 생각이야.

15 ①

해설 여자는 시장에 가려는 남자에게 피자 재료인 치즈, 양파, 토마토를 사다 달라고 부탁했다.

어휘 a few 몇 개의
shopping list 쇼핑 목록

M I'll go to the market this afternoon.
W Can you get a few things for me?
M Sure. What do you need?
W I need some cheese and onions. I'll make a pizza.
M Is that all?
W I need some tomatoes, too.
M Okay. I'll write them on the shopping list.

남 저는 오늘 오후에 시장에 갈 거예요.
여 제게 몇 가지를 좀 사다 줄래요?
남 물론이죠. 뭐가 필요한가요?
여 치즈와 양파가 좀 필요해요. 전 피자를 만들 거예요.
남 그게 전부인가요?
여 토마토도 좀 필요해요.
남 알았어요. 쇼핑 목록에 그것들을 적을게요.

16 ⑤

해설 남자는 키가 작아서 고민이라고 하자 여자가 다양한 종류의 음식을 먹으라고 제안하고 있다.

어휘 worried [wə́:rid] 걱정스러운
smart [smɑ:rt] 똑똑한
many kinds of 다양한 종류의

W You look worried, Eric.
M Mom, I'm too short. How can I grow taller?
W You're not short for your age.
M Well, I want to be as tall as my brother.
W Try to eat many kinds of food. I'm sure you'll grow much more next year.
M Okay, I will.

여 Eric, 너 걱정스러워 보이는구나.
남 엄마, 저는 너무 키가 작아요. 어떻게 하면 키가 자랄 수 있어요?
여 너는 네 나이에 비해 작지 않단다.
남 글쎄요, 저는 형만큼 키가 크고 싶어요.
여 다양한 종류의 음식을 먹으렴. 분명히 내년에는 훨씬 더 자랄 거야.
남 네, 그럴게요.

17 ③

해설 여자는 지난 주말에 아빠와 낚시하러 갔다고 했다.

어휘 go out 외출하다
go fishing 낚시하러 가다

W I go out every weekend.
M What do you do when you go out?
W I usually go shopping, ride a bike, or see a movie with my friends.
M What did you do last weekend?
W I went fishing with my dad. It was interesting.
M I'm sure you had a good time.

여 나는 주말마다 외출해.
남 외출하면 무엇을 하니?
여 나는 보통 친구들과 쇼핑하러 가거나, 자전거를 타거나, 영화를 봐.
남 지난 주말에는 뭘 했어?
여 나는 아빠와 낚시하러 갔어. 재미있었어.
남 즐거운 시간을 보냈겠구나.

18 ②

해설 남자가 여자에게 예약 여부를 물었고 자리로 안내하고 있으므로 남자의 직업은 식당 종업원임을 알 수 있다.

어휘 have a reservation 예약하다

W Good evening.
M Good evening. Do you have a reservation?
W Yes. A table for 4 at 7 o'clock.
M Oh, yes. Are you Ms. Davis?
W That's right.
M Your table is ready, ma'am. Come this way, please.

여 안녕하세요.
남 안녕하세요. 예약하셨나요?
여 네. 7시에 4명이 앉을 테이블이요.
남 아, 네. Davis 씨인가요?
여 맞아요.
남 테이블이 준비되어 있어요, 손님. 이쪽으로 오세요.

19 ③

해설 아침에는 시간이 없으니 대신 저녁에 조깅하러 가자고 제안하는 여자의 말에 이어서 수락하는 말이 와야 적절하다.

어휘 jog [dʒɑg] 조깅하다
exercise [éksərsàiz] 운동하다
be good for ~에 좋다
health [helθ] 건강
[선택지]
impossible [impɑ́səbl] 불가능한
midnight [mídnàit] 밤 열두 시, 자정

W Nick, why don't we jog together in the morning?
M Well, getting up early is very hard for me.
W Exercising in the morning is good for your health.
M I know, Mom, but I don't have much time in the morning.
W How about going jogging in the evening after dinner, then?
M That sounds better to me.

여 Nick, 우리 같이 아침에 조깅하는 거 어때?
남 음, 일찍 일어나는 건 저에게 너무 힘들어요.
여 아침에 운동을 하는 게 네 건강에 좋아.
남 저도 알아요, 엄마, 하지만 저는 아침에 시간이 많지 않아요.
여 그럼 저녁 식사 후에 저녁에 조깅하러 가는 게 어떠니?
남 저한테는 그게 더 나은 것 같아요.

① 그건 불가능해요.
② 저는 운동하는 것을 좋아하지 않아요.
④ 저는 어제 일찍 잤어요.
⑤ 12시 전에 잘게요.

20 ①

해설 사진 찍기에 좋은 장소가 많은지 어떻게 아냐고 묻는 여자의 말에 이어서 이곳에 살기 때문이라는 응답이 상황상 가장 자연스럽다.

어휘 village[vílidʒ] 마을
take[teik] (시간이) 걸리다; (사진을) 찍다
place[pleis] 장소, 곳
[선택지]
easily[íːzili] 쉽게

W Excuse me, how can I get to Buckchon Hanok Village?
M Oh, I'm going there, too. Come with me.
W Great. How long will it take from here?
M 10 minutes. There are many great places to take pictures.
W How do you know that?
M I live in the village.

여 실례합니다. 북촌 한옥 마을에 어떻게 가나요?
남 아, 저도 거기 가는 중이에요. 저랑 같이 가요.
여 잘됐네요. 여기서 얼마나 걸리나요?
남 10분이요. 사진 찍기에 좋은 장소들도 많아요.
여 어떻게 그걸 아시나요?
남 그 마을에서 살거든요.

② 그게 아주 마음에 들었어요.
③ 그걸 쉽게 찾을 수 없었어요.
④ 지하철로 여기 왔어요.
⑤ 다시 그 마을을 방문하고 싶어요.

실전 모의고사 04

p. 132

01 ⑤	02 ④	03 ②	04 ③	05 ③	06 ①	07 ④
08 ④	09 ⑤	10 ④	11 ③	12 ⑤	13 ③	14 ③
15 ③	16 ①	17 ⑤	18 ④	19 ③	20 ③	

01 ⑤

해설 바다에서 사는 크고 입이 뾰족한 큰 동물이며 알을 낳지 않고 물 밖으로 뛰어오르는 것을 잘하는 것은 돌고래이다.

어휘 pointed [pɔ́intid] 뾰족한
friendly [fréndli] 친한, 우호적인
lay [lei] 낳다

M I am a very large animal. I have a pointed mouth. I am very smart and often friendly to humans. I live in the sea but I don't lay eggs. I'm good at swimming and jumping out of the water. What am I?

남 나는 매우 큰 동물이에요. 나는 바다에서 살아요. 나는 입이 뾰족해요. 나는 매우 똑똑하고 종종 인간에게 친근하게 대해요. 나는 바다에서 살지만 알은 낳지 않아요. 나는 수영하는 것과 물 밖으로 뛰어오르는 것을 잘해요. 나는 누구일까요?

02 ④

해설 남자는 펭귄이 그려진 장갑을 사겠다고 했다.

어휘 gloves 장갑
bear [bɛər] 곰
penguin [péŋgwin] 펭귄

W Paul, are you going to go to Lisa's birthday party?
M Yes. What should I buy for her?
W How about gloves? I bought a hat with a bear on it.
M Good! Then I'll buy the ones with penguins.
W Great! I think she'll like them.

여 Paul, Lisa의 생일 파티에 갈 거야?
남 응. 그 애를 위해 뭘 사줘야 할까?
여 장갑은 어때? 나는 곰이 그려진 모자를 샀거든.
남 좋아! 그럼 나는 펭귄이 있는 장갑을 사야겠다.
여 잘됐네! 걔가 그것을 좋아할 거야.

03 ②

해설 베이징은 구름이 많을 거라고 했다.

어휘 weather forecast 일기 예보
cloud [klaud] 구름
Moscow [mɑ́skou] 모스크바
cool [ku:l] 서늘한, 시원한

M Good morning! Welcome to today's world weather forecast. It'll be sunny in Tokyo. In Beijing, there will be a lot of clouds. Moscow will be windy and cold. London will be rainy and cool.

남 안녕하세요! 오늘 세계 일기 예보를 전해드립니다. 도쿄는 맑을 겁니다. 베이징은 구름이 많겠습니다. 모스크바는 바람이 불고 춥습니다. 런던은 비가 오고 서늘하겠습니다.

04 ③

해설 안동으로 여행을 가려는 남자에게 여자가 탈춤 체험을 해보라고 하자 남자가 탈춤에 대해 설명해 달라고 부탁했다.

어휘 visit [vízit] 방문
folk village 민속마을
mask dance 탈춤
explain [ikspléin] 설명하다

W Jake, what are you going to do tomorrow?
M I'm going to go to An-dong.
W Great. Is it your first visit there?
M Yes. I'm so excited to visit a folk village.
W Try the mask dance there, too. It'll be fun.
M Mask dance? Can you explain more about it?

여 Jake, 내일 뭐 할 거야?
남 안동에 갈 거야.
여 좋겠다. 거긴 처음 가는 거니?
남 응. 민속마을에 가 보게 돼서 너무 신나.
여 거기서 탈춤도 한번 춰 봐. 재미있을 거야.
남 탈춤? 그것에 대해 좀 더 설명해 줄 수 있니?

05 ③

해설 지도 교사(John Carter 선생님), 장소(과학박물관), 일시(1월 2일부터 6일까지), 활동 내용(로봇 디자인하기)에 대해 언급하였으나 준비물에 대해서는 언급하지 않았다.

어휘 lead [liːd] 이끌다
take place 개최되다, 일어나다
chance [tʃæns] 기회
design [dizáin] 디자인하다

W Hello, students! Let me tell you about the winter science camp. Mr. John Carter will lead this year's camp. The camp will take place at the science museum from January 2nd to 6th. You'll have a chance to design your dream robot.

여 학생 여러분, 안녕하세요! 겨울 과학 캠프에 대해서 알려줄게요. John Carter 선생님이 올해 캠프를 이끌 겁니다. 캠프는 1월 2일부터 6일까지 과학박물관에서 열립니다. 여러분은 자신이 꿈꾸는 로봇을 디자인해 볼 기회를 갖게 될 거예요.

06 ①

해설 여자의 가족 식사 시간이 저녁 6시 30분으로 옮겨져서 두 사람은 아침 9시에 만나서 등산을 가기로 했다.

어휘 happen [hǽpən] 생기다, 일어나다
move [muːv] 옮기다

W Ben, I have good news.
M What is it?
W I can go hiking with you this Saturday.
M Great. But what happened to your family lunch?
W We moved it to dinner at 6:30.
M Then let's meet at 9 o'clock in the morning.
W Okay. See you then.

여 Ben, 좋은 소식이 있어.
남 뭔데?
여 이번 주 토요일에 너랑 등산 갈 수 있어.
남 잘됐네. 그런데 가족 점심은 어떻게 됐는데?
여 6시 30분 저녁 식사로 옮겼어.
남 그럼 아침 9시에 만나자.
여 좋아. 그때 보자.

07 ④

해설 남자는 아픈 동물들을 돕고 싶어서 수의사가 되고 싶다고 했다.

어휘 future [fjúːtʃər] 미래
interested in ~에 관심이 있는
protect [prətékt] 보호하다
danger [déindʒər] 위험
sick [sik] 아픈

M What do you want to be in the future?
W I'm not sure yet.
M Well, what are you interested in?
W I'm interested in protecting people from danger.
M Then how about becoming a police officer?
W That's a good idea. How about you?
M I want to be an animal doctor and help sick animals.

남 너는 장차 무엇이 되고 싶니?
여 아직 확실하지 않아.
남 음, 무엇에 관심이 있는데?
여 나는 위험으로부터 사람들을 보호하는 것에 관심이 있어.
남 그럼 경찰관이 되는 건 어때?
여 좋은 생각이야. 너는 어때?
남 나는 수의사가 되어서 아픈 동물들을 돕고 싶어.

08 ④

해설 여자는 시장에 가지 않았다고 했다.

어휘 summer break 여름방학
palace [pǽlis] 궁전
street food 길거리 음식

M How was your summer break?
W It was great! I visited Bangkok with my aunt.
M That's nice. What did you do there?
W I went to a beautiful palace.
M Did you go to a market, too?
W No, I didn't.

남 여름방학은 어땠어?
여 정말 좋았어! 나는 이모와 함께 방콕에 갔어.
남 멋지다. 거기서 뭐 했어?
여 멋진 궁에 갔었어.
남 시장에도 갔었니?
여 아니, 안 갔어.

	M Did you try their street foods?	남 길거리 음식은 먹어 봤어?
	W Of course. I liked them a lot.	여 물론이지. 정말 맛있었어.

09 ⑤

해설 남자가 보드 게임 하는 법을 모른다고 하자 여자가 가르쳐주겠다고 했다. 어휘 board game 보드 게임 finish [fíniʃ] 끝내다	**W** Dad, why don't we play this board game? **M** Did you finish your homework? **W** Yes. I finished it before dinner. **M** Good. But I don't know how to play this game. **W** It's okay. I'll teach you. **M** Okay. Let's do it.	여 아빠, 우리 보드 게임하는 게 어때요? 남 숙제는 다 했니? 여 네. 저녁 먹기 전에 다 했어요. 남 잘했다. 그런데, 나는 이 게임을 하는 법을 모르는데. 여 괜찮아요. 제가 가르쳐드릴게요. 남 그래. 게임해 보자.

10 ④

해설 남자는 여름 방학 동안 아침에 일어나 운동하고 도서관에서 독서를 하겠다고 하면서 자신의 여름 방학 계획에 대해 설명하고 있다. 어휘 daily schedule 생활계획표 break [breik] 방학 goal [goul] 목표	**W** Bill, what are you doing? **M** I'm making my daily schedule for this summer break. **W** So what time are you planning to get up? **M** I'll get up at 8 every day and go jogging. **W** What is this "reading time"? **M** I'll go to the library and read many books. My goal for this summer break is reading 10 books. **W** Good for you.	여 Bill, 뭘 만들고 있어? 남 이번 여름 방학 생활계획표를 만들고 있어. 여 몇 시에 일어날 계획이니? 남 매일 8시에 일어나서 조깅하러 갈거야. 여 오후 2시부터 5시까지 이 '독서 시간'은 무엇이니? 남 도서관에 가서 책을 읽을 거야. 이번 여름 방학 목표는 10권 이상의 책을 읽는거야. 여 잘했어.

11 ③

해설 아프리카 미술관이 걸어서 가기에는 멀고 버스가 없으니 택시를 타야 한다고 했다. 어휘 art museum 미술관 far from ~에서 멀리 on foot 걸어서	**M** Excuse me. How can I get to the African Art Museum? **W** It's a little far from here. You can't get there on foot. **M** Then, can I take the bus? **W** No, there's no bus from here. You should take a taxi. **M** Okay. I'll take a taxi. Thank you.	남 실례합니다만. 아프리카 미술관에 어떻게 가면 되나요? 여 여기서 좀 멀어요. 걸어서 갈 수는 없어요. 남 그럼, 버스를 타는 게 좋아요. 여 아뇨, 여기에서는 버스가 없어요. 택시를 타야 해요. 남 알겠습니다. 택시를 탈게요. 고맙습니다.

12 ⑤

해설 사람들이 쓰레기를 버리는 곳에 남자가 정원을 만들어 쓰레기를 버리지 못하게 했다고 했다.	**M** How do you like this garden? **W** It's a small garden, but it's beautiful. **M** I made the garden and planted these flowers because people often throw trash here.	남 이 정원은 어때? 여 작은 정원이지만 예쁘네. 남 사람들이 여기에 쓰레기를 자주 버려서 내가 정원을 만들고 이 꽃들을 심

어휘 garden[gáːrdən] 정원
plant[plænt] 심다
throw[θrou] 던지다
trash[træʃ] 쓰레기
change[tʃeindʒ] 변화

W Really? That was a great idea! That's why we can't see any trash here now.
M I'm glad I made a little change.

었어.
여 정말? 훌륭한 생각이었네! 그래서 지금 이곳에 쓰레기가 하나도 보이지 않는구나.
남 내가 작은 변화를 만들어냈다는 게 기뻐.

13 ③

해설 긴 바지를 짧게 만들고 고장 난 지퍼도 고쳐달라고 하는 것으로 보아 옷 수선집에서 나누는 대화임을 알 수 있다.

어휘 fix[fiks] 고치다
zipper[zípər] 지퍼
broken[bróukən] 고장 난

M Hello. How may I help you?
W Hi. These pants are too long for me. Can you make them shorter?
M Sure. Anything else?
W The zipper on this shirt is broken.
M I can fix that, too.
W Thanks. How much will it be?
M It will be $35.

남 안녕하세요. 무엇을 도와드릴까요?
여 안녕하세요. 이 바지가 저한테 너무 길어서요. 더 짧게 만들어 주실 수 있나요?
남 물론이죠. 또 다른 건 없으세요?
여 이 셔츠의 지퍼가 고장 났어요.
남 그것도 고칠 수 있어요.
여 고맙습니다. 얼마가 들까요?
남 35달러입니다.

14 ③

해설 서점은 곧장 가서 첫 번째 모퉁이에서 왼쪽으로 돌면 오른쪽 극장 옆에 있다.

어휘 bookstore[búkstɔ̀ːr] 서점
corner[kɔ́ːrnər] 모퉁이
next to ~의 옆에
You can't miss it. 찾기 쉬워요.

M I need a science book to do my homework.
W A new bookstore opened near here.
M Really? How can I get there?
W Go straight and turn left at the first corner. It's on your right.
M Then, is it next to the theater?
W That's right. You can't miss it.

남 숙제를 해야 해서 과학책이 한 권 필요해.
여 이 근처에 새 서점이 하나 생겼어.
남 그래? 거기 어떻게 가는데?
여 똑바로 가다가 첫 번째 모퉁이에서 왼쪽으로 가. 그곳은 오른쪽에 있어.
남 그럼 극장 옆에 있어?
여 맞아. 쉽게 찾을 수 있을 거야.

15 ③

해설 슈퍼마켓에 가려는 남자에게 여자가 세탁소에 가서 바지를 찾아 달라고 부탁했다.

어휘 supermarket[sùːpərmàːrkit] 슈퍼마켓
ask A a favor A에게 부탁하다
pick up ~을 찾아오다, 찾다
dry cleaner's 세탁소

M Mom, I'm going out to the supermarket to buy some milk.
W Okay. Then can I ask you a favor?
M Sure. What is it?
W Can you pick up my pants from the dry cleaner's, too?
M No problem.

남 엄마, 저 우유를 사러 슈퍼마켓에 나가요.
여 알겠어. 부탁 하나 해도 될까?
남 물론이죠. 뭔데요?
여 세탁소에서 내 바지 좀 찾아올래?
남 그럴게요.

16 ①

해설 야구 시합에 늦어서 서두르는 남자에게 여자는 버스보다 빠른 지하철을 타라고 제안했다.

W What's the hurry, Mike?
M I'm late for a baseball game. I might miss the bus.

여 왜 그렇게 서두르니, Mike?
남 야구 시합에 늦었어요. 버스를 놓칠지 몰라요.

어휘 hurry[hə́ːri] 서두름
subway[sʌ́bwèi] 지하철
fast[fæst] 빠른
drive[draiv] 태워다 주다

W Why don't you take the subway? It's faster than the bus.
M But the subway station is too far.
W I can drive you to the subway station.
M Thanks, Mom.

여 지하철을 타는 게 어때? 그게 버스보다 빠르잖아.
남 하지만 지하철역이 너무 멀어서요.
여 내가 지하철역까지 태워 줄게.
남 고마워요, 엄마.

17 ⑤

해설 일요일에 남자는 비를 맞으며 축구를 했다.

어휘 boring[bɔ́ːriŋ] 지루한
in the rain 비를 맞으며, 빗속에

M Kate, how was your Sunday?
W It was so boring because it rained all day.
M So what did you do?
W I just ate, slept, and watched TV. How about you?
M I played soccer with my friends.
W Did you play soccer in the rain?
M Yes, but it was a lot of fun.

남 Kate, 일요일은 어땠어?
여 하루 종일 비가 와서 아주 지루했어.
남 그래서 뭐 했는데?
여 그냥 먹고, 자고, TV 보고 그랬지 뭐. 너는 어땠어?
남 나는 친구들과 축구했어.
여 비 오는데 축구를 했다고?
남 응, 하지만 정말 재미있었어.

18 ④

해설 자리를 바꿔 달라는 여자에게 남자는 비행기가 이륙한 후에 바꿔 주겠다고 했으므로 두 사람은 비행기 승무원과 승객임을 알 수 있다.

어휘 medicine[médisn] 약
take off 이륙하다
blanket[blǽŋkit] 담요

M How can I help you?
W Can I have some water? I have to take my medicine.
M Of course, ma'am. For now, please take your seat. After the plane takes off, I'll help you with that.
W Thank you. And could you get me a blanket?
M Sure.

남 무엇을 도와드릴까요?
여 물 좀 주시겠어요? 약을 먹어야 해서요.
남 물론입니다, 손님. 일단 자리에 앉으세요. 비행기가 이륙한 후에 도와드릴게요.
여 고마워요. 그리고 담요 좀 가져다주시겠어요?
남 그럴게요.

19 ③

해설 어두운 곳에서 휴대전화로 영화를 보다가 눈이 충혈된 남자에게 남자가 한 일은 눈에 좋지 않다는 말이 이어져야 적절하다.

어휘 in the dark 어둠 속에서
[선택지]
get worse 악화되다
take care of ~을 소중히 하다

W Jack, what's wrong? Your eyes are red.
M I slept very little last night.
W Why?
M I watched a movie on my cell phone until 3 a.m.
W Did you watch it in the dark?
M Yes, I did.
W That is not good for your eyes.

여 Jack, 어디 안 좋니? 눈이 빨개.
남 어젯밤에 잠을 조금밖에 못 잤어.
여 어째서?
남 새벽 3시까지 휴대전화로 영화를 봤거든.
여 어두운 데서 봤니?
남 응, 그랬어.
여 그건 네 눈에 좋지 않아.

① 안 됐구나.
② 나는 눈이 점점 나빠지고 있어.
④ 당근을 먹으면 눈에 좋아.
⑤ 너는 아침에 일찍 일어나야 해.

20 ③

해설 낡은 청바지로 무엇을 만들 거냐고 물었으므로 청바지를 재활용해서 만들 수 있는 물건을 말하는 것이 적절하다.

어휘 throw away 버리다
jeans [dʒiːnz] 청바지
recycle [riːsáikl] 재활용하다
[선택지]
shopping bag 쇼핑백, 장바구니
earth [əːrθ] 지구

W Jim, are you going to throw those jeans away?
M Yeah, they are too old.
W Can I have them?
M Sure, but what will you do with them?
W I want to recycle these jeans.
M Oh, really? What are you going to make with them?
W I'll make a shopping bag.

여 Jim, 그 청바지 버릴 거니?
남 응, 너무 낡았어.
여 내가 가져도 돼?
남 물론이지, 하지만 그걸로 뭘 하려고?
여 이 청바지를 재활용하고 싶어.
남 아, 정말? 그것으로 무엇을 만들 거니?
여 쇼핑백을 만들 거야.

① 그거 나중에 보여줘.
② 그거 버리지 마.
④ 그건 지구를 위한 일이야.
⑤ 너는 헌 옷을 잘 재활용하는구나.

실전 모의고사 05

p. 140

01 ④	02 ②	03 ⑤	04 ⑤	05 ⑤	06 ③	07 ④
08 ③	09 ③	10 ④	11 ①	12 ④	13 ⑤	14 ⑤
15 ④	16 ②	17 ②	18 ②	19 ③	20 ②	

01 ④

해설 플라스틱이나 종이로 만들어졌고 접을 수 있으며 흔들면 시원해지는 것은 부채이다.

어휘 different [different] 다양한
shape [ʃeip] 모양
fold [fould] 접다
carry [kǽri] 가지고 다니다
wave [weiv] 흔들다
cool [kuːl] 시원한

M People make this with plastic or paper. It comes in different sizes and shapes. You can fold this and carry it in your bag. In summer, you wave this and you'll feel cool. What is this?

남 사람들은 이걸 플라스틱이나 종이로 만들어요. 이것은 다양한 크기와 모양으로 나와요. 이것을 접을 수 있고 가방 안에 넣고 다닐 수 있어요. 여름에 이것을 흔들면 시원해져요. 이것은 무엇일까요?

02 ②

해설 여자는 꽃무늬를 좋아하지 않아서 별이 있는 운동화를 구입했다.

어휘 look for ~을 찾다
sneaker [sníːkər] 운동화
perfect [pə́ːrfikt] 완벽한
try on ~을 신어 보다

M May I help you?
W Yes, I'm looking for sneakers for jogging.
M How about these ones with flowers?
W They're nice, but I don't like flowers.
M Then, what about these ones with stars?
W They're perfect. Can I try them on?
M Sure. Go ahead.
W They are great. I'll take them.

남 도와 드릴까요?
여 네, 조깅용 운동화를 찾고 있어요.
남 꽃이 그려진 이건 어떠세요?
여 좋지만 저는 꽃무늬를 좋아하지 않아요.
남 그럼, 별이 있는 이건 어떠세요?
여 완벽하네요. 신어 봐도 되나요?
남 네. 그러세요.
여 좋네요. 그걸 살게요.

03 ⑤

해설 일요일에는 다시 비가 온다고 했다.

어휘 a little 약간
luckily [lʌ́kili] 다행히
however [hauévər] 하지만
join [dʒɔin] 함께 하다

M Good morning, everyone. This is the weekly weather forecast. This week, it's going to be rainy and a little cold. Luckily, it'll stop raining on Friday night. However, it'll rain again on Sunday. Thank you for joining us.

남 안녕하세요, 여러분. 주간 일기 예보입니다. 이번 주에는 비가 오고 좀 춥겠습니다. 다행히 비는 금요일 밤에 그치겠습니다. 하지만 일요일에 다시 비가 오겠습니다. 함께 해 주셔서 감사합니다.

04 ⑤

해설 여자가 스파게티를 만들어서 선물 받은 접시에 담을 거라고 하자, 남자는 빨리 먹어 보고 싶다고 기대하고 있다.

어휘 present [prézənt] 선물

M Happy birthday, Susie. This is a present for you.
W Thank you. Can I open it now?
M Sure. Go ahead.
W Oh, what a beautiful dish!

남 생일 축하해, Susie. 이거 네 선물이야.
여 고마워. 지금 열어봐도 되니?
남 물론이지. 어서 열어봐.
여 아, 정말 멋진 접시구나!

dish [diʃ] 접시
can't wait to-v 빨리 ~하고 싶다

M I'm glad you like it.
W I'll make spaghetti for you and put it in this dish.
M I can't wait to try it.

남 네가 좋아하니 기뻐.
여 나는 너에게 줄 스파게티를 만들어서 이 접시에 담을 거야.
남 빨리 먹어 보고 싶네.

05 ⑤

해설 위치(뒷마당), 만든 사람(아버지), 만든 시기(5년 전), 연못의 위치(정원 가운데)는 언급하였지만 꽃의 종류에 대해서는 언급하지 않았다.

어휘 backyard [bǽkjɑ̀rd] 뒷마당
build [bild] 짓다, 건축하다 (build-built-built)
pond [pɑnd] 연못
in the middle of ~의 가운데에
lots of 많은

M There is a garden in my backyard. My father built it 5 years ago. He made a small pond in the middle of the garden, too. There are lots of beautiful flowers around the pond. I like to play there.

남 우리 집 뒷마당에 정원이 있어요. 아버지가 5년 전에 그것을 만들었어요. 아버지는 정원 가운데에 작은 연못도 만들었어요. 연못 주위에 아름다운 꽃들이 많아요. 저는 거기서 노는 것을 좋아해요.

06 ③

해설 여자가 토요일에 1시 30분에 가겠다고 하자 남자가 2시에 오라고 했고 여자가 동의했다.

어휘 school festival 학교 축제
cello [tʃélou] 첼로
instead [instéd] 대신에
until [əntíl] ~까지

M Can you come to my school festival this Saturday?
W Sure.
M What time do you want to come?
W I have a cello lesson in the morning. So I can come at 1:30.
M Can you come at 2 instead? I have a club meeting until 1:45.
W Okay. See you then.

남 이번 토요일에 우리 학교 축제에 올래?
여 물론이지.
남 몇 시에 올래?
여 나는 아침에 첼로 강습이 있어. 그래서 1시 30분에 갈 수 있어.
남 대신에 2시에 올 수 있니? 나는 동아리 모임이 1시 45분까지 있거든.
여 좋아. 그때 보자.

07 ④

해설 여자는 자동차에 관심이 있어서 자동차에 대한 책을 많이 봤고 자동차 디자인을 하고 싶다고 했다.

어휘 be interested in ~에 관심이 있다
company [kʌ́mpəni] 회사
design [dizáin] 디자인하다, 설계하다

M What are you doing, Betty?
W I'm drawing cars.
M Are you interested in cars?
W Yes. My father works for a car company, so I looked at many books on cars.
M What do you want to do in the future?
W I want to design cars. I'll make nice sports cars.

남 Betty, 너 뭐 하고 있니?
여 나는 자동차를 그리고 있어.
남 너는 자동차에 관심이 있니?
여 응. 아버지가 자동차 회사에서 일하셔서 자동차에 대한 책을 많이 봤어.
남 너는 미래에 무엇을 하고 싶니?
여 나는 자동차 디자인을 하고 싶어. 나는 멋진 스포츠카를 만들 거야.

08 ③

해설 여자는 파티에서 기타를 연주했다고 했다.

M Rose, I'm sorry I missed the party. How was it?

남 Rose, 내가 파티에 못 가서 미안해. 파티는 어땠니?

어휘 miss[mis] 놓치다
kind[kaind] 종류
play the guitar 기타를 치다
over[óuvər] 끝이 난

W It's all right. The Christmas party was really fun. There were many kinds of food.
M What did you do there?
W I played the guitar, and some people danced to the music.
M What time was the party over?
W At 10 p.m.

여 좋았어. 크리스마스 파티는 정말 재밌었어. 음식의 종류도 많았어.
남 넌 거기서 뭘 했니?
여 나는 기타를 연주했고, 어떤 사람들은 음악에 맞춰 춤을 췄어.
남 파티는 몇 시에 끝났어?
여 밤 10시에.

09 ③

해설 여자가 개를 잃어버렸다고 하자 남자가 개의 사진이 들어간 포스터를 만들자고 했다.

어휘 lose[lu:z] 잃어버리다
run out 달려 나가다
worried[wə́:rid] 걱정스러운
puppy[pʌ́pi] 강아지
quickly[kwíkli] 빨리
poster[póustər] 포스터

W I lost my dog yesterday.
M Oh no! How did that happen?
W When I opened the door, he ran out.
M That's too bad.
W I'm worried because he's just a puppy. I have to find him quickly.
M Then, let's make posters with his photo.
W That's a good idea.

여 어제 우리집 개를 잃어버렸어.
남 이런! 어쩌다 그렇게 됐니?
여 내가 문을 열었을 때, 걔가 달려 나갔어.
남 안됐다.
여 아직 어린 강아지라서 걱정이 돼. 빨리 찾아야 해.
남 그럼 너네집 개의 사진이 들어간 포스터를 만들자.
여 좋은 생각이야.

10 ④

해설 이메일은 보내고 받는 데 시간이 많이 걸리지 않고 우표 비용을 낼 필요가 없다고 했으므로 이메일의 장점에 대한 내용이다.

어휘 invitation[ìnvitéiʃən] 초대장
receive[risí:v] 받다
don't have to ~할 필요가 없다
pay for ~을 지불하다
stamp[stæmp] 우표

W What are you doing?
M I'm writing party invitations to my friends.
W Are you sending them by e-mail?
M Yes. It doesn't take much time to send and receive messages.
W Also, if you use e-mail, you don't have to pay for stamps.
M You're right.

여 너 뭐 하고 있니?
남 친구들에게 보낼 파티 초대장을 쓰고 있어.
여 이메일로 보내는 거야?
남 응. 메시지를 보내고 받는 데 시간이 많이 걸리지 않잖아.
여 또한, 이메일을 쓰면, 우표 비용을 낼 필요가 없지.
남 네 말이 맞아.

11 ①

해설 여자는 남자에게 도서관까지 태워 달라고 했지만 남자가 사무실로 돌아간다고 하자 버스를 타겠다고 했다.

어휘 drive[draiv] 태워다 주다
pick up (차로) 데리러 가다

W Dad, I'm going to go to the library after school today.
M How are you going to get there?
W Can you drive me there at 4?
M Sorry. I have to go back to the office at 3.
W I see. Then I'll take the bus.
M You should. Call me when you are done. I'll come and pick you up.

여 아빠, 저는 오늘 방과 후에 도서관에 갈 거예요.
남 거기에 어떻게 갈 거니?
여 4시에 거기로 태워다 주실래요?
남 미안하구나. 3시에 사무실로 돌아가야 해.
여 알겠어요. 그러면 버스를 탈게요.
남 그래라. 끝나면 나한테 전화하렴. 너를 데리러 갈게.

12 ④

해설 여자는 자전거를 타다가 나무에 부딪쳐서 팔이 부러졌다.

어휘 happen [hǽpən] 일어나다, 발생하다
hit [hit] ~과 부딪치다, ~을 들이받다
careful [kέərfəl] 조심하는
get better 좋아지다

M Did something happen?
W I broke my arm.
M Why did that happen?
W I was riding my bike and hit a tree.
M I'm sorry to hear that. You should be careful when you ride your bike. I hope you get better soon.
W Thanks.

남 무슨 일 있었니?
여 나는 팔이 부러졌어.
남 왜 그렇게 됐는데?
여 자전거를 타다가 나무와 부딪쳤어.
남 안됐구나. 자전거를 탈 때는 조심해야 해. 얼른 나았으면 좋겠네.
여 고마워.

13 ⑤

해설 남자가 여권을 보여 달라고 하면서 처음 방문인지 얼마나 머무를 건지 묻고 있으므로 두 사람은 입국 심사원과 여행객임을 알 수 있다.

어휘 passport [pǽspɔːrt] 여권
stay [stei] 머물다

W May I see your passport, please?
M Here you are.
W Is this your first visit here?
M Yes.
W How long will you stay here?
M For 5 days.
W All right. Here's your passport. Have a nice trip.
M Thank you.

남 여권을 보여주시겠어요?
여 여기 있습니다.
남 여기 처음 방문이신가요?
여 네.
남 이곳에 얼마나 머무르실 건가요?
여 5일이요.
남 좋습니다. 여기 여권 있습니다. 즐거운 여행 되세요.
여 감사합니다.

14 ⑤

해설 여자가 찾는 지갑은 책상 위나 탁자 위에는 없었고 화분 옆에 있었다.

어휘 wallet [wálit] 지갑
already [ɔːlrédi] 이미
either [íːðər] 〈부정문에서〉 ~도 또한
next to ~의 옆에
plant [plænt] 식물, 화분

W Honey, did you see my wallet?
M Isn't it on your desk?
W No. I already checked there, but I couldn't find it.
M Then, look on the table.
W It's not there, either.
M Oh, I found it. It's next to the plant.
W Thanks.

여 여보, 내 지갑 봤어요?
남 당신 책상 위에 있지 않아요?
여 아뇨. 내가 이미 확인해 봤지만, 없었어요.
남 그럼, 탁자 위를 봐요.
여 거기에도 없어요.
남 아, 찾았어요. 화분 옆에 있네요.
여 고마워요.

15 ④

해설 남자가 토요일에 미술 전시회를 보러 가자고 제안하자 여자가 승낙하며 표를 예매해 달라고 부탁했다.

어휘 be planning to-v ~할 계획이다
art show 미술 전시회

M What are you going to do this Saturday?
W I'll just stay home and watch TV. Do you have any plans?
M I'm planning to go to Dream Art Center.
W Oh, are you going to see an art show?
M Yes. Would you like to come with me?
W Sure. Can you get my ticket?
M Of course.

남 너 이번 토요일에 뭐 할 거니?
여 집에서 TV나 볼 거야. 넌 계획 있니?
남 나는 Dream 아트 센터에 갈 계획이야.
여 아, 미술 전시회를 보러 갈 거니?
남 응. 나랑 같이 갈래?
여 그래. 내 표를 구해 줄래?
남 물론이야.

16 ②

해설 남자가 최근에 5킬로그램 이상 몸무게가 늘었다고 하자 여자가 함께 걷자고 제안했다.

어휘 exercise [éksərsàiz] 운동하다
gain [gein] 늘다
recently [rí:səntli] 최근에

M Monica, you look great.
W Thanks. I exercise every day.
M What exercise do you do?
W I just walk fast for an hour after dinner.
M Maybe I should exercise, too. I gained over 5 kilograms recently.
W Then, why don't we walk together?
M That's a good idea.

남 Monica, 너 좋아 보인다.
여 고마워. 나는 매일 운동하거든.
남 무슨 운동을 하는데?
여 나는 그냥 저녁 식사 후에 1시간 동안 빨리 걸어.
남 어쩌면 나도 운동을 해야겠네. 나는 최근에 5킬로그램 이상 늘었거든.
여 그럼, 함께 걷는 게 어떨까?
남 좋은 생각이야.

17 ②

해설 여자는 휴일에 자전거로 춘천을 여행했고 남자는 테니스 치는 것을 배웠다고 했다.

어휘 holiday [hálədèi] 휴일
travel [trǽvəl] 여행하다
tennis [ténis] 테니스

M What did you do during the holiday?
W I traveled around Chuncheon by bike.
M That's great!
W It was hard, but I had a good time. How about you?
M I learned to play tennis.
W Really? That sounds fun.

남 너는 휴일에 무엇을 했니?
여 나는 자전거로 춘천을 여행했어.
남 멋지다!
여 힘들었지만, 즐거운 시간을 보냈어. 너는 어때?
남 나는 테니스 치는 것을 배웠어.
여 정말? 그거 재미있었겠다.

18 ②

해설 두통이 심한 여자에게 약을 주었고 상태가 나아지지 않으면 의사에게 가라고 하는 것으로 보아 남자의 직업은 약사임을 알 수 있다.

어휘 terrible [térəbl] 심한
headache [hédèik] 두통
take medicine 약을 먹다
meal [mi:l] 식사

M May I help you?
W Yes. I have a terrible headache.
M When did it begin?
W After lunch.
M Well, take this medicine. You have to take it after every meal.
W All right.
M If you don't feel better tomorrow, you should see a doctor.
W Okay. Thank you.

남 도와 드릴까요?
여 네. 저는 두통이 심해요.
남 언제 두통이 시작되었나요?
여 점심 식사 이후로요.
남 음, 이 약을 드세요. 매 식사 후에 드세요.
여 알겠습니다.
남 만약 내일 상태가 나아지지 않으면, 병원에 가셔야 해요.
여 알겠습니다. 정말 고맙습니다.

19 ③

해설 수학이 너무 어렵다는 여자의 말에 자신이 도와주겠다는 말이 이어져야 상황상 적절하다.

어휘 wrong [rɔ(:)ŋ] 잘못된
make a mistake 실수하다
next time 다음번에

M How are you today, Mina?
W Not so good.
M Is something wrong?
W I made a lot of mistakes on my math exam.
M Well, you'll do better next time.
W I don't know. Math is very difficult for me.
M I'll help you with it.

남 미나야, 오늘 기분 어때?
여 별로야.
남 뭐가 잘못됐니?
여 수학 시험에서 실수를 많이 했어.
남 음, 다음에 더 잘하면 돼.
여 모르겠어. 나한테 수학은 너무 어렵거든.
남 내가 널 도와줄게.

① 나는 몸이 아주 좋지 않아.
② 잘했구나.
④ 빨리 회복했으면 좋겠네.
⑤ 나는 과학 숙제를 하지 않았어.

20 ②

해설 남자는 여자의 음식을 먹고 감탄했으며, 여자가 어떤지 의견을 묻고 있으므로 맛이 좋다는 말이 이어져야 한다.

어휘 cook[kuk] 요리하다; 요리사
try[trai] 먹어보다
[선택지]
Help yourself. (음식을) 마음대로 드세요.

M Who cooked this?
W I did. It's japchae.
M Really? It looks good.
W Thanks. Why don't you try some?
M You're a good cook. I'm sure it's good, too. *[Pause]* Wow!
W How do you like it?
M It's very delicious.

남 누가 이걸 요리했니?
여 내가 했어. 그건 잡채야.
남 정말? 맛있어 보이네.
여 고마워. 좀 먹어 볼래?
남 너 요리 잘하잖아. 분명히 그것도 맛있을 거야. *[잠시 후]* 와!
여 맛이 어때?
남 아주 맛있어.

① 마음껏 먹어.
③ 나는 피자를 먹고 싶어.
④ 나는 널 위해 이걸 만들었어.
⑤ 그것은 네 건강에 좋아.